Der Nationalsoziale Verein 1896—1903

Studien zur Geschichte des neunzehnten Jahrhunderts

Abhandlung der Forschungsabteilung des
Historischen Seminars der Universität Köln

Band 6

»Neunzehntes Jahrhundert«
Forschungsunternehmen der Fritz Thyssen Stiftung

Der Nationalsoziale Verein 1896-1903

Der gescheiterte Versuch einer parteipolitischen Synthese von Nationalismus, Sozialismus und Liberalismus

von Dieter Düding

R. OLDENBOURG MÜNCHEN WIEN 1972

Gesamtherstellung: R. Oldenbourg, Graphische Betriebe GmbH, München

ISBN 3-486-43801-8

Vorwort

Anläßlich der Veröffentlichung meiner Arbeit möchte ich nicht versäumen, für die Hilfe, die mir bei ihrem Entstehen in vielfacher Weise zuteil wurde, herzlich zu danken.

Besonders gilt mein Dank meinem verehrten Lehrer, Herrn Professor Dr. Theodor Schieder. Von ihm ging – im Anschluß an ein Seminar über Parteigeschichte – die Anregung zu dieser Arbeit aus. Herr Prof. Schieder verfolgte außerdem nicht nur das Entstehen der Arbeit mit freundlichem Interesse, sondern ermöglichte auch meine Aufnahme in die Forschungsabteilung des Historischen Seminars der Universität zu Köln und die Veröffentlichung der Untersuchung in der von ihm herausgegebenen Reihe.

Danken möchte ich auch den Archivaren der von mir aufgesuchten Archive, vor allem des Deutschen Zentralarchivs in Potsdam, des Bundesarchivs in Koblenz und des Solinger Stadtarchivs, für ihre bereitwillige Hilfe.

Ich freue mich darüber, daß diese Arbeit in die Reihe »Studien zur Geschichte« des Forschungsunternehmens »19. Jahrhundert« der Fritz Thyssen Stiftung aufgenommen wurde.

Ich widme dieses Buch meiner Mutter.

Köln, im November 1971

Dieter Düding

Inhaltsverzeichnis

I. Anmerkungen zur Thematik, Quellenlage und Arbeitsmethode

Der Nationalsoziale Verein, dessen Vorsitzender vom Anfang bis zum Ende seines Bestehens Friedrich Naumann war, wird in der Forschung als eine liberale politische Gruppe innerhalb des deutschen Parteiensystems der Jahrhundertwende gewertet[1].

Trotz dieser mit einer wesentlichen Einschränkung[2] berechtigten politisch-ideellen Klassifizierung des Vereins und trotz der ephemeren Rolle, die der Verein in der deutschen Parteigeschichte spielte[3], nimmt er wegen seiner ideen- wie auch gesellschaftspolitischen Zielsetzung eine singuläre und signifikante Stellung im Parteiensystem der Jahrhundertwende ein.

Die nationalsoziale Konzeption bestand einmal darin, die divergierenden politischen Strömungen des Nationalismus und des Sozialismus für den Verein zu konstitutiven politischen Ideengehalten zu machen. Dies geschah, indem man einerseits im Bürgertum um Verständnis für eine aktive Sozialpolitik warb, andererseits um die Weckung des nationalen Gedankens in der Arbeiterschaft bemüht war.

Schließlich begriff sich der Verein darüberhinaus als Protagonist einer »gesamtliberalen« Bewegung, eines neuen, regenerierten proletarisch-bürgerlichen Gesamtliberalismus, womit man den Gedanken an eine einheitliche Politik von sozialdemokratischer Arbeiterschaft und liberalem Bürgertum verband. Die

[1] So spricht Karl Erich BORN (In: Bruno Gebhardt, Handbuch der Deutschen Geschichte, Bd. III, 1960, 8. Aufl., S. 278) von dem »liberal ausgerichteten Nationalsozialen Verein«, der von Naumann gegen die konservative christlich-soziale Bewegung Stöckers begründet wurde. In der 9. Auflage des 3. Bandes dieses Handbuches ist die zitierte Formulierung zwar fallengelassen worden, dennoch gibt der Inhalt der Sätze, mit denen Naumanns nationalsoziale Entwicklungsphase berührt wird, zu erkennen, daß der Verfasser den Nationalsozialen Verein auch weiterhin als eine liberal orientierte politische Organisation einstuft (Gebhardt, Handbuch, Bd. III, 1970, 9. Aufl., S. 234). – Ludwig Elm deklariert den Nationalsozialen Verein in seiner Arbeit über den Linksliberalismus in Deutschland von 1893 bis 1918 (Ludwig ELM: Zwischen Fortschritt und Reaktion. Geschichte der Parteien der liberalen Bourgeoisie in Deutschland 1893–1918, Berlin [Ost] 1968) als »liberale Partei mit ausgeprägt imperialistischen, militaristischen und monarchistischen Zügen und Forderungen ...« (S. 7). Ähnlich heißt es in: Die bürgerlichen Parteien in Deutschland, Handbuch der Geschichte der bürgerlichen Parteien und anderer bürgerlicher Interessenorganisationen vom Vormärz bis zum Jahre 1945, Bd. II, Leipzig 1970, unter dem Stichwort »Nationalsozialer Verein«: »Der liberale NV trat offen für die Flotten- und Kolonialpolitik des deutschen Imperialismus und für die Hohenzollernmonarchie ein« (S. 376).

[2] Siehe hierzu u. a. S. 32, Anm. 51 und S. 151 ff. dieser Arbeit.

[3] Daß der Nationalsoziale Verein nicht dem Namen nach, aber doch faktisch eine politische Partei war, läßt sich vor allem an seiner Beteiligung bei den Reichstagswahlen 1898 und 1903 erkennen.

parteipolitische Spannweite der gesamtliberalen Linken sollte von den revisionistischen Sozialdemokraten über den Linksliberalismus bis hin zu jenen Nationalliberalen reichen, die sich dem sozialen Gedanken verpflichtet fühlten.

Die Originalität des parteipolitischen Versuchs von Naumann und seiner politischen Anhänger – in ihrer überwiegenden Mehrheit Angehörige des protestantischen Bildungsbürgertums – läßt eine Beschäftigung mit dem Nationalsozialen Verein als lohnenswert erscheinen, obwohl letzten Endes der erhoffte politische Erfolg ausblieb und der Verein sich selbst auflöste.

Hinzu kommt, daß die nationalsoziale Idee eines engen politischen Zusammenwirkens von Liberalen und Sozialdemokraten und die nationalsoziale Forderung nach einer Öffnung des Liberalismus für die »soziale Frage« gegenwärtig in Deutschland durch die Bildung einer sozialdemokratisch-liberalen Bundesregierung eine besondere Aktualität erhalten haben.

Noch in anderer Hinsicht bietet sich der Nationalsoziale Verein für eine Untersuchung an. Er ist geradezu ein exemplarisches Forschungsobjekt, wenn man eine Antwort auf die Frage nach der Möglichkeit einer Auflockerung der starren ideologischen Fronten zu finden versucht, die sich zwischen den gesellschaftlichen Klassen und den von ihnen getragenen politischen Parteien in den letzten Jahrzehnten des Kaiserreiches herausgebildet hatten, oder gar der Schaffung einer verschiedene Gesellschaftsklassen übergreifenden politischen Ideologie – mit dem Ziel einer Nivellierung der gesellschaftlichen Antagonismen.

Es nimmt deshalb wunder, daß – im Gegensatz zu den nahezu unübersehbaren journalistischen und wissenschaftlichen Publikationen über den Politiker Friedrich Naumann[4] – die Literatur über den Nationalsozialen Verein ziemlich begrenzt ist.

Es liegen bisher zwei Arbeiten vor, welche sich ausschließlich mit dem Nationalsozialen Verein und dessen Vorgeschichte beschäftigen: Die im Jahre 1905 im Buchverlag der »Hilfe« erschienene Arbeit Martin Wencks über die »Geschichte der Nationalsozialen«[5] und die 1935 publizierte Dissertation Joachim Gaugers: »Geschichte des Nationalsozialen Vereins«[6].

Martin Wenck, langjähriger Sekretär des Vereins, konnte, wie er selbst in der

[4] Siehe hierzu die 1957 im Rahmen der Veröffentlichungen der »Kommission für Geschichte des Parlamentarismus und der politischen Parteien« herausgegebene umfassende Friedrich-Naumann-Bibliographie von Alfred MILATZ, die im Teil A eine Sammlung der Bücher, Reden und Aufsätze Naumanns und im Teil B eine Zusammenstellung der bis 1957 erschienenen Bücher und Aufsätze über Naumann enthält. – Die beiden jüngsten Veröffentlichungen über den politischen Denker Friedrich Naumann sind die Arbeiten von Wilhelm HAPP: Das Staatsdenken Friedrich Naumanns, Bonn 1968, und von Jürgen CHRIST: Staat und Staatsraison bei Friedrich Naumann, Heidelberg 1969. – Erwähnt werden muß an dieser Stelle auch die im Auftrag der Friedrich-Naumann-Stiftung erfolgte Herausgabe religiöser, politischer und ästhetischer Schriften Naumanns (Friedrich NAUMANN, Werke, hrsg. von Walter UHSADEL, Theodor SCHIEDER und Heinz LADENDORF, 6 Bde., Köln/Opladen 1964 ff.), die dem an Naumann wissenschaftlich Interessierten einen guten Zugang zu seinem Denken verschaffen.

[5] Martin WENCK: Die Geschichte der Nationalsozialen von 1895 bis 1903, Berlin 1905.

[6] Joachim GAUGER: Geschichte des Nationalsozialen Vereins samt einer Darstellung seiner ideellen und tatsächlichen Herkunft – als Teil einer evangelischen Parteigeschichte, Wuppertal-Elberfeld 1935 (Diss. Münster).

Einleitung zu seiner Arbeit betont[7], infolge des nur knappen zeitlichen Abstandes zu der von ihm aus unmittelbarer Anschauung miterlebten Vereinsgeschichte nicht zu einem »abschließenden Urteil über die Bewegung des nationalen Sozialismus« kommen. Außerdem stand Wenck, obwohl er nach der Wahlniederlage im Jahre 1903 und der ihr folgenden Auflösung des Vereins den Anschluß an die linksliberale Freisinnige Vereinigung nicht mitvollzog, in einem sehr engen, freundschaftlichen Verhältnis zu Friedrich Naumann[8], was einer gewissen idealisierenden Beschreibung der Persönlichkeit und der Politik Naumanns Vorschub leistete. Schließlich ist es nicht von unerheblicher Bedeutung, daß Wenck eine Reihe für die nationalsoziale Bewegung relevanter Quellen nicht auszuschöpfen in der Lage war; so vor allem nicht die Protokolle der Sitzungen des nationalsozialen Vereinsvorstandes, die sich heute im Friedrich Naumann-Nachlaß befinden[9].

Ein Rückgriff auf diese *nicht*offiziellen Vereinsdokumente[10] war für Wenck deshalb ausgeschlossen, weil sich Vorstandsmitglieder und Sekretär des Nationalsozialen Vereins »durch Unterschrift zur vollständigen Verschwiegenheit für alle Zukunft bezüglich aller im Vorstande verhandelten Angelegenheiten« verpflichtet hatten[11].

Wencks »Geschichte der Nationalsozialen«, die sich ihrem Duktus nach mehr als journalistische Arbeit ausnimmt, läßt auch die umfangreiche Korrespondenz zwischen führenden Nationalsozialen und zwischen diesen und ihnen nahestehenden Persönlichkeiten unberücksichtigt. Der Nachlaß Friedrich Naumanns, der vor dem Kriege von Theodor Heuss verwaltet und nach Kriegsbeginn an das Reichsarchiv in Potsdam übergeben wurde und nunmehr, nachdem er sich bis Anfang der 60er Jahre in Moskau befand[12], im Deutschen Zentralarchiv in Potsdam

[7] M. Wenck, Geschichte, S. V.

[8] Daß Wenck Naumann persönlich besonders nahestand, geht aus Briefen Wencks an Naumann vom 4. und 31. August 1901 hervor, in denen er Naumann ausführlich über private und familiäre Sorgen berichtet (DZA Potsdam, Nachlaß Naumann, Aktz. 128, Bl. 15 ff. u. Bl. 19 ff.).

[9] DZA Potsdam, Nachlaß Naumann, Aktz. 53 (Protokolle der Vorstandssitzungen des Nationalsozialen Vereins, Nov. 1896–Sept. 1903). Es handelt sich um insgesamt 108 handgeschriebene Protokolle, die einen Umfang von 292 Seiten haben. Die Protokolle sind für die Zeit zwischen den Vertretertagen (Delegiertentagen) des Vereins, die jährlich stattfanden (1896 und 1897 in Erfurt, 1898 in Darmstadt, 1899 in Göttingen, 1900 in Leipzig, 1901 in Frankfurt a. M., 1902 in Hannover und 1903 wieder in Göttingen) wichtige Dokumente über parteiinterne Vorgänge. Sie geben nicht nur Aufschluß über die finanzielle Lage des Vereins, über Organisations-, Agitations- und Pressefragen, sondern auch über divergierende Meinungen der Vorstandsmitglieder zu parteipolitischen Grundsatzfragen und über das Verhältnis zu anderen politischen Gruppen, vor allem zur Freisinnigen Vereinigung.

[10] Als *offizielle* Vereinsdokumente sind die (gedruckten) Protokolle der acht Vertretertage des Vereins zu werten. Eine offizielle Parteidokumentation im weiteren Sinne stellt die nationalsoziale Parteipresse dar, vornehmlich die Wochenschrift und das Vereinsorgan »Die Hilfe«, die ihre Spalten oft freizügig für parteiinterne Kontroversen öffnete.

[11] DZA Potsdam, Nachlaß Naumann, Aktz. 53, Bl. 1.

[12] Gertrud Theodor, der Verfasserin der im Jahre 1957 in Berlin (Ost) erschienenen Naumann-Biographie »Friedrich Naumann oder der Prophet des Profits« stand der Naumann-Nachlaß noch nicht zur Verfügung. Theodor Heuss schreibt in seinem im

verwahrt wird, erwies sich auch in dieser Hinsicht als ergiebig. Er enthält aus der nationalsozialen Zeit einen umfangreichen Briefwechsel Naumanns mit Vereinsmitgliedern und Personen, die außerhalb des Nationalsozialen Vereins standen, aber für diesen besondere Bedeutung erlangten.

Neben dem Naumann-Nachlaß, der die wichtigste Quelle dieser Arbeit darstellt, kamen mehrere Nachlässe in Betracht, die für unsere Arbeit z. T. wichtiges Quellenmaterial enthalten. Dies trifft vor allem für die im Bundesarchiv ausgewerteten Nachlässe Lujo Brentanos, Richard Roesickes und Gottfried Traubs zu. In den beiden zuerst genannten Nachlässen befinden sich u. a. wichtige Korrespondenzen, die darüber Aufschluß geben, wie im Jahre 1903 die Fusion zwischen Nationalsozialem Verein und Freisinniger Vereinigung zustande kam.

Als nicht ganz so lohnend erwies sich die Auswertung der Nachlässe Martin Wencks, Arthur Titius', J. M. Wolfhards, Adolf Damaschkes, Maximilian Hardens und Theodor Heuss'. Der Nachlaß Martin Wencks enthält neben wenigen Briefabschriften das Manuskript einer nicht veröffentlichten Arbeit des ehemaligen Vereinssekretärs[13]. Diese im Stile von Memoiren verfaßte Arbeit hat jedoch nur einen relativ geringen Quellenwert, da die politische Aussage und Wertung zugunsten persönlich-privater Erlebnisschilderung in den Hintergrund tritt.

Der Nachlaß des nationalsozialen Kieler Theologieprofessors Arthur Titius enthält einige Briefe und ein undatiertes handschriftliches Manuskript von Titius, das den Titel »Zur Charakteristik Naumanns« trägt[14]. Es gibt anschaulich Aufschluß über die geistige Vorstellungswelt eines exponierten »jüngeren« Christlichsozialen, der – in einer christlichen Vorstellungswelt wurzelnd – sich gleichsam vorsichtig tastend auf der Scheide zwischen einem sozialreformerischen Protestantismus und der – vom Bereich christlicher Wertüberzeugungen losgelösten – Sphäre politischen Handelns bewegt.

Im Nachlaß des Mannheimer Nationalsozialen Dr. J. M. Wolfhard fand sich neben wenigen Briefen führender Nationalsozialer ein kleiner Rest von Protokoll*abschriften* des nationalsozialen Vorstandes[15].

November 1963 verfaßten Geleitwort zu der von Theodor Schieder, Walter Uhsadel und Heinz Ladendorf herausgegebenen Sammlung Naumannscher Schriften: ». . . der Nachlaß Friedrich Naumanns ist von mir nach dem Ausbruch des Krieges im Einverständnis mit der Familie an das Reichsarchiv in Potsdam gegeben worden. Von dort, nachdem der Bombenkrieg eingesetzt hatte, wurde er in ein Bergwerk verlagert und nach dem Krieg bis jetzt nicht wieder herausgegeben, so daß also . . . der Briefwechsel nicht berücksichtigt werden konnte« (Fr. Naumann, Werke, Bd. I, S. IX).
Alfred Milatz meinte noch in einem im Dezember 1967 geschriebenen Vorwort zu der von ihm besorgten 3. Auflage der Naumann-Biographie von Th. Heuss (Th. Heuss: Friedrich Naumann. Der Mann, das Werk, die Zeit, München und Hamburg 1968), daß »der im Reichsarchiv deponierte Nachlaß Naumanns wohl als verloren gelten muß. . .« (ebd. S. 7).

[13] Das 261 Blatt umfassende Manuskript trägt den Titel »Wandlungen und Wanderungen. Ein Sechziger sieht sein Leben zurück«. Das Manuskript muß demnach um 1922 abgefaßt sein, da Wenck im Jahre 1862 geboren wurde.

[14] Von seinem Inhalt her läßt sich schließen, daß der Text des Manuskriptes gegen Ende des Jahres 1894 oder im Jahre 1895 niedergeschrieben wurde.

[15] Es handelt sich dabei um teils handschriftliche, teils maschinenschriftliche Abschriften von nur 7 der insgesamt 108 Protokolle, deren handschriftliche Originale – wie schon erwähnt – im Naumann-Nachlaß enthalten sind. Das Vorhandensein

Für die Arbeit sehr dienlich, besonders für das 10. Kapitel, in dem die Vereinsorganisation dargestellt wird, erwiesen sich die – teilweise sehr umfangreichen – Polizeiakten über die nationalsozialen Vereine in Hamburg, Frankfurt, Marburg, Göttingen und Dortmund.

Auch Joachim Gauger konnte sich in seiner Dissertation nur auf die offiziellen Parteidokumente – die gedruckten Protokolle der Vertretertage und die »Hilfe« –, nicht aber auf die genannten Nachlässe und Akten stützen. Die Arbeit Gaugers gibt nur einen skizzenhaften, auf 41 Seiten komprimierten Abriß der Geschichte des Vereins, während der Verfasser ihm eine in Relation dazu umfangreiche Darstellung (21 Seiten) der Entwicklung der Christlichsozialen voranstellt.

Als dritte und damit auch letzte umfangreiche Behandlung des Nationalsozialen Vereins[16] müssen jene beiden Kapitel in der Naumann-Biographie von Theodor Heuss angesehen werden, die dem Nationalsozialen Verein gewidmet sind[17].

Die Schilderung der nationalsozialen Periode durch Heuss zeichnet sich – wie überhaupt die gesamte Lebensbeschreibung – durch eine zurückhaltende Sympathie für den einstigen politischen Lehrer und engen Freund aus, was mitunter einer notwendigen kritischen Distanzierung gegenüber manchen politischen Zielvorstellungen und Entscheidungen Naumanns im Wege steht[18]. Schließlich wird in einer Lebensbeschreibung natürlicherweise immer die Gestalt, deren historisches Wirken es zu vergegenwärtigen gilt, im Mittelpunkt der Darstellung stehen. Während also in der Perspektive des Verfassers einer Biographie die dar-

dieses kleinen Restes von Protokollabschriften ist dadurch erklärlich, daß seit dem Jahre 1898 dem engeren nationalsozialen Vorstand ein erweiterter Vorstand zur Seite trat, dem nicht nur – wie das für den engeren Vorstand zutraf – in Berlin ansässige Vereinsmitglieder angehörten. Zur Unterrichtung über die Verhandlungen im engeren Vorstand wurden den (nicht in Berlin wohnenden) Mitgliedern des erweiterten Vorstandes Abschriften der Sitzungsprotokolle in Form eines Zirkulars zugeschickt. (Siehe hierzu Näheres S. 137 f.).

[16] Die Aufsätze von Richard Nürnberger (Imperialismus, Sozialismus und Christentum bei Friedrich Naumann, in: HZ, Bd. 170, 1950, S. 525 ff.) und von Werner Conze (Friedrich Naumann, Grundlagen und Ansatz seiner Politik in der nationalsozialen Zeit, in: Festschrift für Siegfried A. Kaehler, Düsseldorf 1950, S. 355 ff.) können nur bedingt als Beiträge über den Nationalsozialen Verein gewertet werden, da sie fast ausschließlich den politischen Standort Naumanns zum Gegenstand der Untersuchung haben. In dem 1970 in der DDR erschienenen »Handbuch der Geschichte der bürgerlichen Parteien« ist ein von Dieter Fricke verfaßter, knapp 8 Seiten umfassender Beitrag über den Nationalsozialen Verein enthalten. Der Aufsatz stützt sich jedoch weder auf die in meiner Arbeit verwerteten Akten und Nachlässe, noch werden sie in den Quellen- und Literaturhinweisen am Schluß des Aufsatzes erwähnt. Auch der Naumann-Nachlaß wird als Quelle für den Verein nicht genannt.

[17] Theodor Heuss: Friedrich Naumann. Der Mann, das Werk, die Zeit. Stuttgart u. Tübingen 1949, 2. neubearbeitete Auflage. Die erste Auflage des Naumann-Buches von Heuss erschien 1937. Die 2. Auflage weist gegenüber der ersten nur wenige Änderungen auf. Eine 3. Auflage, deren Text gegenüber der 2. unverändert ist, erschien 1968 als Taschenbuch (vgl. oben S. 12, Anm. 12).

[18] Schon 1907 bekannte Heuss gegenüber Naumann – nachdem er 1905, einem Wunsch Naumanns entsprechend, in die Schriftleitung der »Hilfe« eingetreten war –, daß dieser es gewesen sei, der seinem »Leben Richtung und Form gegeben« habe (Theodor Heuss-Archiv, Nachlaß Heuss, Heuss an Naumann vom 20. Juli 1907).

gestellte Persönlichkeit notwendigerweise als historischer Protagonist, als Zentralfigur im Geflecht der geschichtlichen Bedingungen erscheint, kann im Mittelpunkt einer Arbeit, die eine politische Partei, d. h. deren Geschichte, Programm, soziale Zusammensetzung und Organisation darzustellen versucht, nicht eine historische Gestalt stehen, auch wenn diese – wie z. B. Friedrich Naumann – für die betreffende politische Gruppe von hervorragender Bedeutung ist. Würde sich die folgende Arbeit nahezu *ausschließlich* an der Gestalt Friedrich Naumanns orientieren, so wäre das Ergebnis nicht die Darstellung des Nationalsozialen Vereins, sondern die seines Vorsitzenden.

Methodisch stellt die Arbeit einen Kompromiß zwischen systematischer und chronologischer Untersuchung dar. Chronologisch ist die Darstellung von ihrem äußeren Rahmen her, da sie mit ihren Anfangs- und Schlußkapiteln einen Bogen von der Entstehung bis zur Auflösung des Vereins spannt. Dennoch ist die Arbeit kein chronologischer Abriß, da in einem solchen die Herausarbeitung des ideen- und gesellschaftspolitischen Standorts des Vereins, seiner Organisationsform und seiner sozialen Zusammensetzung nicht möglich gewesen wäre.

II. Der Nationalsoziale Verein (1896–1903)

1. *Die gesellschaftlich-politischen Antagonismen im Kaiserreich als relevante Faktoren für das Entstehen eines »nationalen Sozialismus«*

Den politischen Vorstellungen jener Vertreter des protestantischen Bildungsbürgertums, die den Nationalsozialen Verein ins Leben riefen, lagen Ergebnisse zugrunde, zu denen man durch ein Studium der gesellschaftlichen und politischen Verhältnisse des Kaiserreiches gekommen war. Die gesellschaftlichen und politischen Strukturen des Reiches waren es, die gleichsam die Folie abgaben für den Gedanken der Gründung einer politischen Bewegung, deren Wesensmerkmal eine Synthese von Nationalismus, Sozialismus und Liberalismus sein sollte.

Die innere Struktur des Kaiserreiches war geprägt durch eine Diskrepanz von politischer und gesellschaftlicher Verfassung[1], d. h. durch den Gegensatz von konservativ-autoritärer Regierungspraxis und Staatstheorie und den – begünstigt durch das allgemeine, direkte, gleiche und geheime Wahlrecht – sich entfaltenden Parteien des Bürgertums und der ständig anwachsenden Arbeiterschaft.

Die Verfassung des Reiches entsprach nicht den traditionellen verfassungsrechtlichen, an dem Prinzip der Volkssouveränität orientierten Vorstellungen der das Besitz-, Bildungs- und Kleinbürgertum repräsentierenden liberalen Parteien. Nicht das Volk – vertreten durch das Parlament – war Inhaber der Souveränität, sondern die verbündeten 22 Monarchen und die Senate der drei Freien Städte. Die Verfassung enthielt zudem keine bürgerlichen Grundrechte, und dem Parlament, welches das Recht der Gesetzgebung und das Budgetrecht besaß, stand kein verantwortliches Reichsministerium gegenüber. Hinzu kam, daß eine institutionelle Sicherung politischer Parteien als Repräsentationsorgane gesellschaftlicher Kräfte durch die Reichsverfassung nicht gewährleistet war, so daß man die politische Partei im Kaiserreich schlechthin als eine »extra-konstitutionelle Erscheinung«[2] bezeichnet hat.

Scheinbar entsprach die politische Einflußmöglichkeit des Adels derjenigen des Bürgertums und der Arbeiterschaft, da auch dessen parteipolitischer Repräsentanz, der Konservativen Partei, die gleiche »extra-konstitutionelle« Stellung zukam wie den übrigen Parteien; faktisch aber besaß der Adel durch seine dominierende Position am Hofe, seinen Einfluß auf die hohen Staatsämter und das Militär eine eindeutig politisch und sozial privilegierte Stellung.

Wollte das vornehmlich liberal ausgerichtete Bürgertum auf die politischen Geschicke des Reiches Einfluß nehmen, so sah es sich vor die Möglichkeit gestellt,

[1] Nach Theodor SCHIEDER: Die Krise des bürgerlichen Liberalismus. Ein Beitrag zum Verhältnis von politischer und gesellschaftlicher Verfassung, in: Schieder, Staat und Gesellschaft im Wandel unserer Zeit, München 1970, 2. Aufl., S. 60.

[2] Heinrich TRIEPEL: Die Staatsverfassung und die politischen Parteien, Berlin 1927, S. 24.

auf der Ebene des Kompromisses mit der monarchisch-konservativen Staatsgewalt zu kooperieren. Daß ein Teil des liberalen Bürgertums zu einer derartigen Zusammenarbeit bereit war, hatte sich schon vor Erlangung der nationalstaatlichen Einheit offenbart. Für den Anfang der 60er Jahre sich neu formierenden preußischen Liberalismus mußte dieses Bestreben schon deshalb im Vordergrund seiner Betrachtungen stehen, weil der deutsche Liberalismus, nachdem es ihm nach der 48er Revolution nicht gelungen war, politische Freiheit und nationale Einheit zu realisieren, mit dem Makel des Scheiterns behaftet war. Die monarchisch-konservative Staatsgewalt hatte dagegen in einem Prozeß der Konsolidierung ihre historisch legitimierte Machtstellung gefestigt. Mit der Annahme der Indemnität Bismarcks entschlossen sich schließlich die gemäßigten preußischen Liberalen zu einer Zusammenarbeit mit der konservativen Regierung. Dieser Entschluß bedeutete gleichzeitig eine Option zugunsten des liberalen Leitbildes »vom unvollendeten und zu vollendenden Nationalstaat«[3]. Man glaubte, daß zur Erlangung der nationalen Einheit eine Kooperation mit der Regierung, die sich mit ihrer Politik diesem Ziele ja zu nähern schien, gerechtfertigt sei. Die entschiedenen, in der Fortschrittspartei verbliebenen Liberalen hatten mit der Verweigerung der Indemnität die Priorität der liberalen These »vom unvollendeten Verfassungsstaat«[4] anerkannt.

Die Entscheidung des gemäßigten und entschieden liberalen Bürgertums zugunsten jeweils einer der beiden wesentlichen ideellen Komponenten des deutschen Liberalismus, der verfassungsrechtlichen und der nationalen, bedeutet jedoch nicht, daß die jeweils andere völlig hintangestellt wurde; sie ließ aber andererseits an der maßgeblichen Rangfolge der politischen Zielsetzungen keinen Zweifel.

Das Beharren des »fortschrittlichen« Bürgertums auf der These von der Priorität der politischen Freiheit vor der nationalen Einheit – oder zumindest sein Eintreten für eine simultane Verwirklichung von Einheit und Freiheit – und die vorrangige Betonung der nationalen Einheit durch die Nationalliberalen ließen überhaupt ein unterschiedliches Verhältnis beider Richtungen der bürgerlichen Emanzipationsbewegung zur Politik offenbar werden. Bedeutete für den entschiedenen Liberalismus politisches Handeln die Transformierung politischer Ideen in die politische Wirklichkeit – ohne Konzessionen an die tatsächlichen Machtverhältnisse –, so war der gemäßigte, nationale Liberalismus bereit, die politischen Gegebenheiten in Rechnung zu stellen. Diese Trennung in einen Idealpolitik betreibenden linken Flügel und einen der Realpolitik verpflichteten rechten Flügel des Liberalismus blieb auch nach Erlangung der nationalstaatlichen Einheit bestehen. Die Unvollendetheit der politischen Verfassung des neuen Reiches war es dann auch, die den entschiedenen, konstitutionellen Liberalismus in dem neuen Staat nichts weiter als ein »unfertiges, unbefriedigendes, ja die liberalen Grundprinzipien verleugnendes Verfassungsgebilde«[5] sehen ließ.

[3] Theodor SCHIEDER: Grundfragen der neueren deutschen Geschichte. Zum Problem der historischen Urteilsbildung, in: HZ, Bd. 192, 1961, S. 5.

[4] ebd., S. 8.

[5] Theodor SCHIEDER: Das Deutsche Kaiserreich von 1871 als Nationalstaat. Wissenschaftliche Abhandlungen der Arbeitsgemeinschaft für Forschung des Landes Nordrhein-Westfalen, Bd. 20, Köln-Opladen 1961, S. 11.

Da es dem Linksliberalismus um die Verwirklichung seiner idealpolitischen Vorstellungen ging, diese aber aufgrund der bestehenden Machtverteilung im Reich nicht durchzusetzen waren, sollte er sich in eine Oppositionsrolle manövrieren, aus der heraus eine Einflußnahme auf die politische Gestaltung des Staates nicht mehr möglich war. Der Nationalliberalismus, der den geschaffenen Staat als »Erfüllung der deutschen Geschichte«[6] begriff, war nicht bereit, das vor der Erlangung des Nationalstaates mit der Regierung eingegangene »Bündnis« aufzukündigen. Dieses erreichte jedoch nach einer Phase der Entfremdung in den Jahren von 1878 bis 1884, die ihre Ursache in der von Bismarck inaugurierten schutzzöllnerischen Wirtschaftspolitik hatte, nach 1884 ein neues Stadium. Mit der Heidelberger Erklärung vom März 1884, die unter maßgeblichem Einfluß Johannes Miquels, des späteren preußischen Finanzministers, zustande kam, suchte der Nationalliberalismus nicht mehr eine Zusammenarbeit auf der Ebene des Kompromisses, wie sie bis 1878 vorgeherrscht hatte; er schwenkte vielmehr direkt auf die politische Linie des Reichskanzlers ein. Nicht nur in der Sozial- und Wirtschaftspolitik hatte der Nationalliberalismus mit dem Heidelberger Programm eine klare Schwenkung nach »rechts« vollzogen und sich Bismarck als »Regierungspartei« angeboten, auch durch die besondere Betonung der nationalen Aufgaben grenzte er sich vom Linksliberalismus deutlicher denn je ab.

Die politisch-ideelle Polarisierung der beiden parteipolitischen Richtungen des liberalen Bürgertums war begleitet von einer wählersoziologischen: Durch die Fusion der Sezessionisten, einer freihändlerisch und konstitutionell orientierten Gruppe, die sich 1880 von der Nationalliberalen Partei abspaltete, mit der Fortschrittspartei wurde die »Aufteilung der liberalen Richtungen auf einen großbürgerlich-industriellen und einen mehr mittelständisch-kleinbürgerlichen und intelligenzlerischen Flügel«[7] noch deutlicher akzentuiert.

Das nationale Bürgertum, das mit seiner Schwenkung in das Regierungslager ein Bekenntnis zur nationalen Machtpolitik abgelegt hatte, war auch bereit, die seit Anfang der 90er Jahre einsetzende kolonial- und weltmachtpolitische Aktivität konservativer und militärischer Kreise zu unterstützen[8]. »In der imperialistischen Weltpolitik dieser Ära gingen der Machtstaatsgedanke preußisch-konservativer Herkunft und der bürgerlich-ökonomische Expansionswille eine unauflösliche Ehe ein«[9]. Mit dieser Entwicklung verbunden waren gesellschaftliche Implikationen zwischen bürgerlichen Großindustriellen und hochadligen

[6] ebd., S. 11.

[7] Theodor SCHIEDER: Die geschichtlichen Grundlagen und Epochen des deutschen Parteiwesens, in: Schieder, Staat und Gesellschaft im Wandel unserer Zeit, München 1970, 2. Aufl., S. 142.

[8] So heißt es in einer »Kundgebung« der Nationalliberalen Partei vom Mai 1893 (Abgedruckt bei Felix SALOMON: Die deutschen Parteiprogramme, Heft II, Leipzig/Berlin 1907, S. 80 ff.): Es gehe um die »Machtstellung des deutschen Reiches, um die Erhaltung des Friedens«, dazu sei aber die »Schärfe des deutschen Schwertes . . . seine beste, man kann sagen alleinige Gewähr«. Es gelte außerdem »die in fremden Weltteilen erworbenen Besitzungen und Rechte . . . in vollem Umfange zu schützen und zu wahren«. Dazu bedürfe es »einer kräftigen und besonnenen Fortführung der Kolonialpolitik«.

[9] Th. SCHIEDER: Das Deutsche Kaiserreich, S. 13.

Großagrariern. Zahlreiche Erhebungen Großindustrieller in den Adelsstand, Eheschließungen von Aristokraten mit Erbinnen industrieller Großunternehmen sowie industrielle Gemeinschaftsgründungen von Hochadel und bürgerlichen Industriellen sind dafür ein Zeugnis.

Verlor die Diskrepanz zwischen politischer und gesellschaftlicher Verfassung für das Bürgertum nationaler Richtung durch die wirtschaftliche Interessensymbiose mit dem politisch privilegierten Adel ihren eigentlichen Realitätsgehalt, so mußte für den anderen Teil des Bürgertums, der sich einem machtstaatlichen Denken grundsätzlich verschlossen hatte und für den auch nicht – infolge fehlender gemeinsamer wirtschaftlicher Interessen – die Möglichkeit einer gesellschaftlichen Assimilierung an den Adel bestand, die Inkongruenz von politischer und gesellschaftlicher Verfassung immer mehr zum Stein des Anstoßes werden.

Ist schon der soziale und ideelle Differenzierungsprozeß des Bürgertums als gesellschaftlicher Hintergrund für den politischen Standort des Nationalsozialen Vereins von nicht geringer Bedeutung – wie noch an späterer Stelle sichtbar wird –, so ist ein weiterer sozialer Prozeß, die allmähliche Separation der Arbeiterschaft vom Bürgertum, für das politische Konzept der Nationalsozialen ein entscheidend wichtiger Faktor.

Die »soziale Frage« oder die »Arbeiterfrage«, wie die Mehrheit der Liberalen dieses Problem nach einem Aufsatz von Prince-Smith nannte, war in der Vorstellung der Liberalen nicht eigentlich das Problem eines vom Bürgertum losgelösten Arbeiterstandes. Das Bürgertum, das »sich in der Auseinandersetzung mit Feudalismus und absolutem Fürstentum geradezu als der ›allgemeine Stand‹ schlechthin verstehen konnte«[10], ignorierte lange Zeit die Existenz eines vierten Standes. Wenn in der Zeit des Vormärz die Liberalen keine feste Vorstellung von dem Arbeiterstande hatten, so trug dazu bei, »daß die damalige soziale Entwicklung ... noch nicht zur Herausbildung eines geschlossenen Arbeiterstandes geführt hatte«[11]. Die fortschreitende Industrialisierung aber ließ das Industrieproletariat zu einer nicht mehr übersehbaren gesellschaftlichen Kraft anwachsen. Aber auch zur Zeit des preußischen Verfassungskonfliktes umfaßte »für die preußischen Liberalen noch das Bürgertum die ganze von Privilegien abgelöste, also arbeitende Nation. Es schloß ... auch den ›Arbeiterstand‹ in sich, dessen sozialer Fortschritt nach den Vorstellungen des Liberalismus ja ausschließlich vom Wachstum des Kapitals und der Steigerung der wirtschaftlichen Leistung abhing ...«[12].

Wenn sich also der Liberalismus einerseits dagegen wehrte, einen Differenzierungsprozeß innerhalb der gesellschaftlichen Verfassung anzuerkennen und – zumindest theoretisch – die Arbeiterschaft dem die Nation repräsentierenden Bürgertum zurechnete, so war es andererseits aber nicht so, »daß der Liberalismus auf die Einsicht in die ihm von den Wandlungen der gesellschaftlichen Ver-

[10] Th. Schieder: Die Krise des bürgerlichen Liberalismus, S. 76.

[11] Hans Haferland: Mensch und Gesellschaft im Staatslexikon von Rotteck-Welcker. Ein Beitrag zur Gesellschaftstheorie des Frühliberalismus, Diss. Berlin 1957, S. 225.

[12] Heinrich August Winkler: Preußischer Liberalismus und Deutscher Nationalstaat. Studien zur Geschichte der Deutschen Fortschrittspartei 1861–1866, Tübingen 1964, S. 18 f.

fassung drohenden Gefahren ganz unvorbereitet war. Von seinen Anfängen an begleitete ihn die Furcht vor den Schrecken der Massenherrschaft«[13].

Während der Konfliktzeit sollte sich herausstellen, daß zwischen sozialer Theorie und Wirklichkeit des dritten Standes ein beträchtlicher Widerspruch klaffte. Mit der Gründung des sozialistischen »Allgemeinen Deutschen Arbeitervereins« durch Lassalle im Jahre 1863 hatte sich die Arbeiterschaft die erste größere eigenständige Parteiorganisation geschaffen und damit ihre politische Separation vom Bürgertum vollzogen.

Das kontinuierliche Anwachsen der sozialdemokratischen Wählerstimmen bei den Reichstagswahlen zwang die Liberalen schließlich, zur »sozialen Frage« Stellung zu nehmen.

Der erste Versuch, die »Arbeiterfrage« im liberalen Sinne zu lösen, wurde allerdings schon in den 60er Jahren von Schulze-Delitzsch durch die Organisierung des Genossenschaftswesens unternommen. Nicht durch Staatshilfe – wie die Sozialisten forderten –, sondern durch Selbsthilfe und Bildung sollte die materielle Not der Arbeiter gelindert werden. Das Genossenschaftswesen, für das die Koalitionsfreiheit der Arbeiter Voraussetzung sein mußte, band in erster Linie Handwerker und Kleinmeister, während die Arbeiter abseits blieben.

1868 versuchten Max Hirsch und Fritz Duncker, beide führende Politiker der Fortschrittspartei, durch die Gründung von Gewerkvereinen Arbeiterkreise liberalen Organisationen zuzuführen. Die Hirsch-Dunckerschen Gewerkvereine unterschieden sich in zwei wesentlichen Zielsetzungen von den sozialistischen Gewerkschaften; einmal durch die Ablehnung einer staatlichen Sozialpolitik und zum anderen durch die äußerst reservierte Haltung zum Arbeitskampf, was schließlich auch einem durchschlagenden Erfolg der Vereine in den Arbeiterschichten entgegenstand[14].

Staatlicher Interventionismus und Arbeitskämpfe verfielen bei den Liberalen der Ablehnung, weil sie als unvereinbar mit der liberalen »naturgesetzlichen« Wirtschaftspolitik galten. Wie sehr ein wirtschaftspolitischer Doktrinarismus, der sich jeder Einschränkung des »freien Spiels der Kräfte« durch staatliche Intervention widersetzte, eine extreme Starrheit und Ignoranz gegenüber sozialen Problemen nach sich ziehen konnte, läßt sich an dem wirtschaftspolitischen Konzept Eugen Richters, des Vorsitzenden der Fortschrittspartei, erkennen.

Auf dem Berliner Parteitag der Fortschrittspartei im Jahre 1878 setzte er sich über die gesellschaftliche Wirklichkeit hinweg, wenn er die soziale Frage als kulturelles Problem darzustellen versuchte: »Eine besondere soziale Frage«, so erklärte er, »existiert für uns nicht; die soziale Frage ist die Gesamtheit aller Kulturfragen«[15].

Richters Angriffe wandten sich unter anderem gegen den »Kathedersozialismus«, eine bürgerliche soziale Richtung, der vor allem Hochschullehrer der Nationalökonomie angehörten. Der Kathedersozialismus, in dem »konservative,

[13] Th. Schieder: Die Krise des bürgerlichen Liberalismus, S. 60 f.

[14] Ende 1871 zählten die Gewerkvereine 6000, Ende 1891 63 000 Mitglieder. Mit 117 079 Mitgliedern erreichte der Mitgliederbestand 1905 einen Höhepunkt. Die sozialistischen Gewerkschaften hatten im gleichen Jahr 1 344 803 Mitglieder (lt. Martin Wenck: Handbuch für liberale Politik, Berlin 1911, S. 279 u. 281).

[15] Eugen Richter: Im alten Reichstag. Erinnerungen, Bd. II, Berlin 1893, S. 17.

liberale und sozialistische Ideen« »zusammen oder auch gegeneinander (strömten)«[16], war bereit anzuerkennen, »daß ein gesellschaftlicher Gegensatz vorhanden ist«[17].

Den Kathedersozialisten waren, wie Friedrich Sell feststellt, drei Grundthesen gemeinsam: »Die erste besagte, daß die Lehre von der Wirtschaftsfreiheit nicht absolut, unverbrüchlich und ewig gültig sei. Die zweite betonte, daß im Wirtschaftsleben nicht nur praktische, sondern auch sittliche Maßstäbe gelten müßten, und die dritte forderte, daß der Staat gegebenenfalls eingreifen und für soziale Gerechtigkeit sorgen müsse«[18]. 1872 gründeten die Kathedersozialisten den Verein für Sozialpolitik, der aber nur ein akademisches Diskussionsforum blieb. Neben Gustav Schmoller und Adolf Wagner war der junge Liberale Lujo Brentano ein führendes Mitglied des Vereins[19].

Da es den liberalen Parteien nicht gelang, sich zu einem sozialpolitischen Programm durchzuringen, das den materiellen Bedürfnissen der breiten, ständig anwachsenden industriellen Wählerschicht gerecht wurde, blieb auch eine ideelle und organisatorische Bindung der proletarischen Wählermassen an die liberalen Parteien aus. Daß die mangelnde Werbekraft liberaler Ideen in den Arbeiterkreisen in einer strukturellen Schwäche des Liberalismus begründet war, nämlich in der Unfähigkeit, sich realpolitisch einer Tendenz anzupassen, die vom liberalen bürgerlichen Verfassungsstaat wegführte und zur modernen Massendemokratie hinleitete, war eine Erkenntnis, die Friedrich Naumann in der nationalsozialen Zeit gewann.

Das Unvermögen der liberalen Parteien, die »soziale Frage« durch eine wirksame Sozialpolitik zu lösen, ging einher mit einer konsequenten Bekämpfung der Sozialdemokratie. Eugen Richter erklärte es zur »Hauptaufgabe« der Fortschrittspartei, zusammen mit den anderen politischen Parteien »den . . . allen gemeinsamen Gegner, die Sozialdemokratie, zu besiegen«[20]. Diese Losung ist um so bedeutsamer, als sie in einer Zeit ausgesprochen wurde, in der sich die Kluft zwischen Linksliberalismus und Nationalliberalismus vertieft hatte und die Fortschrittspartei in klarer Opposition zur Regierung stand.

Richter – und mit ihm die meisten Liberalen – glaubte, daß man der auf dem Boden des Klassenkampfes stehenden Sozialdemokratie nur mit einer intransigenten, antisozialistischen Haltung begegnen könne.

Zu einer Selbstprüfung wurden schließlich die Liberalen durch die 1878 von der Regierung eingebrachten Gesetzesvorlagen gezwungen, die eine Ausnahmeregelung gegen die Sozialdemokratie vorsahen. Die Liberalen sahen sich vor die Frage gestellt, ob sie einer gesellschaftlichen Gruppe, die sich zum Träger einer –

[16] Friedrich Sell: Die Tragödie des deutschen Liberalismus, Stuttgart 1953, S. 256.

[17] Adolf Held: Über den gegenwärtigen Prinzipienstreit in der Nationalökonomie, in: Preußische Jahrbücher, 30. Bd., 1872, S. 209.

[18] F. Sell: Tragödie des deutschen Liberalismus, S. 258 f.

[19] Zum Kathedersozialismus vgl. jetzt die Arbeit von Dieter Lindenlaub: Richtungskämpfe im Verein für Sozialpolitik. Wissenschaft und Sozialpolitik im Kaiserreich vornehmlich vom Beginn des »Neuen Kurses« bis zum Ausbruch des ersten Weltkrieges (1890-1914), Teil I u. Teil II, Vierteljahreshefte für Sozial- und Wirtschaftsgeschichte, Beihefte Nr. 52 u. 53, Wiesbaden 1967.

[20] Eugen Richter: Die Fortschrittspartei und die Sozialdemokratie, Berlin 1878, S. 31.

den Liberalen nicht genehmen – politischen Ideologie gemacht hatte, mit einem illiberalen, dem Prinzip des Rechtsstaates widersprechenden Gesetz begegnen und den Angehörigen dieser Gruppe die bürgerlichen Freiheiten entziehen sollten. Während der erste von der Regierung ausgearbeitete Gesetzentwurf von beiden liberalen Parteien abgelehnt wurde, entschlossen sich die Nationalliberalen, der zweiten Vorlage ihre Zustimmung zu geben.

Die Mehrheit der Liberalen hatte mit ihrer Zustimmung zum Sozialistengesetz eine Position bezogen, die eine Bindung der Arbeiterschaft an den politischen Liberalismus für die Zukunft kaum noch möglich machte. Das Sozialistengesetz trug – wie Wilhelm Treue feststellt – »entschieden zur Verbitterung, Radikalisierung und klassenkämpferischen Konzentration . . . bei«[21]. Friedrich Naumann sprach später – im Jahre 1908 – in seiner »Leidensgeschichte des deutschen Liberalismus« davon, daß durch die Haltung der liberalen Majorität zur Sozialistenvorlage die Arbeiterbewegung für den Liberalismus »für mehr als ein Menschenalter . . . so gut wie verloren (war)«[22].

[21] Wilhelm TREUE: Wirtschaft und Technik Deutschlands im 19. Jahrhundert, in: Bruno Gebhardt, Handbuch, Bd. III, 1970, 9., neu bearbeitete Auflage, S. 28.

[22] Friedrich NAUMANN: Die Leidensgeschichte des deutschen Liberalismus, in: Friedrich Naumann, Werke, Bd. IV, Schriften zum Parteiwesen u. zum Mitteleuropaproblem, hg. v. Th. Schieder, Köln-Opladen 1964, S. 310.

2. *Die Vorgeschichte des Vereins. Die Metamorphose der »jüngeren« Christlichsozialen von christlichen zu nationalen »Sozialisten«*

Die Uneinsichtigkeit und Intransigenz gegenüber der »sozialen Frage«, die das ideell und sozial in sich gespaltene Bürgertum auszeichnete, gab nur wenigen Angehörigen dieses Standes den Blick frei für die dringende Notwendigkeit einer Lösung jener aktuellen und brennenden gesellschaftspolitischen Frage.

Den bereits erwähnten Vorstößen in diese Richtung – die Gründungen des Genossenschaftswesens durch Schulze-Delitzsch, der Gewerkvereine durch Hirsch und Duncker und des akademisch ausgerichteten Vereins für Sozialpolitik – waren von Anfang an, aufgrund ihrer Zielsetzung oder ihres engen institutionellen Rahmens, Schranken gesetzt.

Der erste Versuch einer ausgesprochenen *Partei*gründung von bürgerlicher Seite mit dem erklärten Ziel, die Arbeiterschaft zu gewinnen und in ein allerdings *konservatives* »Fahrwasser« zu lenken, wurde von dem Berliner Hofprediger Adolf Stöcker unternommen. Im Januar 1878 fand in Berlin die berühmte Eiskellerversammlung statt, in welcher der protestantische, mit großen rhetorischen Fähigkeiten versehene Theologe die »Christlich-Soziale Arbeiterpartei« aus der Taufe hob[1].

Schon in den das Gründungsprogramm der Partei einleitenden allgemeinen Grundsätzen[2] wurde die antisozialdemokratische Grundhaltung der Partei akzentuiert[3]. In den Einzelforderungen des Programms, die sich den allgemeinen Grundsätzen anschlossen, unterbreitete man konkrete Vorschläge zur Verbesserung der sozialen Lebensbedingungen der Arbeiter[4]; *politische* Forderungen zugunsten der Arbeiterschaft waren jedoch in dem Programm nicht enthalten.

Stöckers Intention war es, durch eine aktive Sozialpolitik das Industrieproletariat gegen die Sozialdemokratie zu immunisieren und es an den monarchisch-konservativen Staat zu binden. Diese Bindung sollte aber ausschließlich durch die Kompromißbereitschaft der gesellschaftlich führenden Schichten auf sozialem Gebiet erreicht werden; eine Integration der Arbeiterschaft in den Staat durch Gewährung verfassungsmäßiger Rechte sollte dagegen unterbleiben, wodurch – wie Theodor Heuss feststellt – »etwas Gebrochenes in diesen Gedankenbau (kam)«[5].

[1] Siehe hierzu Siegfried KAEHLER: Stöckers Versuch, eine christlich-soziale Arbeiterpartei in Berlin zu gründen, in: Wentzcke, Deutscher Staat und Deutsche Parteien. Beiträge zur deutschen Partei- und Ideengeschichte, München u. Berlin 1922, S. 227–265.

[2] Das Programm ist abgedruckt bei Walter FRANK: Hofprediger Adolf Stöcker und die christlichsoziale Bewegung, Hamburg 1935, S. 47 f.

[3] Es heißt dort: »Die christlichsoziale Arbeiterpartei steht auf dem Boden des christlichen Glaubens und der Liebe zu König und Vaterland . . . Sie verwirft die gegenwärtige Sozialdemokratie als unpraktisch, unchristlich und unpatriotisch« (W. Frank, Stöcker, S. 47).

[4] So z. B. unter dem Abschnitt »Arbeiterschutz«: »1. Verbot der Sonntagsarbeit. Abschaffung der Arbeit von Kindern und verheirateten Frauen in Fabriken. 2. Normalarbeitstag, modifiziert nach Fachgenossenschaften. 3. Energische Anstrengung der Internationalität dieser Arbeiterschutzgesetze; bis zur Erreichung dieses Ziels ausreichender Schutz der nationalen Arbeit. 4. Schutz der Arbeiterbevölkerung gegen gesundheitswidrige Zustände in den Arbeitslokalen und Wohnungen« (ebd., S. 47 f.).

[5] Th. HEUSS: Friedrich Naumann, S. 43.

Die von Stöcker beabsichtigte Separation der Arbeiterschaft von der Sozialdemokratie und die Bindung an die »Christlich-Soziale Arbeiterpartei« realisierte sich nicht. Durch zwei wesentliche politische Entscheidungen Stöckers war eine solche Liierung in den Bereich des Unmöglichen gerückt. Ein Jahr nach ihrer Gründung erhielt die Partei den Charakter einer antisemitischen Bewegung, nachdem Stöcker in einem Vortrag über das Thema »Unsere Forderungen an das moderne Judentum« die Schwenkung in das antisemitische Lager eingeleitet hatte. Mit ihr ging die Umwandlung der »Arbeiterpartei« in eine kleinbürgerliche Reformpartei einher; Handwerker, kleine Gewerbetreibende und Kaufleute sowie subalterne Beamte sahen vornehmlich in der Partei Stöckers ihre politische Interessenvertretung. Dieser Entwicklung entsprechend wurde eine Namensänderung der Partei vorgenommen; seit dem Januar 1881 war die offizielle Bezeichnung »Christlich-Soziale Partei«.

In das gleiche Jahr fällt die zweite wesentliche Wendung, die Stöcker mit seiner Partei vollzog; eine Wendung, die allerdings schon in den vorausgegangenen Jahren vorbereitet wurde. Die »Christlich-Soziale Partei« wurde zu einer »Filiale« der Konservativen Partei, indem sie faktisch den Anschluß an diese vollzog. Bereits 1878 hatte Stöcker – seiner konservativen Grundanschauung gemäß – erklärt, daß eine »Bundesgenossenschaft mit den Konservativen nicht ausgeschlossen, sondern dringend geboten sei«[6]. Im Jahre darauf schloß er sich, nach seiner Wahl ins Preußische Abgeordnetenhaus, der konservativen Fraktion an.

Innerhalb der »Christlich-Sozialen Partei« und in dieser Partei nahestehenden evangelisch-sozialen Kreisen regten sich jedoch gegen Ende der 80er Jahre Kräfte, welche die enge politische Verflechtung der christlich-sozialen Bewegung mit der Konservativen Partei mit wachsendem Argwohn betrachteten und einen christlich-sozialen Aktivismus entwickelten, der dem gemäßigten Sozialkonservativismus Stöckers, dem keine andere Funktion zukam, als der Konservativen Partei bei Wahlen Zubringerdienste aus kleinbürgerlich-mittelständischen Schichten zu leisten, zuwiderlief.

Eine Anzahl junger, noch nicht dreißigjähriger Theologen hatte sich zu Verfechtern dieser rigorosen, gegen Stöcker gerichteten christlichsozialen Ideen gemacht und sich in der seit 1866 von Martin Rade herausgegebenen »Christlichen Welt« – einem »Evangelisch-Lutherischen Gemeindeblatt für die gebildeten Glieder der evangelischen Kirchen« – ein publizistisches Sprachrohr geschaffen.

Das eigentliche Forum, auf dem sich die Differenzierung und schließlich Distanzierung dieser »jüngeren« Christlichsozialen von den unter Stöckers Ägide stehenden konservativen Christlichsozialen vollzog, war der von Stöcker begründete Evangelisch-Soziale Kongreß, der zum ersten Male 1890 in Berlin zusammentrat. Er war als breite Plattform zur theoretischen Erörterung sozialer Reformmaßnahmen zwischen Theologen, Historikern und Nationalökonomen gedacht. Die beiden Wortführer der sich in den Diskussionen des Evangelisch-Sozialen Kongresses immer mehr in den Vordergrund schiebenden »jüngeren«

[6] Paul GÖHRE: Die evangelisch-soziale Bewegung, ihre Geschichte und ihre Ziele, Leipzig 1896, S. 63.

Christlichsozialen waren Friedrich Naumann und Paul Göhre, welcher zum Generalsekretär des Kongresses gewählt wurde.

Naumann, der als Sohn eines Geistlichen am 25. März 1860 im sächsischen Störmthal geboren wurde, die berühmte Fürstenschule St. Afra in Meißen besucht und in Leipzig und Erlangen Theologie studiert hatte, wurde als Erzieher im Rauhen Haus bei Hamburg, das unter Leitung des »Vaters der Inneren Mission«, Wichern, stand, mit praktisch-sozialer Arbeit vertraut. Nach einer vierjährigen pfarramtlichen Tätigkeit in der sächsischen Gemeinde Langenberg, wo er das Leben und die materielle Not des Industrieproletariats kennenlernte und zum Studium wirtschafts- und sozialpolitischer Werke angeregt wurde, folgte er einem Ruf der Inneren Mission nach Frankfurt am Main, wo er deren Vereinsgeistlicher bis 1897 war.

Paul Göhre, aus einfachen sozialen Verhältnissen stammend, vier Jahre jünger als Naumann und ebenfalls wie dieser in Sachsen gebürtig, war derjenige aus dem Kreis der »jüngeren« Christlichsozialen, der mit Naumann am längsten bekannt war. Naumann und Göhre, das »Dioskurenpaar«, welches von den »jüngeren« Christlichsozialen persönlich auf das höchste geschätzt wurde[7], war schon seit dem gemeinsamen Besuch der Meißener Fürstenschule miteinander befreundet.

Bei mehreren Zusammenkünften des Evangelisch-Sozialen Kongresses vollzog sich die Scheidung der »jüngeren« und von den »älteren« Christlichsozialen.

Auf dem vierten Evangelisch-Sozialen Kongreß im Jahre 1893 wurde in der Diskussion erkennbar, daß Naumann eine neue, revidierte Position gegenüber der von Stöcker angefeindeten Sozialdemokratie einnahm. Hatte er noch zu Beginn seiner publizistischen Tätigkeit die Grenze zwischen dem von ihm vertretenen »christlichen Sozialismus« und der Sozialdemokratie in der Ablehnung des philosophischen Materialismus gezogen[8], so trat dieser Gedanke nun in den Hintergrund zugunsten der, allerdings auch noch vom religiösen Denken her bestimmten Vorstellung, der marxistische Sozialismus habe den Charakter eines verweltlichten »Chiliasmus«. Die Sozialdemokratie sei »die erste große evangelische Häresie«. »Dieselbe Aufgabe«, betonte Naumann, »welche die Kirche von jeher jeder Häresie gegenüber gehabt hat, ihren Standpunkt zu revidieren gegenüber den Abweichungen, dieselbe Aufgabe haben wir gegenüber der Sozialdemokratie«[9].

»Die verhaltene Sympathie« Naumanns gegenüber dem »Schauspiel der proletarischen Bewegung«[10], die sich in einer solchen Äußerung kundtat, erregte den Widerspruch der auf dem Kongreß anwesenden »älteren« Christlichsozialen, während Göhre Naumanns Ausführungen »im Namen vieler Altersgenossen, die schon lange mit ihm dasselbe gedacht, geträumt und erstrebt haben«[11], besonders begrüßte.

[7] Nach M. Wenck: Geschichte, S. 12.

[8] So z. B. in dem 1889 gehaltenen Vortrag: Was tun wir gegen die glaubenslose Sozialdemokratie (Abgedruckt in: Fr. Naumann, Werke, Bd. I, S. 112 ff.).

[9] Zitiert nach Carl Schneider: Die Publizistik der nationalsozialen Bewegung 1895–1903, Diss. Berlin 1934, S. 9.

[10] Th. Heuss: Friedrich Naumann, S. 76.

[11] Nach C. Schneider, Publizistik, S. 9.

Zu einer schrillen Dissonanz und einer klaren Frontstellung zwischen »Jüngeren« und »Älteren« kam es schließlich auf dem 5. Ev.-Sozialen Kongreß im Jahre 1894. Paul Göhre und der Nationalökonom Max Weber referierten über die Landarbeiterfrage in den Gebieten Ostelbiens. Die Referate Göhres und Webers stützten sich auf eine Enquete aus den Jahren 1893/94. 15 000 umfangreiche Fragebogen waren an die evangelischen Geistlichen verschickt worden. Durch ihre Beantwortung wollte man Klarheit über die wirtschaftlichen, sozialen, sittlichen und religiösen Bedingungen der ländlichen Arbeiterschichten – vor allem auf den ostelbischen Latifundien – gewinnen[12].

Göhres und Webers Thesen zur ostelbischen Landarbeiterfrage stießen auf den einhelligen Protest der mit den Konservativen und damit auch dem ostelbischen Großgrundbesitz liierten »älteren« Christlichsozialen. Beide Referenten kamen zu dem Schluß, daß eine Zerschlagung des Latifundienbesitzes und eine »innere Kolonisation« des deutschen Ostens durch Bauernstellen eine gesellschaftspolitische Notwendigkeit sei. Webers scharfer analytischer Geist stieß bei seiner Untersuchung der gesellschaftlichen Verfassung des deutschen Ostens zu einem Ziel vor, das für die Ohren der konservativen Christlichsozialen den Appell an einen sozialrevolutionären Aktivismus in sich barg. Webers These gipfelte in der Anerkennung des Klassenkampfes, der, weil er ein gesellschaftlicher Tatbestand sei, auch von der Kirche anerkannt, »legalisiert« werden müsse[13].

Die Konfrontation der »jüngeren« mit den »älteren« Christlichsozialen manifestierte sich nicht nur auf den Veranstaltungen des Ev.-Sozialen Kongresses – dessen weiterer Bestand nach der Versammlung von 1894 ernstlich gefährdet war –; sie fand einen zweiten institutionellen Rahmen in den evangelischen Arbeitervereinen[14]. Eine konservativ-patriarchalische Gruppe, die durch den mitgliederstärksten rheinisch-westfälischen Verband der Arbeitervereine ihre organisatorische Repräsentanz fand, und eine sozialpolitisch-progressive Richtung, die sich vor allem in den süddeutschen Verbänden durchsetzte, rangen miteinander um die Vorherrschaft in dem im Jahre 1891 gegründeten »Gesamtverband evangelischer Arbeitervereine Deutschlands«[15]. Seit dem Jahre 1892 drängten die

[12] Von den 15 000 Fragebogen wurden 1000 beantwortet zurückgesandt, wovon »die Mehrzahl« »beinahe mustergültig beantwortet (war)« (P. Göhre: Die ev.-soz. Bewegung, S. 151).

[13] Weber formulierte: »Der Klassenkampf ist da und ein integrierender Bestandteil der heutigen Gesellschaftsordnung – nur die Form steht zur Diskussion, die Tatsache aber muß auch die Kirche anerkennen, und mit dieser Anerkennung allein schon ist der Klassenkampf für die heutige Gesellschaft auch vom Standpunkt der Kirche aus legalisiert« (Nach C. Schneider, Publizistik, S. 10, Anm. 18).

[14] Der erste ev. Arbeiterverein wurde 1882 in Gelsenkirchen gegründet. Ihm folgten weitere Gründungen im rheinisch-westfälischen Raum. 1885 schlossen sie sich zu einem Verband zusammen. Eine konsequente sozialpolitische Zielsetzung fehlte den Vereinen: »Im Vordergrund standen die religiösen Motive mit einem Zug lehrhafter Erbaulichkeit« (Th. Heuss: Friedrich Naumann, S. 72). Nach 1888 wurden auch in anderen Gebieten des Reiches ev. Arbeitervereine ins Leben gerufen, 1890 existierten 140 Vereine mit 40 000 Mitgliedern, 1893 230 Vereine mit 73 000 Mitgliedern und 1896 350 Vereine mit 80 000 Mitgliedern (Nach P. Göhre, Die ev.-soz. Bewegung, S. 119).

[15] Paul Göhre hat die antagonistische Stellung beider Lager im Gesamtverband in dem Widerstreit von »konservative(m) evangelisch-soziale(m) Prinzip« und »proletari-

»jüngeren« Christlichsozialen auf die Abfassung eines für alle evangelischen Arbeitervereine verbindlichen sozialpolitischen Reformprogrammes. Im Kreise Naumann-Göhre wurde schließlich seine Konzipierung vorgenommen[16] und der Tagung des Gesamtverbandes im Jahre 1893 vorgelegt. Da der konservativen Richtung im Gesamtverband ein zahlenmäßiges Übergewicht zukam und deren Führer, Lic. Weber, die sozialpolitisch-progressive Tendenz des Programmentwurfs ablehnte, schien eine Spaltung des Verbandes nicht unmöglich. Schließlich akzeptierte man das Programm unter dem entscheidenden Vorbehalt, daß es nur »als Anhalt für Vorträge und Diskussionen in den evangelischen Arbeitervereinen« dienen sollte; eine verbindliche programmatische Richtschnur für alle evangelischen Arbeitervereine hatte man jetzt aber ebensowenig wie vorher.

Der sich über einen Zeitraum von mehreren Jahren hinziehende Prozeß der Trennung der »jüngeren« von den »älteren« Christlichsozialen, an dessen Ende die Konstituierung des Nationalsozialen Vereins durch die »jüngeren« stand, wurde durch die Gründung der Wochenschrift »Die Hilfe« im Dezember 1894, deren Herausgeber Friedrich Naumann war, noch gefördert.

In der Zeit zwischen der Gründung der »Hilfe« und dem organisatorischen Zusammenschluß der »Freunde der Hilfe«, wie sich die »Jüngeren« nach ihrem Presseorgan nannten, im Nationalsozialen Verein, klärten sich nicht nur die Fronten zwischen den Anhängern Stöckers und denen Naumanns; gleichzeitig trat auch eine Verschiebung im politischen Denken der führenden »jüngeren« Christlichsozialen zugunsten der Idee des nationalen Machtstaates ein, welche die ideelle Voraussetzung für die Konstituierung des Vereins war.

Von einiger Relevanz für die weitere Entfremdung der beiden christlichsozialen Gruppen waren Pressefehden zwischen der »Hilfe« und konservativen Presseorganen.

Am 20. April 1895 richtete die Stöcker nahestehende »Kreuzzeitung« eine Attacke gegen die »Hilfe« und deren Herausgeber. Nachdem sie der »Hilfe« »in sozialer Hinsicht« eine »vielfach anstößige Haltung« zum Vorwurf machte[17], kam sie zu dem Schluß, daß man »die Vertreter der Naumannschen Richtung von nun an als grundsätzliche Gegner anzusehen und zu behandeln«[18] habe. Naumann distanzierte sich in seiner Antwort[19] nachdrücklich von der Konservativen Partei, der er sich schon seit Jahren nicht mehr zurechne.

Wenn Naumann in seiner Entgegnung den Artikel der »Kreuzzeitung« als einen »Absagebrief« der Konservativen Partei an die Christlichsozialen verstanden wissen wollte, so mochte dabei der Gedanke mitspielen, daß ein Austritt der »älteren« Christlichsozialen aus der Konservativen Partei noch möglich

sche(m) evangelisch-soziale(m) Prinzip« gesehen, die sich »mit dem beiderseitigen Anspruch auf alleinige Gültigkeit gegenüber(standen)« (P. Göhre: Die ev.-soz. Bewegung, S. 127).

[16] Die Entstehung des Programmentwurfs schildert ausführlich Martin Wenck in seiner »Geschichte der Nationalsozialen«, S. 14 f.

[17] Nach C. Schneider, Publizistik, S. 22.

[18] ebd., S. 22.

[19] »Hilfe«, I. Jg., Nr. 17, 28. April 95, S. 1.

sei, was die Voraussetzung für eine Einigung der beiden christlichsozialen Flügel hätte sein können.

In dieser Hoffnung mußte sich Naumann aber getäuscht sehen, da Stöcker, der »die ganze Angelegenheit« als einen »Streit zwischen zwei Blättern, nicht zwischen zwei Parteien« zu deklarieren versuchte[20], in der engen Symbiose von Christlichsozialen und Konservativen überhaupt erst die Gewähr für ein erfolgreiches politisches Wirken der Christlichsozialen sah[21].

Das Bekenntnis Stöckers zur konservativ-christlichsozialen Kooperation – trotz der sozialpolitischen Abstinenz der Konservativen[22] – mußte Naumann darüber Klarheit verschaffen, daß Stöcker einem Verbleiben im konservativen Parteiverband die Priorität gegenüber einer Trennung und dem Versuch einer organisatorischen Zusammenfassung und programmatischen Einigung aller Christlichsozialen einräumte.

Stöcker zögerte nicht, das Trennende zwischen seiner und der Naumannschen Gruppe besonders zu betonen. Was Naumann von den »Älteren« trenne, sei, »daß er, wenn auch auf christlicher Grundlage, eine Organisation des Proletariats im Gegensatz zu den besitzenden Klassen anstrebt«, während die »Älteren« »die Sammlung der christlichsozial gesinnten Geister aus allen Kreisen und Klassen bewirken möchten«[23].

Stöcker nannte einen weiteren wichtigen Punkt, in dem er sich von Naumann und den »Jüngeren« getrennt sah: die Stellung zur ostelbischen Agrarverfassung. Die Losung des mit den »Jüngeren« sympathisierenden Professors der Nationalökonomie von Schulze-Gävernitz – »Verteilung und Zerspaltung des Großgrundbesitzes! Das Land der Masse!« – nannte er »fremdartig wie unannehmbar«[24]. Schließlich ordnete er sein sozialpolitisches Anliegen eindeutig dem konservativen Staatsgedanken unter, wenn er die Feststellung traf, daß der Staat und die Nation ihm noch wichtiger als die soziale Frage seien, so sehr er auch die gewaltige Bedeutung des sozialen Moments für die Gegenwart anerkenne[25].

Angesichts dieser Haltung Stöckers kam dem die Erklärung abschließenden Satz, er wünsche »von Herzen«, »daß auch die jungen Christlich-Sozialen aus ihrer Sturm- und Drangperiode zu dieser Stellung« sich mit den Älteren wieder »zusammenfinden«[26], nichts weiter als eine rhetorische Bedeutung zu. Auch Stöcker mußte sich darüber im klaren sein, daß sein Wunsch, der auf eine vollständige Revision des politischen Standortes der »Jüngeren« und ein Einschwenken in das Lager der »Älteren« hinauslief, einer realistischen Grundlage entbehrte.

[20] »Hilfe«, I. Jg., Nr. 20, 19. Mai 95, S. 3.

[21] Stöcker: »Aber überhaupt stehe ich auch als Christlich-Sozialer so, daß ich eine christlich-soziale Bewegung nur als einen Teil der allgemeinen konservativen Bewegung für erfolgreich halte« (ebd., S. 3).

[22] Stöcker paraphrasierte sie euphemistisch als »sozialpolitische Verstimmung, welche in manchen konservativen Kreisen durch die landwirtschaftliche Notlage und durch die Haltung der sozialdemokratischen Umsturzpartei hervorgerufen ... ist« (ebd., S. 3).

[23] »Hilfe«, I. Jg., Nr. 20, 19. Mai 95, S. 3.

[24] ebd., S. 3.

[25] ebd., S. 3.

[26] ebd., S. 3.

Naumann erkannte, daß die Erklärung – trotz des konzilianten Tons, dessen sich Stöcker befleißigte – einer Ergebenheitsadresse an die Konservativen gleichkam und daß der Gedanke an eine einheitliche Aktionsgemeinschaft aller Christlichsozialen nicht mehr zu realisieren war[27].

In einem Aufsatz mit dem Titel: »Was wir Stöcker verdanken«[28], der eine Replik auf Stöckers Erklärung darstellte, versuchte Naumann ein Bild von der christlichsozialen Gesamtbewegung zu zeichnen. Gleichzeitig würdigte er in einem geschichtlichen Rückblick die *historischen* Verdienste Stöckers um die christlichsoziale Bewegung.

Die Erklärung Stöckers betrachtete Naumann als »schmerzlich«, »weil sie die Hoffnung auf ein gemeinsames praktisches Vorgehen aller Christlichsozialen vernichtet«[29]. Die Bindung Stöckers an die Konservative Partei ist für Naumann das ausschlaggebende Motiv dafür, daß er ein Zusammengehen beider christlichsozialer Gruppierungen nicht mehr für möglich hält. »Eine Organisation zur politischen Vertretung christlich-sozialer Gedanken« sei nur denkbar, »wenn der christliche Sozialismus frei« sei. »Wir sind und bleiben christlich und staatstreu«, betont Naumann, »aber wir wollen, daß, so viel an uns ist, die sozialreformerischen Gedanken und Pläne sich ohne konservativen Schutz entwickeln sollen, denn wir haben bisher gesehen, was dieser Schutz bedeutet hat«[30].

Das historische Verdienst Stöckers sieht Naumann darin, daß dieser die soziale Frage als »die Hauptfrage der Zeit« erkannt habe. Trotz des geschichtlichen Verdienstes für die christlichsoziale Bewegung, das Naumann Stöcker konzediert – er bezeichnet ihn als den »Vater unserer Bewegung« –, sei es in der Gegenwart aber gerade die Sozialpolitik, welche die »Jüngeren« von Stöcker trenne[31].

[27] Noch in der »Hilfe« vom 12. Mai 1895 (I. Jg., Nr. 19, S. 2) hatte Naumann dem Gedanken an eine homogene, von der Konservativen Partei losgelösten christlichsozialen Bewegung nicht abgeschworen, wenn er auch einschränkte, daß »die Entstehung einer einheitlichen christlich-sozialistischen Richtung . . . nicht von heute auf morgen erfolgen (kann)«.

[28] »Hilfe«, I. Jg., Nr. 20, 19. Mai 95, S. 1–3.

[29] ebd., S. 1.

[30] ebd., S. 1.

[31] ebd., S. 1 u. 3. – Ein Brief Naumanns an Stöcker vom 22. Mai gibt darüber Aufschluß, daß Naumann auch in einer Zeit, in der die politische Trennung endgültig besiegelt wurde, nicht zögerte, Stöcker seiner persönlichen Wertschätzung zu versichern: »Die Auseinandersetzungen der letzten Wochen«, so schrieb Naumann, »welche ich für unbedingt notwendig und unvermeidlich halte, sind doch meinem Herzen recht schwer geworden, da mein Dank gegen Sie ein bleibender und der geistige Einfluß von Ihnen auf mich ein dauernder ist. Bleiben Sie mir, bitte, menschlicherweise gut, auch wenn es weitere Schwierigkeiten geben sollte« (Abgedruckt bei W. Frank, Stöcker, S. 251). Auch Stöcker erwies Naumann am 8. Juni brieflich seine persönliche Reverenz, indem er ihm versicherte, daß »die brüderliche Verbindung . . . in den Personen verbürgt« sei. Aus dem Brief spricht deutlich die Resignation vor der eigenen politischen Lebensarbeit und die Einsicht in das Scheitern der ursprünglichen politischen Aufgabe, während Stöcker in Naumann, dem einstigen Gefolgsmann und nunmehr entschiedenen politischen Antipoden im christlichsozialen Lager, den möglichen künftigen Führer einer christlichen Arbeiterpartei erblickt: »Schenkt es Ihnen Gott«, so schreibt er, »was er uns versagt hat«, »daß Sie eine große christlich-soziale Arbeiterpartei zu bilden vermögen, so wird sich niemand mehr freuen als ich«. Nur möge er sich vor Konzessionen an die Sozialdemokratie hüten. »Nun, mein lieber Bruder,

Ein weiteres förderndes Moment für die gegenseitige Entfremdung beider christlichsozialer Parteiungen war die Absicht der konservativen Parteiführung, die Trennung zwischen der in ihr integrierten christlichsozialen Gruppe und der Naumannschen Richtung so vollkommen zu machen, daß auch die Kooperation beider christlichsozialer Gruppen im Rahmen des Ev.-Sozialen Kongresses – die noch fortbestand – eingestellt werden sollte, oder Stöcker, wenn er sich diesem Ansinnen verweigern würde, zum Austritt aus der Konservativen Partei zu bewegen. Ein Stein des Anstoßes war für die Konservativen auch, daß das von Heinrich Oberwinder und Hellmut von Gerlach redigierte Parteiorgan der Stöckerschen Christlichsozialen, »Das Volk«, einen radikal antikonservativen Kurs steuerte und sich einer – im Sinne der Gruppe um Naumann – mäßig-kritischen Beurteilung der Sozialdemokratie befleißigte. Am 24. Oktober 1895 erschien die »Conservative Correspondenz« mit einem »An unsere Parteigenossen« überschriebenen Artikel, der von der obersten Parteileitung inspiriert war. In ihm wurde gefordert, daß es Sache der Konservativen Partei sein müsse, »die Sozialpolitiker der Naumannschen Richtung . . . auf das Äußerste und mit allen ihr zu Gebote stehenden Mitteln zu bekämpfen. Wir erklären demgemäß, daß Politiker sowohl wie Zeitungen, welche diesen Kampf nicht aufnehmen oder gar – offen oder verschleiert – ihm entgegenwirken, zur Konservativen Partei nicht gerechnet werden können«[32].

Der Schlußsatz des Artikels war eine eindeutige Warnung an Stöcker und »Das Volk«[33].

Stöckers Gegenerklärung – veröffentlicht in seiner von ihm herausgegebenen »Deutschen Evangelischen Kirchenzeitung« und wieder abgedruckt in der »Hilfe« – glich einer Flucht nach vorn, indem er geradezu programmatisch feststellte, daß »die beiden christlichsozialen Gruppen . . ., was die praktische Politik betrifft, seit geraumer Zeit völlig geschieden (sind)«. Die »Jungen« wollten »in einer gewissen Annäherung an Sozialdemokratie und Liberalismus die Sache des Proletariats vertreten und im Sinne des Christentums . . . die Arbeiterbataillone zum Klassenkampf einexerzieren«. »Wir«, so fährt Stöcker fort, »weisen diese Anschauung von christlich-sozial ein für allemal zurück und denken vielmehr daran, die uns verwandten Elemente in allen Schichten der Bevölkerung, in allen Ständen und Berufsarten zu sammeln und für die christlich-soziale Arbeit zu gewinnen«[34].

Stöckers erneuter »Schwur« auf die konservativ-christlichsoziale Einheit hatte nicht die erhoffte Wirkung. Die antikonservative Haltung des Stöckerschen Parteiorgans war schließlich der Anlaß, Stöcker am 2. Februar 1896 zum Austritt aus der Konservativen Partei zu zwingen[35].

nehmen Sie einem, der Sie sehr lieb hat, diese Sorge nicht übel. Gott hat Ihnen, glaube ich, eine große Mission zugedacht. Aber Sie müssen, glaube ich, das Evangelische im Evangelisch-Sozialen mehr betonen . . .« (Nach W. Frank, Stöcker, S. 252).

[32] Zitiert nach C. Schneider, Publizistik, S. 23.

[33] Naumann schrieb am 31. Oktober an Maximilian Harden, den Herausgeber der Wochenschrift »Die Zukunft«, die Konservative Partei sei »in sich augenblicklich so verwirrt, daß es schwer ist zu wissen, ob nicht Stöcker doch oben bleibt« (BA, Nachlaß Harden, Nr. 77, Heft 5, Naumann an Harden vom 31. Oktober 1895).

[34] »Hilfe«, I. Jg., Nr. 46, 17. Nov. 95, S. 2.

[35] Siehe hierzu W. Frank, Stöcker, S. 273.

Noch im gleichen Monat nahm Stöcker in Frankfurt a. M. eine Neugründung der aus dem konservativen Parteiverband entlassenen Christlichsozialen »Partei« vor. Naumanns Anfrage, ob er mit Vertretern der »jüngeren« Christlichsozialen erscheinen könne, wurde von Stöcker abschlägig beantwortet. Dieser war nunmehr bestrebt, sämtliche Brücken nach »links« abzubrechen; 1896 trat er aus dem Ev.–Sozialen Kongreß aus, und im gleichen Jahr enthob er die mit Naumann sympathisierenden Redakteure des »Volks«, von Gerlach und Oberwinder, ihrer Posten.

Mit diesem Schritt hatte er sich aber endgültig in die politische Isolation manövriert. Die Arbeitermassen vermochte Stöcker zu keinem Zeitpunkt – auch nicht ansatzweise – an seine Partei zu binden. Nun sagte sich auch jene kleine, für die Propagierung seiner politischen Vorstellungen wichtige Gruppe von jungen Geistlichen und Lehrern von ihm los.

Die Selbstisolation Stöckers hatte innerhalb der christlichsozialen Gesamtbewegung eine deutliche Kräfteverschiebung zugunsten der »Jüngeren« im Gefolge. Die »Jungen« waren nicht isoliert[36]; sie hatten durch die Existenz eines eigenen kämpferischen Presseorgans und durch die Auseinandersetzung mit Stöcker an Reputation und Anhängerschaft gewonnen. Vom Grad der Ausprägung ihres politischen Selbstverständnisses und von ihrem Handlungswillen hing es ab, ob die nur lose verbundene Gruppe der »Jüngeren« an innerer Geschlossenheit und an politischem Einfluß gewinnen würde.

Das zunächst nur in vagen Umrissen erkennbare politische Wertesystem der »jüngeren« Christlichsozialen hatte seine Ausformung durch eine Reihe von Publikationen erfahren, die zumeist aus der Feder der führenden Repräsentanten der neuen Bewegung, vor allem Naumanns und Göhres, stammten. Trotz der permanenten politisch-ideellen Auseinandersetzung, in der man sich mit der älteren Richtung befand, erlag man nicht einer sich in Schlagworten erschöpfenden, starren Argumentations- und Denkweise; vielmehr trug der Zwang zur verbalen Entgegnung zu einer Klärung und Läuterung der eigenen politischen Wertvorstellungen bei.

Von wesentlicher Relevanz für die politische Bewußtseinsbildung der »Jüngeren« war ein 1891 von Paul Göhre publiziertes Buch, das den Titel »Drei Monate Fabrikarbeiter« trug.

Paul Göhre, der von dem Wunsch beseelt war, »die volle Wahrheit über die Gesinnung der arbeitenden Klassen, ihre materiellen Wünsche, ihren geistigen, sittlichen, religiösen Charakter« zu erfahren[37], hatte als Kandidat der Theologie drei Monate unerkannt in einer Chemnitzer Maschinenfabrik täglich 11 Stunden gearbeitet. Die Eindrücke, die er bei seiner Tätigkeit gewann, vermittelte er in seinem Buch, der ersten »Sozialreportage aus dem vierten Stand«[38], der Öffentlichkeit. Die Resultate, zu denen Göhre aufgrund seiner gewonnenen Eindrücke kam, und die Forderungen, die er in diesem Zusammenhang an Gesellschaft, Staat und Kirche richtete, kennzeichnen die politische und soziale Gedankenwelt der

[36] wie C. SCHNEIDER meint (Publizistik, S. 24).

[37] Paul GÖHRE: Drei Monate Fabrikarbeiter und Handwerksbursche, Leipzig 1891, S. 2.

[38] Th. HEUSS: Friedrich Naumann, S. 70.

»Jüngeren« in ihrer ersten Phase, in welcher sie ihre politisch-ideelle Loslösung von der älteren Richtung vollzogen.

Göhre hatte erkannt, daß die Beschäftigung mit der »sozialen Frage« einer Auseinandersetzung mit der Sozialdemokratie gleichkam, denn – so gibt Göhre zu – »was wir rundweg aussprechen müssen, ist die Tatsache, daß die ... deutsche Arbeiterbewegung ihren Ausdruck und ihre Repräsentation in der Sozialdemokratie hat. Die beiden sind heute und für die absehbare Zukunft aufs engste miteinander verknüpft, ja die Sozialdemokratie ist heute diese Bewegung selbst«[39].

Die Ignoranz des Bürgertums gegenüber der »Arbeiterfrage« und der Versuch, der von bürgerlichen Politikern – wie z. B. von Stöcker – gemacht wurde, die sozialistische Ideologie als eine im Grunde der Arbeiterschaft fremde, deren sozialen Bestrebungen nur künstlich aufgepfropfte Begriffslehre zu deklarieren, waren von Göhre als Selbsttäuschung entlarvt worden.

War das Anwachsen der sozialdemokratischen Arbeiterbewegung »zu einer geschichtlichen Notwendigkeit geworden«[40], so schloß dieses Eingeständnis für Göhre aber nicht das Recht und die historische Pflicht der Kritik an »dieser Arbeiterpartei par excellence«[41] aus. Seine Kritik entzündete sich nicht oder nur sekundär an den politischen und wirtschaftlichen Zielvorstellungen der Partei, sondern an der ihr eigenen materialistischen Weltanschauung. Die Sozialdemokratie sei »nicht nur eine neue politische Partei oder ein neues wirtschaftliches System, ... sondern zugleich eine neue Welt- und Lebensanschauung, die Weltanschauung des konsequenten Materialismus, die praktische Anwendung der Lehre von der natürlichen Weltordnung im Gegensatz zur sittlichen, göttlichen ...«[42] Göhre hatte damit eine Einschätzung der Sozialdemokratie vorgenommen, die sich mit der Naumannschen Beurteilung der Arbeiterpartei in seinem 1889 gehaltenen Vortrag »Was tun wir gegen die glaubenslose Sozialdemokratie« inhaltlich deckte[43].

Göhre faßte die »Arbeiterfrage« nicht als eine »bloße Magen- und Lohnfrage« auf, sondern auch als eine »Bildungs- und religiöse Frage ersten Ranges«[44]. Denn die »sozialdemokratische Bildung« sei eine »Halbbildung«[45], da die sozialdemokratische Volksliteratur »ein einziger, in seiner Art kühner und großartiger Versuch« sei, »in Verbindung mit der Verbreitung der neuen radikalen ökonomischen und politischen Lehren der Partei die ganze alte Bildung und Kultur, Christentum und Bibel aus Herz und Köpfen der Massen und aus der ganzen

[39] P. Göhre: Drei Monate Fabrikarbeiter, S. 214.
[40] ebd., S. 214.
[41] ebd., S. 108.
[42] ebd., S. 106.
[43] Naumann verstand die Sozialdemokratie nicht mehr als »die Zusammenfassung der niedrigen Begierden des Menschen« oder als »das Werk einiger ehrgeiziger Wühler und Hetzer« (Fr. Naumann: Was tun wir gegen die glaubenslose Sozialdemokratie? In: Fr. Naumann, Werke, Bd. I, S. 114), sondern er war bereit, »die intellektuelle Höhe der Sozialdemokratie anzuerkennen. »Die Sozialdemokratie ist Geistesmacht«, so konzedierte Naumann (ebd., S. 115), aber nicht christliche, sondern materialistische Geistesmacht. Siehe hierzu auch S. 24 dieser Arbeit.
[44] P. Göhre: Drei Monate Fabrikarbeiter, S. 212.
[45] ebd., S. 155.

Welt hinauszufegen«[46]. Einen Ausweg sah Göhre nicht in der Beseitigung der Sozialdemokratie, was »nicht möglich, nicht einmal wünschenswert« sei, sondern vielmehr in der »bedingungslose(n) Erfüllung aller berechtigten Wünsche der millionenköpfigen Arbeitermasse« und ihrer »Einpflanzung in den Rechtsboden des modernen Staates«. Die rechtliche und soziale Integration der Arbeiterschaft in die Staats- und Gesellschaftsordnung könne nur durch die Arbeiter, »mit ihrer Hilfe und ihrem Willen geschehen ...«. »Wir sind über die Zeit des Patriarchentums hinaus«[47], stellte Göhre in klarer Abgrenzung zu den sozialpolitischen Intentionen Stöckers fest.

Göhre meinte, daß das von ihm postulierte soziale und politische Ziel nur in Verbindung mit der christlichen Lehre zu erreichen sei. Deshalb müsse »die Erziehung, die Veredelung, die Christianisierung der heute noch wilden, heidnischen Sozialdemokratie und die Vernichtung ihrer widerchristlichen, materialistischen Weltanschauung« angestrebt werden[48].

Es gelte, den »Grundsatz« »zur Tatsache« zu machen, »daß auch ein Sozialdemokrat Christ und ein Christ Sozialdemokrat sein kann«[49].

Göhres Konzeption – und ebenso die der anderen »jüngeren« Christlichsozialen – war somit von zwei Grundeinsichten geprägt. In deutlicher Distanzierung von den Bestrebungen Stöckers ließ sich aus der Sicht der »Jüngeren« das »soziale Problem« nicht »von oben« in Form eines sozialpolitisch aufgeklärten Patriarchentums lösen; es war nur »von unten her«, »vom Standpunkte der Bedrängten, für die Bedrängten und mit den Bedrängten«[50] wirksam anzugehen. Diese proletarische Perspektive[51] fand auch in terminologischer Hinsicht ihre

[46] ebd., S. 154.

[47] ebd., S. 215.

[48] ebd., S. 222.

[49] ebd., S. 216.

[50] Diese Formulierung gebrauchte Naumann in seinem Aufsatz: Christlich-Sozial, Leipzig 1894 (Abgedruckt in: Fr. NAUMANN, Werke, Bd. I, S. 346). Naumann war bereit anzuerkennen, daß eine Sozialpolitik »von unten her« die Rezeption eines sozialdemokratischen Gesichtspunktes sei (ebd., S. 346).

[51] Die Behauptung von Karl JORDAN (Fr. Naumann. Ein Politiker der nachbismarckischen Zeit, in: Volk und Staat, Festschrift Karl Massmann, Kiel 1954): »Durch ihre sozial-liberale Haltung unterschied sich diese Richtung« (die Naumannsche) »von der sozial-konservativen Linie Stöckers und seines Kreises« (ebd., S. 40), ist nicht haltbar. Wie wenig die »jüngeren« Christlichsozialen sich als eine *liberale* oder bürgerliche Bewegung verstanden wissen wollten, obwohl ihre Führer sämtlich dem protestantischen Bildungsbürgertum entstammten, läßt sich durch eine Reihe von Zitaten belegen. So meinte Naumann, daß »die christlich-soziale Zeit ... erst nach der sozialdemokratischen Zeit« komme. »Wir halten es für vergeblich, wenn man das christlich-soziale Pferd vor den Wagen der alten Ordnung spannen will. Wie die Sozialdemokratie den Liberalismus beerbte, so wird das Christlich-Soziale die Sozialdemokratie beerben ... Was vor der Sozialdemokratie steht, die bürgerliche Weltanschauung, das heutige Gesellschaftsgefüge, das ist nicht das Ziel unseres Denkens. Wir haben nicht vor, Schutzwächter einer zerbröckelnden Vergangenheit zu sein« (Christlich-Sozial, in: Fr. NAUMANN, Werke, Bd. I, S. 343). – In einem Aufsatz der von Maximilian Harden herausgegebenen »Zukunft« vom 29. Juni 1895 grenzte Naumann die Differenz zwischen »konservativ« und »liberal« eindeutig auf die im Ev.-Sozialen Kongreß bestehenden divergierenden *theologischen* Richtungen ein. Diesen terminologischen Gegensatz als Nomenklatur für den bestehenden politischen Meinungsantagonismus zu verwenden, hält er nicht für statthaft: »... Nur ist es ein volles Mißverständnis,

Bestätigung. Man zögerte nicht, die eigenen politischen Wertüberzeugungen unter dem Begriff des »Sozialismus« zu rubrizieren[52].

Das zweite für den »christlichen Sozialismus« der »Jüngeren« konstitutive Element war die Grundüberzeugung, daß nur eine von christlichen Wertvorstellungen geleitete Arbeiterschaft das moralische Recht und die geistige Waffe für den Kampf um eine tiefgreifende politische und gesellschaftliche Veränderung besitze. Erst in Verbindung mit der christlichen Lehre, nicht aber mit der materialistischen Philosophie, werde die Arbeiterschaft ihren sozialen und politischen Interessenkampf erfolgreich führen können.

Der Maxime der »jüngeren« Christlichsozialen, die Berechtigung für tiefgreifende Veränderungen in Staat und Gesellschaft aus einem christlichen Verantwortungsbewußtsein abzuleiten, folgten Naumann und Göhre bei der Ausarbeitung des Programmentwurfs für die evangelischen Arbeitervereine im Jahre 1893[53]. In den einleitenden Grundlinien wurde das Postulat einer aus der christlichen Ethik deduzierten Veränderung der wirtschaftlichen Verhältnisse aufgestellt. In den »im Evangelium enthaltenen und daraus zu entwickelnden sittlichen Ideen« finde man »den unverrückbaren Maßstab rückhaltloser Kritik an den heutigen Zuständen« und »kraftvolle Handhaben, um bestimmte Neuorganisationen im wirtschaftlichen Leben zu fördern«[54].

Diese dem Programmentwurf vorangestellte Grundsatzerklärung stand aber in einem klaffenden Mißverhältnis zu den im Entwurf entwickelten Programmsätzen, die – ohne Bezüge zum Evangelium aufzuweisen – in additiver Reihenfolge konkrete gesellschaftspolitische Forderungen darstellten. Die prätendierte Beziehung von evangelischer Lehre und sozialpolitischem Verhalten wurde gerade in jenem Programmentwurf, in welchem sie als unabdingbare Forderung erhoben wurde, faktisch nicht vollzogen. Der Programmentwurf machte damit – ohne daß es seinen Verfassern zu diesem Zeitpunkt selbst bewußt wurde – eine der wesentlichen Schwächen des christlichsozialen Grundgedankens offenkundig; nämlich die Unvereinbarkeit zweier Wertsphären, der religiösen und der politischen. Weder das Evangelium noch eine davon abgeleitete Wertethik vermochte Normen für gegenwärtige sozial- und wirtschaftspolitische Maßregeln zu liefern; »kraftvolle Handhaben« zur Behebung gesellschaftlicher und ökono-

wenn der alte, in absehbarer Zeit nicht zu erledigende Gegensatz von orthodoxer und liberaler Theologie in diese Sache hineingetragen wird. Dieser Theologengegensatz ist eine Angelegenheit für sich, die mit dem Unterschied des konservativen und sozialen Christentums nichts zu tun hat (Die Zukunft v. 29. Juni 1895, S. 592). – Wenck charakterisiert die spezifische Form des Christentums der »Jüngeren« als »proletarisches Christentum« (Hess. Landes- u. Hochschulbibliothek Darmstadt, Nachlaß Martin Wenck: Wandlungen u. Wanderungen, S. 96). – Auch die Feststellung Wolfgang Mommsens (Wolfgang J. MOMMSEN: Max Weber und die deutsche Politik 1890–1920, Tübingen 1959), Naumann habe 1895/96 »den Schritt von einem christlich-sozialen Idealismus vorwiegend patriarchalischer (sic!) Prägung zum nationalen Sozialismus getan« (ebd., S. 140), dürfte dem »proletarischen Standpunkt« Naumanns und seiner Anhänger nicht gerecht werden.

[52] Paul Göhre nannte den Sozialismus der »Jüngeren« im Jahre 1902 retrospektiv einen »starken proletarischen Sozialismus« (Paul GÖHRE: Vom Sozialismus zum Liberalismus. Wandlungen der Nationalsozialen, Berlin 1902, S. 6).

[53] Siehe hierzu S. 26 dieser Arbeit.

[54] M. WENCK: Geschichte, S. 16.

mischer Mängel der Gegenwart ließen sich nicht überzeugend aus dem Evangelium ableiten.

Die Brüchigkeit des christlichsozialen Gedankens wurde den »Jüngeren« nur in einem langsam sich vollziehenden geistigen Prozeß einsichtig. Noch in einem im November 1894 von Naumann verfaßten Schreiben »An die evangelischen Arbeitervereine des deutschen Vaterlandes« betonte er, daß »in allen Hauptpunkten... das Programm der evangelischen Arbeitervereine maßgebend (ist)«[55]. Ansätze einer ersten Unsicherheit gegenüber dem christlichsozialen Gedanken wies der Naumannsche Aufsatz »Konservatives Christentum« in der »Zukunft« vom 29. Juni 1895 auf. Auch ein handschriftliches Manuskript von Arthur Titius mit dem Titel »Zur Charakteristik Naumanns« läßt ein Abrücken vom christlichsozialen Konzept deutlich werden.

Naumanns Aufsatz durchzieht wie ein roter Faden die Frage, wieso es möglich sein kann, daß sowohl der Sozialkonservativismus Stöckers als auch die sozialprogressive Richtung der »Jüngeren« ihre Legitimation im Christentum finden können, obwohl es »unzweifelhaft ... von dem höheren Gesichtspunkt der Weltgeschichte und der ewigen absoluten Wahrheit aus nur ein evangelisches Christentum« gebe[56]. Die Antwort gibt Naumann, nachdem er die Spannweite christlicher Deutung und christlichen Verständnisses noch dadurch erweitert, daß er zwei absolute politische Antipoden, den konservativen »Industriekönig« der Saar, den Freiherrn von Stumm, der sich als »treuer Sohn seiner Kirche« bezeichnet hatte, und den Theologen Theodor von Wächter, welcher in die Sozialdemokratie eingetreten war, gegenüberstellt.

Für Stumm sei das Christentum eine »erhaltende Macht«, »Autorität, Wohlwollen, Gehorsam«, für Wächter »eine umwälzende Wahrheit«, »Persönlichkeit, Kampf, Freiheit«. »Dem einen ist das Christentum die Liebe, mit der man Unmündige schützt und leitet, dem anderen ist es die Liebe, die dem Proletarier ein Proletarier wird«[57].

Die gegensätzlichen Interpretationsmöglichkeiten der christlichen Lehre und ihre unterschiedlichen Nutzanwendungen für die politische Sphäre mußten Naumann einsichtig werden lassen, daß alle aus dem christlichen Glauben erwachsenen Normen für politische und soziale Verhaltensweisen – somit auch für die eigenen – sich durch Relativität und Subjektivität auszeichnen. Trotz dieser Erkenntnis war Naumann zu diesem Zeitpunkt noch nicht bereit, daraus die Konsequenz einer grundsätzlichen Scheidung von religiöser und politischer Wertsphäre zu ziehen. Da nun einmal »sehr verschiedene geschichtliche Ausprägungen dieses einen Glaubens« existieren[58], scheute sich Naumann nicht, auch für sich und seine Gruppe eine bestimmte »Artikulationsform« des *einen* evangelischen Christentums in Anspruch zu nehmen, um mit ihr sein gesellschaftspolitisches Anliegen zu rechtfertigen. Zur Legitimation seines »christlichen Sozialismus« berief er sich einmal auf die erste Epoche in der Geschichte des Christentums, auf das Urchristentum. »Das Gemeinschaftbildende des Urchristen-

[55] DZA Potsdam, Nachlaß Naumann, Aktz. 60, Bl. 163 R.
[56] Fr. NAUMANN: Konservatives Christentum, in: Die Zukunft v. 29. Juni 1895, S. 592.
[57] ebd., S. 593.
[58] ebd., S. 592.

tumes« erscheine »als Prinzip des Zusammenschlusses von solchen, die gemeinsam kämpfen wollen«[59]. Das Christentum erinnere sich daran, »daß es in den ersten Jahrhunderten eine Religion von Sklaven und Handwerkern war, die von den Cäsaren gefürchtet und verfolgt wurde, ein freier, heimlicher Bund, der in den Katakomben betete und sich mit Bestimmtheit von der damaligen oberen Gesellschaft abschied«[60]. Versuchte Naumann also einmal die Berechtigung seines »christlichen Sozialismus« durch eine Rückbesinnung auf jene Epoche des Christentums zu begründen, in der sozial benachteiligte Volksschichten Träger des christlichen Glaubens waren, so sahen Naumann und mit ihm andere »jüngere« Christlichsoziale außerdem eine Rechtfertigung ihres »christlichen Sozialismus« in der *historischen* Gestalt Jesu[61].

Die unmittelbare Verbundenheit des Proletariers mit Jesu ergebe sich aus der Gleichheit der Situation, in der sich beide befänden. Der Proletarier werde »das Leiden Jesu in anderer Weise als etwas Gegenwärtiges, noch nicht aus der Welt Verschwundenes ansehen als der gesicherte Staatsbürger ... Er kann alles behalten, was jeder Menschenseele an dem Gekreuzigten teuer sein kann, er kann aber die Situation näher erfassen, weil er ringt und zittert«[62].

Der für die Geringen des Volkes kämpfende und der leidende Jesus erhielt auf diese Weise eine funktionale Bedeutung für den gegenwärtigen sozialen Interessenkampf. Naumann und einem Teil seiner Anhänger war bewußt geworden, daß eine bloße Synthese von Christentum und Sozialismus nicht möglich war. Die Brüchigkeit dieser Verbindung wurde aber überdeckt, indem man sich die Epoche des Urchristentums vergegenwärtigte und Jesus aus der Perspektive der Unterdrückten und Leidenden betrachtete[63]. Daß aber auch die Formen der sozialen Wirksamkeit Jesu nicht auf die gegenwärtige Gesellschaft übertragbar

[59] ebd., S. 594.

[60] ebd., S. 594.

[61] Paul Göhre hatte zu dieser Berufung auf das geschichtliche Wirken Jesu schon in seinem Buch »Drei Monate Fabrikarbeiter« den Anstoß gegeben, indem er – wenn auch nur beiläufig – feststellte, daß der dem Christentum entfremdete sozialdemokratische Arbeiter sich einzig nur »die Achtung und Ehrfurcht vor Jesus Christus« erhalten habe. Diesem Jesus von Nazareth fehle aber der Glorienschein, den ihm die Kirche um die hohe Stirn gewoben habe: »Man lächelt über seine von den Theologen ihm ›zugemutete‹ Göttlichkeit; für sie ist er meist nur noch der große soziale Reformator, der mit religiösen Mitteln, aber vergeblich das goldene Weltalter heraufführen wollte« (P. Göhre, Drei Monate Fabrikarbeiter, S. 190). Der literarische Höhepunkt in dem Bemühen der »Jüngeren«, Christus in seiner historischen, gesellschaftsumbildenden Bedeutung zu fassen, ist die 1894 von Naumann herausgegebene Schrift: »Jesus als Volksmann«. »Mögen andere Christus beschreiben« – so heißt es hier – »als den ewigen Sohn Gottes, als den kommenden Weltrichter, als das Sühneopfer für die Sünden der Welt, so sagt mein Herz dabei: Alles, was ihr von ihm rühmt, ist richtig ... aber ihr verschweigt mir eins, woran ich hänge mit jeder Faser meiner Seele, ihr seid so still von dem Mann, der im Volk für das Volk einen Kampf geführt hat, der unvergeßlich ist« (Göttinger Arbeiterbibliothek, hrsg. v. Fr. Naumann, Göttingen 1896, S. 1).

[62] Konservatives Christentum, S. 596.

[63] Auch in den von Naumann im Juni 1895 veröffentlichten »Gedanken zum christlichsozialen Programm« (»Hilfe«, I. Jg., Nr. 22, 2. Juni 1895, S. 1–3) ist die allgemeine Verbindung von Christentum und Sozialismus aufgegeben zugunsten einer Berufung auf den als »Volksmann« verstandenen Jesus.

waren, konnte man schließlich und endlich nicht vollends übersehen. So kommt Arthur Titius bei einer Reflexion über das geschichtliche Wirken Jesu zu dem Ergebnis: ». . . er beschäftigte sich mit dem Geheimnis der Armut, und es steht fest, daß er in dieser Hinsicht sehr weitgehende Vorschläge gemacht hat, wenn auch nur als sittliche Anforderungen, nicht im entferntesten als Staatsgesetze. Seine Mittel passen heute freilich nicht mehr, denn d[as] Wunder liegt in Gottes Händen, und das Almosen ist heute altersschwach geworden. Denn der Massenarmut läßt sich mit bloßen Almosen heute nicht mehr abhelfen . . .«[64]. Mit einem derartigen Gedankengang näherte man sich schließlich einer Position, in der der christliche Glaube nur noch Stimmungshintergrund für das eigene sozialpolitische Bemühen war. Es bedurfte schließlich nur noch eines entscheidenden Anstoßes, um den Bruch von Christentum und Sozialismus bei den »Jüngeren« herbeizuführen.

Eine wichtige Wirkung hatte die Rede »Der Christ im öffentlichen Leben« des Leipziger Kirchenrechtlers Rudolf Sohm auf dem im September 1895 abgehaltenen Kongreß der Inneren Mission in Posen. Sohm, der »die Religion um ihres Eigenwertes willen vor der Vermengung mit dem Staatlich-Politischen schützen« wollte[65], verwarf in seinem Vortrag die Vorstellung, daß es eine christliche Gesetzgebung, eine christliche Wirtschaftsordnung oder einen christlichen Sozialismus geben könne, denn der Staat sei ein Heide, der das Schwert trage und mit Macht und Zwang arbeite[66].

Der Leipziger Rechtslehrer, dem selbst eine konservative Grundhaltung eignete, hatte mit seiner Trennung von Staatsdenken und christlichem Glauben nicht nur der Stöckerschen Konzeption, die Arbeiterschaft mit einer religiös motivierten Sozialpolitik an den konservativen Obrigkeitsstaat zu binden, sondern auch die von Julius Stahl entwickelte konservative Staatslehre, die auf eine Verbindung von »Thron und Altar« hinauslief, in ihrem Kern getroffen.

Aber auch Naumann und seine Anhänger hatten Grund genug, ihr politisches Wertesystem von Grund auf zu überdenken. Sohm, der dann eine wichtige Rolle im Nationalsozialen Verein spielen sollte, hatte durch seine Rede – wie Naumann später feststellte – den Naumannschen Kreis genötigt, »begriffliche Klarheit auf einem Lebensgebiete zu suchen, auf dem gerade der gute Wille den Klarheiten gern ausweicht«[67].

Noch bevor durch den Einfluß Rudolf Sohms bei Naumann Zweifel an der Berechtigung einer Politik auf christlicher Grundlage hervorgerufen wurden, war von anderer Seite ein wichtiger Anstoß zur Klärung des politischen Standortes erfolgt. Die Freiburger Antrittsvorlesung Max Webers, zu dem Naumann und andere »Jüngere« auf den Tagungen des Ev.-Sozialen Kongresses einen menschlichen und geistigen Kontakt gewonnen hatten, sollte schon latent vorhandene nationale Stimmungen bei Naumann wecken und die Wendung vom christlichen zum nationalen Sozialismus einleiten.

[64] Geh. Staatsarchiv der Stiftung Preußischer Kulturbesitz, Nachlaß Arthur Titius, Manuskript: Zur Charakteristik Naumanns.

[65] Th. Heuss: Friedrich Naumann, S. 100.

[66] Nach Martin Wenck: Friedrich Naumann. Ein Lebensbild, Berlin 1920, S. 90.

[67] »Hilfe«, 23. Jg., Nr. 21, 24. Mai 1917, S. 338.

Weber hatte in seiner Vorlesung die Betrachtung der ostelbischen Landarbeiterfrage und die damit verbundene Problematik des Zusammenlebens von Menschen deutscher und polnischer Nationalität zum Ausgangspunkt für eine den Rahmen wertfreier wissenschaftlicher Analyse sprengende politische Reflexion gemacht. »Er beschrieb den Denationalisierungsprozeß, den er im deutschen Osten vor sich gehen sah, als besonders prägnantes Beispiel des ewigen Kampfes der Nationalitäten um Lebensraum und Selbstbestimmung, in dem er gleichsam ein politisch-soziologisches Grundgesetz seiner Zeit sah«[68].

Indem Weber die Nationalstaatsidee zum obersten politischen Prinzip erklärte und die Berechtigung eudämonistischer oder ethischer Maximen im Bereich der Politik leugnete, war er auch bereit, seiner Wissenschaft, der Nationalökonomie, ihre objektiv-wissenschaftliche Wertfreiheit abzusprechen und sie zu einer politischen Wissenschaft, zur »Dienerin der Politik«[69] zu machen. »Der Nationalstaat«, so formulierte Weber, »ist uns nicht ein unbestimmtes Etwas, welches man um so höher zu stellen glaubt, je mehr man sein Wesen in mystisches Dunkel hüllt, sondern die weltliche Machtorganisation der Nation, und in diesem Nationalstaat ist für uns der letzte Wertmaßstab auch der volkswirtschaftlichen Betrachtung die ›Staatsraison‹«[70].

Nicht nur durch die Verabsolutierung des nationalen Machtstaatsgedankens zeichnete sich Webers Antrittsvorlesung aus; sie war auch bedeutsam durch eine gesellschaftskritische Betrachtung. Die gesellschaftliche Verfassung Deutschlands sei dadurch charakterisiert, daß eine sinkende Klasse, nämlich das Junkertum, die politische Macht in den Händen halte, während neue Klassen, das Bürgertum und die Arbeiterschaft, nach politischer Macht strebten, aber nicht fähig seien, diese auszuüben. Obwohl selbst dem Bürgertum zugehörig, meinte Weber, daß die »politische Urteilsfähigkeit des Bürgertums ausgebrannt« sei, denn ein Teil des Großbürgertums sehne sich allzu offenkundig »nach dem Erscheinen eines neuen Cäsar, der sie schirme, nach unten gegen aufsteigende Volksklassen, nach oben gegen sozialpolitische Anwandlungen, deren ihnen die deutschen Dynastien verdächtig sind«[71].

Ein anderer Teil sei versunken »in jene politische Spießbürgerei, aus welcher die breiten Schichten des Kleinbürgertums noch niemals erwacht« seien[72]. Aber auch der Arbeiterschaft gehe die politische Reife ab, da ihr »die großen Machtinstinkte einer zur politischen Führung berufenen Klasse (fehlen)«[73].

Die Reaktion Naumanns auf die Antrittsvorlesung Webers macht seine innere Übereinstimmung mit der von Weber vertretenen Idee des nationalen Machtstaates nur allzu augenfällig. Am Schluß einer Rezension der Weberschen Vorlesung in der »Hilfe« heißt es: »Hat er nicht recht? Was nützt uns die beste Sozialpolitik, wenn die Kosaken kommen? Wer innere Politik treiben will, der muß erst Volk, Vaterland und Grenzen sichern, er muß für nationale Macht sorgen. Hier ist der schwächste Punkt der Sozialdemokratie. Wir brauchen einen

[68] W. Mommsen: M. Weber, S. 43.
[69] Max Weber: Gesammelte politische Schriften, München 1921, S. 20.
[70] ebd., S. 20.
[71] ebd., S. 27.
[72] ebd., S. 27.
[73] ebd., S. 28.

Sozialismus, der regierungsfähig ist ... Ein solcher Sozialismus muß deutschnational sein«[74]. Zweifellos wäre es falsch zu behaupten, Naumann sei erst durch die Freiburger Antrittsrede Webers mit dem nationalen Machtstaatsgedanken vertraut gemacht worden[75]. Daß dieser schon vor der Rede Webers im politischen Denken Naumanns eine – wenn auch wenig durchdachte – Gegebenheit war, beweisen Aufsätze Naumanns in der »Hilfe«[76]. Dennoch hatte diese Rede auf Naumann eine tiefe Wirkung. Die Propagierung einer nationalen Machtpolitik sah er seit diesem Zeitpunkt als eine entscheidend wichtige politische Aufgabe an[77] auch wenn er – im Gegensatz zu Max Weber – die Idee des nationa-

[74] »Hilfe«, I. Jg., Nr. 28, 14. Juli 95, S. 2.

[75] Marianne Webers Bemerkung (Marianne WEBER: Max Weber. Ein Lebensbild, Tübingen 1926), Webers Antrittsrede habe »eine entscheidende *Wandlung*« (Die Hervorhebung durch Kursive wurde von mir vorgenommen) »in Naumanns Ideenkreis und bei einem Teil seiner Gefolgschaft (bewirkt)« (ebd., S. 232), erweckt den Eindruck – der dem Vorgang nicht ganz gerecht wird –, als handle es sich um einen *plötzlichen radikalen* Umschwung in Naumanns politischem Denken.

[76] So beleuchtete Naumann schon im Januar 1895 in einem Leitartikel der »Hilfe« das Verhältnis von Nationalität und Internationalität (»Hilfe«, I. Jg., Nr. 4, 27. Januar 95, S. 1). »Die Idee, daß alle Völker ein großes Bruderreich sein sollen«, sei »ja als Idee ganz schön«. Vorläufig aber seien wir noch längst nicht so weit, daß auch nur über »die Vereinigten Staaten von Westeuropa« in irgendeiner Weise ernsthaft verhandelt werden könne. Man habe »soviel in Deutschland und für die Deutschen zu tun«, daß man die Internationalität der Politik gern künftigen Geschlechtern überlasse. Nicht überall erkenne man den Wert deutscher und christlicher Gesinnung an. »Wenn man das täte, würde man nicht die christlich-soziale Bewegung mit der Sozialdemokratie in einen Topf werfen, sondern man würde sich freuen, daß es eine soziale Richtung gibt, die von den Fehlern der Vaterlandslosigkeit frei« sei. – Die »Hilfe« vom 9. Juni 1895 (I. Jg., Nr. 23) enthält unter der Überschrift »Christentum und Gewalt« einen offenen Brief von Dr. Grunsky, dem Herausgeber von »Neues Leben«. Grunsky hatte die Zustimmungserklärung Naumanns in der »Hilfe« vom 10. März 1895 zum Bau neuer Kriegsschiffe und seine Begründung: »Es gibt Machtfragen, darum brauchen wir Macht« zum Anlaß genommen, auf den Widerspruch zwischen dieser Haltung Naumanns und dem Geist der Bergpredigt hinzuweisen. Die Frage Grunskys: »Halten Sie die Moral der Bergpredigt, die ich dahin auffasse, daß Vergewaltigung nie und nimmer durch Vergewaltigung aufgefangen werden darf, für richtig und verbindlich?« (ebd., S. 1) beantwortete Naumann ausweichend mit der Bemerkung, Jesus wolle »Milderung der Gewalten«, und zwar »soweit es geht«; aber er wolle »keine Regierungslosigkeit« (ebd., S. 2). Die Antwort Naumanns auf die konkrete Frage, ob die Bewilligung der Kriegsschiffe im Sinne Jesu sei, war ein fingierter Dialog: »Jesus steht im Geist vor uns und fragt: wie dient ihr dem Frieden am besten, mit oder ohne Rüstung? Wir antworten: Ach Herr, die Rüstung ist ein schweres Kleid, und wir werden froh sein, wenn wir es ausziehen können, aber heute abrüsten, heißt den Tod ins Land rufen. Herr, willst Du das? Mir ist, als hörte ich Jesus sprechen: Das will ich nicht, geht hin, baut die Schiffe und bittet Gott, daß ihr sie nicht braucht« (ebd., S. 2). Die Spannung zwischen »Christentum und Gewalt«, zwischen »Ethik und Macht«, von der auch der Nationalsoziale Verein nicht unberührt blieb, war für Naumann schon im Jahre 1895 aktuell. – Die Bemerkung Gertrud Lohmanns (Gertrud LOHMANN: Friedrich Naumanns Deutscher Sozialismus, Diss. München 1934), Naumann habe im Jahre 1895 noch ganz in der christlichsozialen Gedankenwelt gestanden (ebd., S. 26), wird durch die Äußerungen Naumanns in der »Hilfe« widerlegt. Das Jahr 1895 ist vielmehr für Naumann das Jahr des Übergangs von der christlichsozialen zur nationalsozialen Ideenwelt.

[77] Sehr ähnlich beurteilen neuerdings auch Wilhelm HAPP: Das Staatsdenken Friedrich Naumanns, S. 60 ff., und Jürgen CHRIST: Staat und Staatsraison bei Friedrich Nau-

len Machtstaates nicht verabsolutierte, sondern sie in enger Beziehung zu einer sozial-reformerischen Innenpolitik sehen wollte.

Der Aufsatz Naumanns »Was wir wollen« in der Neujahrsnummer der »Hilfe«[78], dessen richtungweisende Bedeutung schon durch den Titel erkennbar wird, dokumentiert, daß der durch Sohm und Weber wesentlich geförderte politisch-ideelle Klärungsprozeß bei Naumann zu einem ersten Abschluß gekommen ist.

»Die Christlich-Sozialen haben zwei Aufgaben«, so gibt Naumann unmißverständlich zu verstehen, »welche sich nahe berühren, die aber nicht miteinander verwechselt werden dürfen. Die eine Aufgabe ist politisch und die andere ist religiös«[79]. Jetzt würden beide Aufgaben in denselben Vereinen gepflegt; es sei aber nicht unmöglich, daß später einmal zweierlei Vereinigungen nötig werden, »um nicht die Religion durch die Einzelheiten der Politik zu schädigen und um nicht an politischer Verbindung mit solchen Leuten gehindert zu sein, die einen anderen religiösen Standpunkt einnehmen als wir«[80].

Die politische Aufgabe wird von Naumann im gleichen Artikel näher skizziert. Dabei wird nicht nur inhaltlich, sondern auch terminologisch der Wandel im politischen Denken Naumanns offenkundig. Seine dem Proletariat freundliche Grundeinstellung ist unverändert; auch jetzt betrachtet er den Sozialismus als einzige politische Ideenrichtung, welche eine Antwort auf die politischen Zeitfragen zu geben imstande sei. Dieser Sozialismus ist aber nicht mehr ein »christlicher«. Naumann charakterisiert ihn als einen »praktisch-nationalen«, einen »regierungsfähigen«, einen »kaiserlichen« Sozialismus. Er glaubt ein Anwachsen der sozialistischen Bewegung bis zu einem Punkt voraussagen zu können, wo die Regierung und das hohenzollernsche Kaisertum auf den Sozialismus angewiesen seien, da anders eine Majorität im Reichstag nicht mehr zu erreichen sei. Dann sei der Zeitpunkt gekommen, wo das Kaisertum mit dem Sozialismus Frieden mache; dazu sei aber »eine leistungsfähige Ansammlung nationaler Sozialisten« notwendig, die »imstande ist, den Kompromiß zwischen Arbeit und Monarchie anzunehmen«[81].

Naumann hatte die politisch-ideelle Metamorphose vom »christlichen« zum »nationalen Sozialismus« schon Anfang des Jahres 1896 vollzogen. Nicht für alle Christlichsozialen Naumannscher Provenienz geschah dieser Umdenkungsprozeß mit der gleichen Geschwindigkeit und Intensität. Daß eine nicht geringe Zahl Naumannscher Anhänger, insonderheit jene Gefolgsleute, welche nicht in einem unmittelbaren persönlichen Kontakt zu Naumann standen, noch länger im christlichsozialen Denken verhaftet blieb, beweisen u. a. die Reden von Delegierten auf der Erfurter Gründungsversammlung des Nationalsozialen Vereins.

Es ist deshalb nicht zu übersehen, daß die politisch-geistige Wandlung bei Naumann und seinen engeren Freunden einerseits und bei einer Reihe mehr im Hintergrund stehender Anhänger andererseits sich mit einer gewissen zeitlichen

mann, S. 30 ff. den Einfluß von Webers Antrittsrede auf die politische Gedankenwelt Naumanns.

[78] »Hilfe«, II. Jg., Nr. 1, 5. Jan. 96, S. 1 ff.

[79] ebd., S. 1.

[80] ebd., S. 1.

[81] ebd., S. 2.

Phasenverschiebung vollzog, die sich ungefähr auf ein Jahr veranschlagen läßt[82].

Dem festen organisatorischen Zusammenschluß der »Freunde der Hilfe« gingen eine Reihe vorbereitender Aktionen voraus. Eine parteibildende Funktion kam dabei ohne Zweifel der Naumannschen Wochenschrift zu, da sie nicht nur zwischen ihrer Leserschaft ein gesinnungspolitisches Zusammengehörigkeitsbewußtsein zu evozieren, sondern ihre Leser teilweise auch zu ersten losen Zusammenschlüssen zu mobilisieren vermochte.

Indirekt spielte bei den organisatorischen Einigungsbestrebungen der »Freunde der Hilfe« die Sozialdemokratie eine nicht unerhebliche Rolle. Obwohl die Partei selbst den politischen Ambitionen der kleinen Gruppe bürgerlicher Außenseiter zunächst mit Indifferenz begegnete, war sie im politischen Denken der »Jüngeren« ein – wenn auch ambivalentes – parteipolitisches Phänomen, an dem man sich nicht ohne Bewunderung orientierte; so war die in ihrer Art vollendete Organisationsform der Partei für Naumann und andere »Jüngere« ein nachahmenswertes Beispiel.

War im ersten Stadium der eigenen politischen Bewußtseinswerdung und der damit in Verbindung stehenden Loslösung von der Richtung Stöckers den »Jüngeren« der Gedanke einer politischen Parteigründung fremd, so wurde er schließlich geweckt und nahm in dem Maße konkrete Gestalt an, wie die Profilierung der eigenen politischen Ideenrichtung zunahm. Auch das Verhältnis zur Sozialdemokratie war in Analogie zu diesem Entwicklungsprozeß einer Veränderung unterworfen. Hatte Göhre es in seinem Erlebnisbericht »Drei Monate Fabrikarbeiter« als »Wahn« bezeichnet, die Sozialdemokratie »aus der Welt zu schaffen«[83], und damit unausgesprochen die Notwendigkeit einer neuen »proletarischen« Parteigründung ausgeschlossen, so verlor ein solcher Gedanke an Gewicht, je mehr das politische Selbstbewußtsein wuchs. Im August 1895 meinte Göhre – wie aus einem Brief an Naumann hervorgeht[84] –, daß die Bildung einer eigenen Organisation nicht mehr in allzu weiter Ferne liegen dürfe. Zunächst solle aus taktischen Gründen in den evangelischen Arbeitervereinen eine energische Agitation entfaltet werden, die schließlich – etwa in einem Jahr – zum Ausschluß der »Jüngeren« aus diesen führe. Dann müsse man »eine Gruppe selbständig bilden« und »ein Programm ohne Konzessionen, Hinterhälte und Be-

[82] Wenn aber auch ein enger persönlicher Freund Naumanns, nämlich Martin Wenck, nach seinem eigenen Bekenntnis nur mit großem Widerwillen den politisch-ideellen Übergang vollzog, so scheint dieser Umstand darauf hinzudeuten, daß nur durch die überragende Persönlichkeit Naumanns ein Teil seiner Freunde veranlaßt wurde, den ideellen Umschwung mitzuvollziehen. Wenck schreibt in seinen »Wandlungen und Wanderungen«: »... Ich verhehle es nicht, daß ich mich nur mit schwerem Herzen entschlossen habe, den religiösen Ausgangspunkt programmatisch aufzugeben. Meine ganz soziale Gesinnung, ›mein Sozialismus‹ war eben religiös-sittlich bestimmt, und ich fürchtete, daß die Betonung des Nationalen zu sehr eine Betonung des Machtgedankens werden könnte« (Hess. Landes- u. Hochschulbibliothek Darmstadt, Nachlaß M. Wenck: Wandlungen und Wanderungen, Ein Sechziger sieht sein Leben zurück, S. 103).

[83] P. Göhre: Drei Monate Fabrikarbeiter, S. 214.

[84] DZA Potsdam, Nachl. Naumann, Aktz. 114 (Göhre an Naumann vom 12. 8. 1895, Briefabschrift), Bl. 46 f.

denken aufstellen und es mit aller Kraft zu vertreten suchen, mit aller Kraft eine kleine selbständige Partei zu schaffen suchen«. Damit gewänne man Zeit, »bis Vollmar, Schönlank etc. die Spaltung drüben vollziehen und wir mit ihnen, mit unseren Leuten, alle(n) vernünftigen Sozialdemokraten, den besseren Hirschdunckerschen etc. eine wirkliche radikale deutsche Arbeiterpartei, die national ist, nicht auf Marx schwört und nicht antichristlich ist und die die Führung im Reiche bekommt, schaffen . . .«[85].

War Göhres Bild von einer künftigen deutschen Arbeiterbewegung im Jahre 1891 noch durch die Vorstellung bestimmt, daß eine »christianisierte« Sozialdemokratie an die Stelle der marxistischen treten müsse, so glaubte er nun, daß man den Schritt zur Gründung einer eigenen, nationalen Arbeiterpartei wagen könne. Der Gedanke an eine mögliche Absplitterung revisionistischer Kräfte von der Sozialdemokratie bestärkte Göhre in der Hoffnung, daß eine neue deutsche Arbeiterpartei die Sozialdemokratie in ihrer Rolle als parteipolitische Vertreterin des vierten Standes ablösen werde.

Göhres Zukunftsperspektive basierte – wie sich später herausstellen sollte – auf einer falschen Einschätzung der Kräftekonstellation innerhalb der Sozialdemokratie.

Vereinzelt machten sich im Lager der »Jüngeren« auch mahnende Stimmen bemerkbar. Aus Anlaß des im Juni 1895 in Erfurt stattfindenden Ev.-Sozialen Kongresses hatte sich der Begründer des Erfurter evangelischen Arbeitervereins, Dr. Lorenz, ein enger Freund Naumanns, an diesen mit der Bitte gewandt, den Bruch mit den »Älteren« nicht vollends Wirklichkeit werden zu lassen. »Wohl würde«, so meinte er, »eine Spaltung nur Klarheit bringen, aber sie würde uns auch in die Stellung einer Sekte drängen und die Sache auf Jahre hinaus schädigen. Was sind Offiziere ohne Regimenter? Sind die ev. Arbeitervereine etwa schon so weit geschult, daß wir uns auf sie in unserem Kampfe nach rechts stützen und verlassen könnten? Was haben wir hinter uns? Es sind wenige. Die Hoffnung auf die Jugend ist eine trostreiche, aber nur eine Zukunftshoffnung«[86]. Der Prozeß des organisatorischen Zusammenwachsens der »Jüngeren« war jedoch nicht mehr zu retardieren.

Seit 1894 hatten sich bei einigen wenigen Zusammenkünften die Mitarbeiter der »Hilfe« um einen engeren Zusammenschluß der Freunde bemüht. In einer Mai-Ausgabe der »Hilfe« des Jahres 1895 wies Naumann seine Leser darauf hin, daß aus Anlaß des Ev.-Sozialen Kongresses in Erfurt eine »Besprechung der Freunde der ›Hilfe‹« geplant sei[87]. Als Tagesordnungspunkte wurden u. a. genannt: »die jetzige Lage der evangelisch-sozialen Bewegung; Organisationsvorschläge.« Gäste seien zugelassen, Zeitungsberichterstattung sei nicht statthaft[88]. Wie aus einem Zirkularschreiben Naumanns an Wenck, Max Weber, von Schulze-Gävernitz und den Stadtpfarrer Gottfried Traub in Stuttgart vom 14. August 1895 hervorgeht[89], war das Ergebnis der Zusammenkunft die Gründung eines »Komitees

[85] ebd., Bl. 46 f.
[86] DZA Potsdam, Nachl. Naumann, Aktz. 110, Bl. 101 R f.
[87] »Hilfe«, I. Jg., Nr. 20, 19. Mai 95, S. 7.
[88] »Hilfe«, I. Jg., Nr. 21, 26. Mai 95, S. 8.
[89] DZA Potsdam, Nachl. Naumann, Aktz. 232, Bl. 99 f.

der Freunde der Hilfe«[90]. Als Zweck des Komitees wurden genannt: »1. Herbeiführung von näherer Fühlung unter den Gesinnungsgenossen durch allerlei Versammlungen. 2. Beratung des Redakteurs bei entscheidenden Standpunkten. 3. Aufstellung eines praktischen Agenten«[91]. Als »eine Lebensfrage unserer Richtung« bezeichnete es Naumann in dem Zirkular, »ob wir Geld bekommen, und zwar größere Summen«. Natürlich dürften sie nicht durch »Preisgabe der Prinzipien« gewonnen werden[92].

Eine erste lokale, sich sporadisch zusammenfindende »freie Vereinigung der Freunde der ›Hilfe‹« wurde im August in Berlin gebildet[93]. Naumann bezeichnete es als »wünschenswert«, »wenn derartige Lokalvereinigungen ... sich vermehrten, um in dieser Form vor allem die gebildeten Gesinnungsgenossen zum gegenseitigen Anschluß zu bringen«[94]. Noch im gleichen Sommer bildeten sich in mehreren Städten »Vereinigungen der Freunde der ›Hilfe‹«. Im November des gleichen Jahres regte Naumann in einem »Hilfe«-Artikel, der den Titel »Unsere Organisation« trug[95], Provinzialtreffen von Gesinnungsfreunden an: »Wenn eine größere Anzahl solcher Provinzialzusammenkünfte abgehalten worden ist«, so heißt es weiter, »dann scheint es nötig, eine allgemeine Zusammenkunft anzusetzen, wo eine Art Vorstand unserer Bewegung gewählt werden kann«[96]. Daß zum gleichen Zeitpunkt auch schon an die Ausarbeitung eines Programmes gedacht wurde, erhellt ein Brief des Jenaer Professors für Pädagogik Wilhelm Rein an Naumann[97].

Bei einer im Februar 1896 in Erfurt stattfindenden »vertraulichen Besprechung« des »engeren Kreises der jüngeren Christlich-Sozialen«[98], der sich auch »Ausschuß der bisherigen jüngeren Christlich-Sozialen« nannte, schlug Naumann die Bildung eines Vereins vor, der »als politischer Verein der künftigen Parteibildung dieselben klärenden und vorbereitenden Dienste tun solle, wie sie einstmals ... der Nationalverein der nationalliberalen Partei getan hat«[99].

[90] Diesem »Komitee« gehörten die Adressaten des Zirkulars an.
[91] Zirkularschreiben, a. a. O., Bl. 99.
[92] ebd., Bl. 100.
[93] Laut Zirkularschreiben, a. a. O., Bl. 99/99 R und »Hilfe«, I. Jg., Nr. 35, 1. Sept. 95, S. 7.
[94] Zirkularschreiben, a. a. O., Bl. 99 R.
[95] »Hilfe«, I. Jg., Nr. 45, 10. Nov. 95, S. 2 f.
[96] ebd., S. 3.
[97] DZA Potsdam, Nachl. Naumann, Aktz. 232, Bl. 72 (Rein an Naumann vom 13. 12. 95). Rein spricht von der »Ausarbeitung eines christl.-soz. Programms«, das er »mit Freuden« begrüße.
[98] Der Text des vom 28. Jan. 1896 datierten Einladungsschreibens zu der Erfurter Versammlung lautete: »Von mehreren Seiten ist der Wunsch laut geworden, der engere Kreis der jüngeren Christlich-Sozialen möge in diesen entscheidenden Zeiten eine vertrauliche Besprechung veranstalten. Es liegen die verschiedensten Punkte vor, welche unter uns geklärt werden müssen, z. B.: Die Vorgänge innerhalb der Konservativen Partei, ›Das Land der Masse‹, ... Unsere Organisation, Eine Tageszeitung, Die Stellung zur Monarchie ... Zu dieser Besprechung dürfen nur ganz zuverlässige Freunde hinzugezogen werden« (DZA Potsdam, Nachl. Naumann, Aktz. 232, Bl. 58).
[99] M. Wenck: Geschichte, S. 40. – Im Nachlaß Naumanns befindet sich ein mit dem Vermerk »Vertraulich« versehener Entwurf eines Schreibens, das zur Gründung eines Vereins aufruft, der den Namen »Neuer deutscher Nationalverein« tragen soll (DZA Potsdam, Nachl. Naumann, Aktz. 106, Bl. 114/114 R). Da der Entwurf nicht

Noch in anderer Hinsicht war die Erfurter Zusammenkunft für die weitere Entwicklung der christlichsozialen Gruppe von Bedeutung. Man hatte sich entschlossen, die Herausgabe einer Tageszeitung vorzubereiten. Zu diesem Zweck wurde ein 13köpfiges Komitee gebildet, dem Naumann, Max Weber, von Schulze-Gävernitz und Martin Rade angehörten.

Das Komitee unterbreitete den Plan der Zeitungsgründung in einer »vertrauliche[n] Zuschrift« »einem engeren Freundeskreise«[100]. In dem Schreiben, in welchem die Zahl der »jüngeren« Christlichsozialen auf 800 beziffert wird, bat man »um Angabe von Adressen, insbesondere angesehener oder vermögender Personen«, an die man sich »mit einiger Aussicht auf Erfolg vertrauensvoll wenden« könne[101].

unterzeichnet ist, läßt sich nicht mit Sicherheit sagen, wer sein Verfasser ist. Von der Handschrift her ist aber feststellbar, daß der Entwurf nicht von Naumann niedergeschrieben wurde. Er enthält einige Korrekturen, die – wie die Handschrift erkennen läßt und wie aus einer Anmerkung hervorgeht – von Sohm herrühren.
Da das Manuskript auch undatiert ist, läßt sich nur aus dem Inhalt der Zeitpunkt seiner Niederschrift erschließen. Es ist anzunehmen, daß der Gründungsaufruf in Erfurt abgefaßt wurde, weil Naumann während der Erfurter Zusammenkunft im Februar den Vorschlag unterbreitet hatte, einen »Nationalverein« zu gründen. In dem Aufruf heißt es: »Aus den politischen u. sozialpolitischen Verhandlungen der letzten Jahre scheint sich zu ergeben, daß die bisherigen Parteiformen den Bedürfnissen einer nationalen und sozialen Politik nicht in jeder Hinsicht genügen. Es fehlt an einer Gruppe ... mit der aufrichtigen Forderung der Emporentwicklung des vierten Standes und zugleich ... der Wahrung der Lebensbedingungen einer zahlreichen und kräftigen ländlichen Bevölkerung ... Es fehlt an einer politischen Vereinigung, welche, ausgerüstet mit historischer, politischer u. technischer Bildung, die sozialen Wandlungen der Neuzeit als die Grundlage für neue Formen der nationalen Entwicklung auffaßt.
Die Unterzeichneten geben sich nun die Ehre, Ihnen vertraulich mitzuteilen, daß die Absicht besteht, einen über ganz Deutschland sich erstreckenden politischen Verein zu gründen, der eintritt für Stärkung der Flotte u. des Landheeres, für Erhaltung des verfassungsmäßigen Reichstagswahlrechtes, für Freiheit jeder Berufsvereinigung der Arbeiter, für die Kräftigung unserer Landwirtschaft durch die Mittel des Vereinswesens und durch deren Kolonisation. Es ist daran gedacht worden, dem Verein den Namen ›Neuer deutscher Nationalverein‹ zu geben. Aber dieser Name sowie alle näheren Bestimmungen sind erst einer weiteren Besprechung von Interessenten zu überlassen. Um eine solche Besprechung zu ermöglichen, fragen wir bei Ihnen an, ob Sie dem Plan im allgemeinsten Sinne Ihre Zustimmung geben und bereit sein würden, sich an weiteren Schritten irgendwie zu beteiligen ...« Ob der Entwurf tatsächlich dazu diente, sich in Form von Schreiben an Anhänger der Bewegung zu wenden, ist nicht zu sagen. Dennoch bleibt es wichtig festzuhalten, daß mit diesem Entwurf zum ersten Male der Versuch gemacht wurde, die politische Zielsetzung des künftigen Vereins zu umschreiben.

[100] Diese Angaben sind möglich, da sich ein Exemplar dieses vom Komitee herausgegebenen Schreibens im Nachlaß Traub befindet (BA, Nachlaß Traub, Nr. 41).

[101] ebd., – Unter drei Punkten wurde aufgeführt, was nach Ansicht des Komitees der »Zweck der Zeitung« sein sollte:
»1. Eine sachliche und gewissenhafte Berichterstattung über alle wichtigen Vorkommnisse des politischen, sozialen und kirchlichen Lebens der Gegenwart. Sorgfältige Presseübersicht.
2. Herausarbeitung der politischen, sozialen, ethischen und religiösen Ideen, die jeder künftigen Reformarbeit zu Grunde liegen müssen.
3. Sammlung der national und sozial denkenden Kreise des Volkes, die durch das heutige Parteileben nicht befriedigt sind« (ebd.).

Eine weitere für die Gründung des Vereins entscheidende Versammlung der Gruppe um Naumann fand am 6. August in Heidelberg statt. Das Ergebnis der Zusammenkunft wurde den Gesinnungsgenossen in der »Hilfe« vom 16. August mitgeteilt[102].

Man hatte sich zu zwei wichtigen Entschlüssen durchgerungen. Einmal sollte am 1. Oktober die Tageszeitung erscheinen, die man »im Sinne eines nationalen Sozialismus auf christlicher Grundlage« zu redigieren gedachte. Als Redakteure des Blattes, für das man den Namen »Die Zeit« in Aussicht stellte, sollten neben Naumann Heinrich Oberwinder und Hellmut von Gerlach, die bisher das Stöckersche »Volk« redigiert hatten, fungieren. Außerdem hatte man beschlossen, eine Versammlung »aller nicht konservativen Christlich-Sozialen« einzuberufen, die »wahrscheinlich im November in Mitteldeutschland stattfinden« sollte[103].

Um zu gewährleisten, daß die Versammlung ein Spiegelbild der landsmannschaftlichen Gliederung der neuen Bewegung abgab, wurde festgelegt – man machte sich damit eine sozialdemokratische Gepflogenheit zu eigen –, daß aus jedem Wahlkreis bis zu fünf stimmberechtigte Delegierte entsandt werden durften. Auch Frauen sollten als Delegierte zugelassen sein.

Ein weiteres wesentliches Element sozialdemokratischer Parteitagspraktik rezipierte man, indem die Möglichkeit eingeräumt wurde, Anträge an die Versammlung zu stellen. In der »Zeit« vom 1. Oktober 1896 – der ersten Nummer der Tageszeitung – und in der »Hilfe« vom 4. Oktober 1896 veröffentlichte der »Ausschuß der bisherigen jüngeren Christlich-Sozialen« einen »Programmentwurf«, der als Anhaltspunkt »für die Beratung der Versammlung der nicht konservativen Christlich-Sozialen« dienen sollte[104].

Die Reaktion der Gesinnungsfreunde auf diesen in der Öffentlichkeit unterbreiteten Programmentwurf war erstaunlich. Insgesamt gingen 50 Abänderungsanträge ein, die alle in der »Hilfe« und der »Zeit« veröffentlicht wurden[105].

Nicht nur die Bemühungen um die Organisation des künftigen Vereins waren Ausdruck für die Ernsthaftigkeit und Sorgfalt, mit der man die Vereinsgründung in Angriff nahm; man war auch bestrebt, durch eine Vielzahl von Aufsätzen in der »Hilfe« den ideellen und gesellschaftlichen Standort des Vereins im vorhinein zu bestimmen. Dabei fiel Paul Göhre eine besondere Rolle zu, da er mit Scharfsinn und Vehemenz seinem »proletarischen Standpunkt« Ausdruck zu geben vermochte.

Bereits in seinem im Mai 1896 veröffentlichten Buch »Die evangelisch-soziale Bewegung« hatte er die Parole ausgegeben, daß es das Ziel sein müsse, »die soziale Reformpartei aller kleinen Leute« zu schaffen[106]. Indem er die soziale Volksgliederung auf den Gegensatz zweier sich antagonistisch gegenüberstehen-

[102] »Hilfe«, II. Jg., Nr. 33, 16. August 96, S. 2.
[103] ebd., S. 2.
[104] »Die Zeit«, I. Jg., Nr. 1, 1. Okt. 96, S. 2.
»Hilfe«, II. Jg., Nr. 40, 4. Okt. 96, S. 2.
[105] Siehe hierzu: »Hilfe«, II. Jg., Nr. 44, 1. Nov. 96, S. 2 f.
»Hilfe«, II. Jg., Nr. 45, 8. Nov. 96, S. 3 f.
»Hilfe«, II. Jg., Nr. 46, 15. Nov. 96, S. 4 ff.
»Hilfe«, II. Jg., Nr. 47, 22. Nov. 96, S. 2 ff.
[106] P. Göhre: Die ev.-soz. Bewegung, S. 177 f.

der Gruppen reduzierte, »die ›staatserhaltende‹Gruppe aller Besitzenden« – »repräsentiert durch die großen Grundbesitzer, vorwiegend vertreten in der deutschkonservativen Partei, durch die großen Industriellen und Kaufleute, hauptsächlich vertreten in der freikonservativen und in der nationalliberalen Partei, und die großen Börsenleute, vertreten in der freisinnigen Partei« – und »die ›staatsfeindliche‹ Gruppe aller Nichtbesitzenden«, die auf Marx schwöre und sich Sozialdemokratie nenne, glaubte er die Antinomie von »Reaktion« und »Revolution« durch das evolutionäre Prinzip, durch die »soziale Reform« aufheben zu können[107]. Es könne sich bei einer Partei, die dieses Prinzip der sozialen Reform vertrete, nur um eine sozialistische Partei handeln; denn nur dem Sozialismus gehöre die Zukunft[108]. Der Sozialismus kenne »nur ein Ziel, eine Idee: die Befreiung des sogenannten vierten Standes von hundert und aberhundert Fesseln, in die der Kapitalismus ihn geschlagen«[109]. Göhre zögerte nicht, den sozialen Interessencharakter der von ihm gewünschten Partei besonders zu betonen. Es müsse eine Partei der »Fabrik- und Landarbeiter«, der »aufgeklärten kleinen Handwerker und Bauern« und der »kleinen Beamten und Handelsleute« sein[110].

Für Göhre als einem Vertreter des Bildungsbürgertums stellte sich zwangsläufig die Frage nach der Beteiligung der »Gebildeten« an einer sozialen Reformpartei, deren soziale Basis der vierte Stand sein sollte. »Mindestens neun Zehntel von ihnen«, so schätzte Göhre, »sind heute und für alle Zeiten an die besitzenden Kreise mit hunderten von Fäden gefesselt. Und von dem Reste dürfte kaum die Hälfte sich offen und rückhaltlos zu dem Sozialismus der Zukunft bekennen«[111]. Nur diejenigen aber, »die nicht an sich selber denken, die opferfähig sind an Leib und Seele«[112], sollten sich nach Meinung Göhres der neuen Partei anschließen. Göhre hatte damit – noch bevor der Nationalsoziale Verein aus der Taufe gehoben wurde – für sich die Frage nach der Priorität von »Bildung« und »Arbeit« in der neuen Bewegung beantwortet. Daß diese Frage in der Geschichte des Vereins eine besondere Aktualität erlangen sollte, konnte er zu diesem Zeitpunkt noch nicht ahnen[113].

[107] ebd., S. 179 ff.
[108] »Hilfe«, II. Jg., Nr. 38, 20. Sept. 96, S. 1 (Göhre: »Die Partei der Zukunft«).
[109] ebd., S. 2.
[110] ebd., S. 2.
[111] ebd., S. 2.
[112] ebd., S. 2.
[113] Die »Zeit« hatte Anfang November einen Briefwechsel zwischen Naumann und Hans Delbrück veröffentlicht, in dem die Stellung der Gebildeten zu einer »nationalen Arbeiterpartei« erörtert wurde. Naumann richtete an Delbrück, der in den »Preußischen Jahrbüchern« sich in einem positiven Sinne zu den Bestrebungen der »jüngeren« Christlichsozialen geäußert hatte, die Frage: »In welchem Sinne glauben Sie, daß die Gebildeten mit uns gemeinsam werden Politik machen können?« (»Die Zeit«, I. Jg., Nr. 36, 11. Nov. 96, S. 1). Delbrück betonte in seiner Antwort ausdrücklich die Notwendigkeit der Existenz einer »nationale(n) Arbeiterpartei«, die »in der Energie der praktischen Vertretung des Arbeiterklassen-Interesses« der Sozialdemokratie nicht nachstehen dürfe. Der »Einseitigkeit der kapitalistischen Interessenvertretung« müsse die »Einseitigkeit der Arbeiterinteressen« entgegengesetzt werden (ebd., S. 2). Einer Beteiligung der Gebildeten an einer solchen parteipolitischen Interessenvertretung der Arbeiterklasse stand Delbrück allerdings reser-

viert gegenüber. Gewiß müsse man versuchen, »um der geistigen Kraft« der Parteibildung wegen, »möglichst viele Männer aus den gebildeten Klassen an sich zu ziehen, aber nur solche, denen Charakter und Anschauungen es möglich machen, sich ganz in die Einseitigkeit eines Parteistandpunktes hineinzufinden«. »Von Anfang an«, so fährt Delbrück fort, »habe ich Ihr Auftreten in diesem Sinne aufgefaßt und habe deshalb auch von Anfang an genau unterschieden, daß ich die neue Erscheinung mit Freuden begrüßt habe, aber nicht selber zu ihr gehöre« (ebd., S. 2).

3. *Die konträren Positionen innerhalb der Erfurter Gründungsversammlung (1896) und ihr partieller Consensus in den »Grundlinien«*

Wenn Paul Göhre im Jahre 1902 in einem Rückblick auf die Gründungsversammlung des Nationalsozialen Vereins in Erfurt vom 23. bis 25. November 1896 meinte, daß man als »das Objekt und Ziel der Arbeit der neuen Bewegung« »die Arbeiterklasse und ihre ökonomische und politische Emanzipation« betrachtet habe[1], so hatte er damit gewiß eine bei der Erfurter Zusammenkunft sich in den Diskussionen stark artikulierende Grundhaltung gekennzeichnet; dennoch verdeckt eine solche Feststellung die Pluralität von Meinungen und Richtungen, die für den Gründungskongreß charakteristisch war.

Auch die von Hellmut von Gerlach genannte Alternative von konservativ-nationaler und demokratisch-sozialer Richtung[2], die sich auf der Erfurter Versammlung offenbart habe, wird den kontroversen Ideenrichtungen und Stimmungen nicht ganz gerecht. Hatte schon die große Anzahl von Änderungsanträgen, die zu dem vom »Ausschuß der bisherigen jüngeren Christlich-Sozialen« entworfenen und veröffentlichten Programmentwurf eingebracht wurden, den Eindruck vermitteln müssen, daß der Plan der Vereinsgründung bei den »Freunden der ›Hilfe‹« auf große Resonanz gestoßen war, so war das Erscheinen von über 100 Delegierten aus über 60 Wahlkreisen[3] ein weiteres Indiz dafür, daß eine solide personelle Basis für den Ausbau der Vereinsorganisation bestand. Mehrere Delegierte, deren überwältigende Mehrheit dem Bildungsbürgertum angehörte[4], waren Träger illustrer Namen.

Unter ihnen befanden sich die Verleger Wilhelm Ruprecht, in dessen Verlag Naumann seine »Göttinger Arbeiterbibliothek« hatte erscheinen lassen, und Hermann Bousset, der Naumanns Tageszeitung »Die Zeit« verlegte; Professor Wilhelm Rein, einer der renommiertesten Pädagogen, welcher aus dem nationalliberalen Lager kam; der ebenso wie Rein an der Jenaer Universität lehrende Professor für Alte Geschichte Gelzer; Frau Dr. Gnauck-Kühne, die als erste Frau auf dem im Vorjahre in Erfurt abgehaltenen Ev.-Sozialen Kongreß das Wort ergriffen hatte, um vor dieser Versammlung von Theologen und Wissenschaftlern für die Ziele der Frauenbewegung zu werben. Neben Rudolf Sohm war auch Max Weber als Delegierter erschienen; ebenso waren Adolf Damaschke, ehemals Volksschullehrer und jetzt Chefredakteur der »Deutschen Volksstimme«, des Zentralorgans

[1] P. GÖHRE: Vom Sozialismus zum Liberalismus, S. 12.

[2] Hellmut VON GERLACH: Erinnerungen eines Junkers, Berlin o. J., S. 89.

[3] Die Delegierten kamen aus folgenden Provinzen und Bundesstaaten: Brandenburg, Hannover, Schleswig-Holstein, Schlesien, Posen, Hessen-Nassau, Sachsen, Westfalen, Rheinprovinz, Württemberg, Bayern, Baden, Hessen, Braunschweig, Anhalt, Waldeck, den Thüringer Staaten und Hamburg.

[4] Von den 116 Delegierten waren nur 18 dem Arbeiter- bzw. Handwerkerstand zuzurechnen. Unter den bürgerlichen Delegierten bildeten die Pfarrer mit 42 Vertretern die stärkste Gruppe. Mit 13 Delegierten waren auch die Professoren stark vertreten. 3 Delegierte waren Frauen (Aufgeschlüsselt nach der Präsenzliste in: Protokoll über die Vertreterversammlung aller National-Sozialen in Erfurt vom 23. bis 25. November 1896, Berlin (1897), S. 81 ff.). Zur Mitglieder- und Wählerstruktur des Vereins siehe Kapitel 11 dieser Arbeit.

der deutschen Bodenreformbewegung[5], und Max Lorenz, ehemaliger Sozialdemokrat und Schriftleiter der »Leipziger Volkszeitung«[6], anwesend.

Den Delegierten der Erfurter Versammlung wurde gleich bei Beginn des ersten Verhandlungstages überraschend von Naumann ein neuer Programmentwurf vorgelegt, der sich von dem ersten, vom »Ausschuß« konzipierten und in der »Hilfe« veröffentlichten Entwurf dadurch unterschied, daß in ihm eine Reihe von Einzelforderungen fallen gelassen waren; so fehlten die Programmsätze, die sich gegen eine Kapital- und Industriekonzentration und eine »Polonisierung« des deutschen Ostens richteten und eine Reduzierung des ostelbischen Grundbesitzes postulierten[7].

Außerdem hatte Naumann den Programmpunkt, der die Forderung nach einer beruflichen und ökonomischen Besserstellung der Frau erhob, und jenen, der das Aufsichtsrecht des Staates über die Schule gesichert wissen wollte, fallengelassen.

Naumann begründete die Neufassung des Entwurfs damit, daß eine weitgehende Aufstellung von Einzelforderungen zu diesem Zeitpunkt nicht opportun sei, da die notwendige geistige Durchdringung spezieller Fragenkomplexe noch einige Zeit erfordere. »Spezialprogramme werden wir im Laufe der

[5] Adolf Damaschke wurde im Jahre 1898 zum Vorsitzenden des »Bundes der Deutschen Bodenreformer« gewählt.

[6] M. Lorenz war nur wenige Wochen vor der Erfurter Gründungsversammlung des Nationalsozialen Vereins aus der Sozialdemokratischen Partei ausgetreten. In einem Brief vom 13. Okt. 1896 schrieb Naumann an Maximilian Harden: »Was ich will, ist dies: der Redakteur M. Lorenz, ein begabter Ostpreuße, will aus der Sozialdemokratie austreten u. seine Gründe öffentl[ich] darlegen. Es wäre mir lieb, wenn Sie ihm dazu die ›Zukunft‹ öffnen könnten ...« (BA, Nachlaß Harden, Nr. 77, Naumann an Harden vom 13. Okt. 96, Bl. 7).
Harden erfüllte die Bitte Naumanns sofort, wie aus einem Brief Lorenz' an Harden vom 15. Okt. 96 hervorgeht. Lorenz spricht Harden für die »freundliche Einladung«, der zu folgen er »gern bereit« sei, seinen »verbindlichsten Dank« aus (BA, Nachl. Harden, Nr. 69, Lorenz an Harden vom 15. Okt. 96, Bl. 19).
Er unterrichtet Harden im gleichen Brief über die Prozedur seines geplanten Austritts: »In den nächsten Tagen werde ich der Leipz. Volksztg. und dem Parteivorstand meinen Austritt aus der soziald[emokratischen] Partei officiell mitteilen. Am 26. d. M. wahrscheinlich werde ich diesen Austritt in öffentlicher Versammlung hier begründen. Lieb wäre es mir, wenn der Artikel in die letzte Oktobernummer der ›Zukunft‹ käme, nicht schon früher, etwa vor meiner Rede hier. Denn ich möchte aus taktischen Gründen die hiesige Sozialdemokratie über die Gründe meines Ausscheidens solange im Unklaren lassen, bis wir uns in der Versammlung von Angesicht zu Angesicht gegenüberstehen ...« (ebd., Bl. 19 f.). Wie im Brief an Harden angekündigt, begründete Lorenz in einer öffentlichen Versammlung in Leipzig Ende Oktober seinen Austritt (Nach: »Die Zeit«, I. Jg., Nr. 24, 28. Oktober 96, S. 1). Der brieflich vereinbarte Aufsatz von Lorenz erschien unter dem Titel »Mein Austritt aus der Sozialdemokratie« in der »Zukunft« vom 7. Nov. 1896 (S. 256 ff.). Über die Rolle Lorenz' im Nationalsozialen Verein siehe S. 102 f. dieser Arbeit.

[7] Im ersten Programmentwurf hieß es: »... Wir verlangen Selbständigkeit des Staates gegenüber jeder Gefährdung der Gesamtinteressen durch das Großkapital und die Großindustrie. Für den deutschen Osten wünschen wir unter gleichzeitiger Verhinderung fremdländischer Einwanderung innere Kolonisation und Einschränkung der Latifundien, in deren Ausdehnung wir eine nationale Gefahr erblicken, ebenso wie in dem politischen und sozialen Übergewicht ihrer Besitzer« (Protokoll, Vertreterversammlung Erfurt, 1896, S. 7).

Zeit auszuarbeiten haben«, ließ er die Delegierten wissen[8]. Die erste Aufgabe sei die »Schaffung eines Generalprogramms«, dessen Entwurf er vorlege. Bei seiner Ausarbeitung habe er versucht, »nach Möglichkeit aus den vielen eingelaufenen Anträgen und Meinungen die Mittellinie zu gewinnen«[9].

Naumann hatte damit einen taktisch klugen Schritt getan, weil er die Gefahr einer endlosen und verwirrenden Debatte über die zahlreichen Änderungsanträge am ursprünglichen Entwurf umging und die Delegierten zwang, ihre Stellungnahmen auf seinen eigenen Entwurf einzugrenzen.

Der Entwurf Naumanns war in sechs Paragraphen gegliedert, von denen jeder einen konkreten politischen Fragenkomplex in thesenartiger Komprimierung umriß. In §1 wurde die Relation von sozialer und nationaler Politik bestimmt; in den weiteren Paragraphen umriß Naumann in formelhafter Kürze die Stellung zur Außenpolitik (§2), zu Verfassungs- und Wahlrechtsfragen (§3), zur Sozialpolitik (§4), zum Verhältnis von »Bildung« und »Arbeit« (§5) und zum Christentum (§6).

Der von Naumann neu verfaßte Entwurf wurde ohne weiteres von der konstituierenden Versammlung des Vereins als Beratungsgrundlage akzeptiert.

Kaum überraschend war es, daß sich die Diskussion zunächst an dem Paragraphen 6 des Naumannschen Entwurfs entzündete, in dem das Verhältnis des Vereins zum Christentum fixiert war. Naumanns Programmsatz: »Im Mittelpunkt des geistigen und sittlichen Lebens unseres Volkes steht nach unserer Überzeugung der Glaube an Jesus Christus, der nicht zur Parteisache gemacht werden darf, sich aber auch im öffentlichen Leben als Macht des Friedens und der Gemeinschaftlichkeit bewähren soll«[10], war deutlich auf die Umbruchphase zugeschnitten, in der sich die Gruppe um Naumann befand. Es mußte in Erfurt darum gehen, sachlich die politischen und religiösen Fragen zu trennen, während man die christliche Gesinnung behielt[11].

Naumann gab sich keiner Täuschung darüber hin, daß sich diese Trennung nicht ohne Widerspruch aus den eigenen Reihen vollziehen würde. Die Aufnahme des christlichen *Gesinnungs*bekenntnisses – das außerdem so abgefaßt war, daß die Abgrenzung zwischen christlichem Bekenntnis und politischem Postulat nicht unbedingt als unüberbrückbare Trennung erscheinen mußte – in das politische Programm war eine Konzession an die Vergangenheit der eigenen Bewegung und an diejenigen Kräfte in ihr, die diese Vergangenheit in die Gegenwart hinüberretten wollten.

Um aber die Delegierten auf die Notwendigkeit einer Scheidung von religiösem und politischem Anliegen nachdrücklich hinzuweisen, erläuterte Rudolf Sohm zu Beginn des Kongresses – noch bevor Naumann seinen neuen Programmentwurf unterbreitete – in einer längeren Rede seine »Scheidungstheorie«, die er schon im Vorjahr auf dem Kongreß der Inneren Mission in Posen entwickelt hatte. Auch die Formulierungen Sohms lassen das Bemühen spüren, die

[8] ebd., S. 40.
[9] ebd., S. 40.
[10] ebd., S. 39.
[11] »Wir behielten die christliche Gesinnung und trennten nur sachlich die politischen und religiösen Fragen.« So umschrieb Naumann den Vorgang in der »Hilfe«, IV. Jg., Nr. 19, 8. Mai 98, S. 2.

Trennung von Politik und Religion – mit Rücksicht auf die Gefühle mancher Delegierter – nicht in allzu schroffer Weise vorzunehmen.

Vom christlichen Glaubensleben sei geschichtlich die Bewegung der Christlich-sozialen ausgegangen, und man wolle auch – so hieß es verschwommen – eine Politik »auf christlicher Grundlage« betreiben. An diese Einleitung knüpfte Sohm aber die rhetorische Frage, ob es eine Politik »im Namen des Christentums«, »im Namen Christi«, »im Namen des Evangeliums« gebe, um damit zu seinem eigentlichen Anliegen überzuleiten. Sohm verneinte die Frage: »Nicht bloß deshalb, weil das Christentum auf die einzelnen technischen Fragen des Rechts- und Wirtschaftslebens keine Antwort« gebe[12], sondern weil die Politik ihrerseits »um weltliche Güter mit dem weltlichen Schwert« kämpfe. So wie die Außenpolitik nicht christlich motiviert werden könne, da »deren letztes Mittel stets Bajonette und Kanonen« seien, so sei auch die Innen- und Sozialpolitik »eine Politik des Krieges, des Kampfes, nämlich des Kampfes um die Verteilung der irdischen Güter innerhalb der Nation«[13].

Christliche Sozialpolitik sei ein Widerspruch in sich selbst; das Christentum sei geistlich, die Sozialpolitik weltlich[14]. Naumann schloß sich der Sohmschen Theorie ausdrücklich an; auch er konzedierte, daß es der christliche Glaube gewesen sei, der die »Jüngeren« vorangetrieben habe, und daß der christliche Glaube auch weiterhin bindendes Element sein werde. Dennoch könne man Sozialpolitik mit diesem Glauben nicht von Fall zu Fall machen und formulieren.

Naumann verweist den Glauben aus dem Bereich des öffentlichen Wirkens in die Sphäre individueller Überzeugung; von da aus könne er aber dem einzelnen jene moralische Kraft verleihen, die es ihm erst ermögliche, den Anforderungen und Anfechtungen öffentlicher Wirksamkeit gewachsen zu sein, denn: »Christliche Politik treiben, heißt wahrhaftige Politik treiben, nicht Unrecht tun wider besseres Wissen, nicht mit Gehässigkeit den Gegner bekämpfen«[15].

Ein »anhaltender, immer erneuter, stürmischer Beifall«, mit dem die Versammlung die Worte Naumanns aufnahm, schien darauf hinzudeuten, daß durch Naumanns vorsichtiges Vorgehen die grundsätzliche Frage nach der Relation von Politik und Religion schon zu Beginn des Kongresses in seinem und im Sohmschen Sinne entschieden würde.

Die beiden ersten Diskussionsredner, Adolf Damaschke und Arthur Titius, gingen sogar in ihren Stellungnahmen noch einen Schritt weiter als Naumann, indem sie aus der notwendigen Scheidung von Politik und Religion die Konsequenz zogen, daß der Paragraph 6 des Programmentwurfes, der das christliche Gesinnungsbekenntnis enthielt, gestrichen werde müsse. Der evangelische Theologieprofessor Titius warf die Frage auf, ob ein Katholik oder Jude sich überhaupt der Bewegung anschließen könne, wenn man an dem Religionsparagraphen festhalte[16].

[12] Protokoll, Vertreterversammlung Erfurt, 1898, S. 36.

[13] ebd., S. 37.

[14] ebd., S. 37.

[15] ebd., S. 45.

[16] ebd., S. 46. – Die Kieler Delegierten, Damaschke, Titius und Werftarbeiter Harder sowie andere Kieler Anhänger Naumanns, darunter Professor Baumgarten, hatten schon in einer lokalen Zusammenkunft am 4. Nov. ihre Position zu dem Religionsparagraphen des Programmentwurfs, der vom »Ausschuß« veröffentlicht worden

Der Forderung nach Trennung von Religion und Politik widersprachen auf der Vertreterversammlung fast ausnahmslos Arbeiterdelegierte, deren bisheriger Wirkungskreis die evangelischen Arbeitervereine gewesen waren. Nur einzelne Pfarrer, darunter in exponierter Weise der Stuttgarter Stadtpfarrer Traub, schlossen sich ihnen an. Traub, der dem Paragraphen 6 noch einen besonderen antikatholischen Akzent geben wollte – er behauptete: »Wir Württemberger halten den Katholizismus für gefährlicher als die Sozialdemokratie«[17] –, plädierte für die Beibehaltung eines Passus aus dem ursprünglichen, vom »Ausschuß« konzipierten Programmentwurf, wonach man eine »Belebung des evangelischen Glaubens im Sinne der Reformation« wünsche[18]. Zu einer Einigung über den umstrittenen Paragraphen kam es am zweiten Verhandlungstag, nachdem Damaschke zusammen mit einem der »konservativsten« Delegierten, Prof. Trommershausen aus Frankfurt, eine Kompromißresolution entworfen und eingebracht hatte, die einstimmig angenommen wurde. In ihr hieß es, daß der Religionsparagraph »nicht ein Gewissenszwang für die einzelnen Mitglieder sein soll. Jeder, der ehrlich an der Erreichung unserer nationalen und sozialen Ziele mitarbeiten will, ist uns zur Mitarbeit willkommen«[19].

Der Schwerpunkt des Programmentwurfs lag auf der Synthese einer nationalen Machtpolitik nach außen und einer sozialreformerischen Innenpolitik. Eine »wirtschaftliche und politische Machtentfaltung der deutschen Nation nach außen« wurde als »Voraussetzung aller größeren sozialen Reformen im Innern« angesehen. »Wir wünschen darum«, so hieß es im Paragraphen 1 des Entwurfes,

war, abgesteckt. Adolf Damaschke schreibt in seinen Memoiren (Adolf DAMASCHKE: Zeitenwende. Aus meinem Leben, 2. Bd., Leipzig u. Zürich 1925, S. 77) über diese Zusammenkunft: »Professor Baumgarten bekannte, daß er die Kraft zu aller sozialen Arbeit aus dem Evangelium schöpfe, und doch würde er der neuen Organisation nicht beitreten können, wenn dieser Paragraph bliebe«. In ähnlicher Weise äußerte sich Titius. Damaschke meinte, daß es jeder mit sich und seinem Gewissen ausmachen müsse, aus welcher Quelle er die Kraft zur (politischen) Arbeit schöpfe. »Die Versammlung stimmte zu, ja beauftragte uns, die wir als Vertreter des 7. Schleswig-Holsteinischen Wahlkreises für die Tagung am 23. November gewählt wurden, ... sogar eine selbständige Parteigründung zu versuchen, wenn nicht in dieser Frage ein billiger Ausgleich gefunden würde« (ebd., S. 77).

[17] Protokoll, Vertreterversammlung Erfurt, 1896, S. 47.

[18] ebd., S. 7.

[19] ebd., S. 64; siehe auch A. DAMASCHKE: Zeitenwende, S. 83 f. – Die Bedeutung der Religionsdebatte in der Erfurter Versammlung hob Naumann in einem wenige Tage nach Gründung des Vereins geschriebenen und in der »Zeit« veröffentlichten Aufsatz hervor (»Die Zeit«, I. Jg., Nr. 54, 3. Dez. 96, S. 1: »Das Ergebnis von Erfurt«): »Wir ... wissen«, betonte Naumann, »daß wir ohne diese ausführliche Religionsdebatte niemals ein politischer Körper hätten werden können, und diese Auseinandersetzungen waren der Übergang aus einer religiösen Gruppe zu einem politischen Verein« (ebd., S. 1). Naumann würdigte in diesem Zusammenhang auch die Rolle Sohms: »... es ist ... unmöglich, Politik auf Bibelsprüche direkt zu gründen. Beides hat uns am schärfsten in den letzten Jahren Professor Sohm gezeigt. Seine Rede, die er im vorigen Jahre in Posen gehalten hat, hat tiefe Nachwirkungen gehabt. Sohm ist es gewesen, der das, was bei Stöcker als Einheit erscheint, als Zweiheit dargelegt hat. Darum war Sohm der gegebene Mann, um nun auch öffentlich die Abtrennung zu vollziehen. Sohms Rede ist darum so bedeutend, weil sie den Bruch mit der Stöckerschen Tradition bedeutet, aber nicht den Bruch mit dem persönlichen christlichen Glauben ...« (ebd., S. 1).

»eine Politik der Macht nach außen und der Reform nach innen«[20]. Als konkrete Mittel zur Realisierung des nationalen Machtanspruchs wurden im Paragraphen 2 die »ungeschmälerte Durchführung der allgemeinen Wehrpflicht«, eine »angemessene Vermehrung der deutschen Kriegsflotte« und die »Erhaltung« und der »Ausbau« der Kolonien genannt[21].

Im Paragraphen 4 des Entwurfes treten die sozial- und wirtschaftspolitischen Forderungen den machtpolitischen mit gleicher Betonung zur Seite. Grundsätzlich wird »eine Vergrößerung des Anteils« gefordert, »den die Arbeit in ihren verschiedenen Arten und Formen in Stadt und Land unter Männern und Frauen an dem Gesamtertrage der deutschen Volkswirtschaft hat«.

Aber diese wird nicht erwartet »von den Utopien eines revolutionären und kommunistischen Sozialismus[22], sondern von fortgesetzter politischer, gewerkschaftlicher und genossenschaftlicher Arbeit auf Grund der vorhandenen Verhältnisse, deren geschichtliche Umgestaltung ... zu Gunsten der Arbeit« beeinflußt werden soll[23].

Naumanns Synthese einer durch die Volksmassen getragenen Machtpolitik und einer konsequenten, reformistischen Sozialpolitik fand auf der Gründungsversammlung kaum Widerspruch, obwohl diese Synthese die Frage nach der Priorität der beiden sie auszeichnenden Elemente in sich barg. Sollte eine Politik der nationalen Macht dazu dienen, dem Vorgang der sozialen Reform im Innern äußeren Schutz zu geben? Hatte somit die Sozialreform den Primat vor der Machtpolitik, oder sollte diese dadurch an Stoßkraft gewinnen, daß sie nicht nur durch eine kleine, sozial eng begrenzte politische Führungsschicht, sondern von der durch soziale Reformen mit dem Staat versöhnten Masse des Volkes getragen wurde[24]?

[20] Protokoll, Vertreterversammlung, Erfurt 1896, S. 38.

[21] ebd., S. 38.

[22] Dieser Passus erhielt in den vom Delegiertentag angenommenen »Grundlinien« auf Antrag von Max Lorenz den leicht modifizierten Wortlaut: »... von den Utopien und Dogmen eines revolutionären marxistischen Kommunismus« (Laut Protokoll, Vertreterversammlung Erfurt, 1896, S. 70).

[23] ebd., S. 38. – Naumann faßte den Begriff »Arbeit« als Korrelat zu dem Terminus »Besitz« auf; jedoch nicht in der verengenden Weise, daß er in ihm eine Paraphrase für den volkswirtschaftlichen Erwerbsanteil ausschließlich des Industrie- und Landproletariats sah. »Die Grenzlinie« zwischen Besitz und Arbeit wird, so kommentierte er, »vermutlich mitten durchgehen durch das, was man Mittelstand nennt« (ebd., S. 43).

[24] Nur an einer Stelle in der Diskussion wurde diese Frage gestreift. Der cand. theol. Klumker aus Leipzig meinte, daß die Sozialreform nicht das »Hauptziel« sein dürfe (ebd., S. 64), während Dr. Scheven aus Eisenach sich gegen eine »Verquickung von Macht und sozialer Reform« wandte und meinte, »bei aller Wertschätzung der ersteren« müsse die letztere in erster Linie betont werden (ebd., S. 63). Die Antwort Naumanns auf diese Diskussionsbeiträge ist aufschlußreich: »Auf der jetzigen Stufe sozialen Verständnisses muß man zuallererst fragen: Wie geht es uns besser, wie schaffen wir soziale Reform. Der Gedankengang von oben her will die politische Frage voranstellen, der Gedankengang von unten her will die Reformfrage voranstellen. Aus historischen, psychologischen und praktischen Gründen unserer Bewegung müssen wir die Forderung sozialer Reform voranstellen« (ebd., S. 63). Der nationale Machtstaat hatte für Naumann zu diesem Zeitpunkt noch keinen Wert in sich; er war vielmehr ein Mittel zur sozialen Umgestaltung.

Die Paragraphen 1, 2 und 4, in welchen Naumann die Synthese von äußerer Macht- und innerer Reformpolitik postuliert und die außen- und sozialpolitischen Grundsätze umrissen hatte, wurden nach zwei geringfügigen Änderungen akzeptiert und zu verbindlichen Programmpunkten des Vereins erklärt.

Die tiefgreifendsten Meinungsverschiedenheiten sollten aber zutage treten, als es galt, dem Verein seinen gesellschaftlichen »Standort« zuzuweisen, wobei es einer Klärung darüber bedurfte, welche Stellung den Gebildeten innerhalb des Vereins eingeräumt werden sollte.

Schon in einem Leitartikel der »Hilfe« vom 22. November bezeichnete Naumann diese Frage als eine der wichtigsten, über die eine Entscheidung getroffen werden müsse[25].

In seinem in Erfurt vorgelegten Programmentwurf versuchte er das Verhältnis von Bildungsbürgern und Arbeitern folgendermaßen zu bestimmen: Es werde erwartet, »daß die Vertreter deutscher Bildung den politischen Kampf der deutschen Arbeit gegen die Übermacht vorhandener Besitzrechte unterstützen werden«, wie man andererseits erwarte, »daß die Vertreter der deutschen Arbeit sich zur Förderung vaterländischer Bildung und Kunst bereit finden werden«[26].

Diese Formulierung, die auf das Ziel einer bürgerlich-arbeitertümlichen Verbindung zu verweisen schien, mußte den schärfsten Protest Max Webers herausfordern. Seine Rede am ersten Verhandlungstag glich denn auch einer Provokation, da er die Intentionen, die mit der Vereinsgründung verbunden waren, ohne Umschweife als unrealistisch und apolitisch abtat.

Die engen Beziehungen zwischen Naumann, »dem mit einer ansprechenden populären Formulierungskraft begabten Pfarrer«, und dem um vier Jahre jüngeren Weber, einem »in äußerster Schärfe analysierenden Soziologen«[27], die sich Anfang der 90er Jahre im Kreis der Christlichsozialen anbahnten, fanden ihre Fortsetzung auch in der Zeit, in welcher der Spalt zwischen den »Jüngeren« und Stöcker immer sichtbarer wurde, obwohl Weber und Naumann in wichtigen politischen Fragen voneinander geschieden waren[28].

War für beide der Gedanke des nationalen Machtstaates von grundlegender politischer Bedeutung, so fand sich Weber nicht bereit, die Sympathien Naumanns für das Proletariat zu teilen. Weil Weber »Sozialpolitik nur aus nationalpolitischen Gründen anstrebte und aller rein an sozialem Empfinden orientierten Politik mit einer an Nietzsche erinnernden Abneigung gegenüberstand«[29], war er, der sich ohne Zaudern einen »Bourgeois« nannte, bestrebt, Naumann zu einer Revision seiner arbeiterfreundlichen Haltung zu bewegen[30].

[25] »Hilfe«, II. Jg., Nr. 47, 22. Nov. 96, S. 1.

[26] Protokoll, Vertreterversammlung Erfurt, 1896, S. 39.

[27] W. Mommsen; M. Weber, S. 139.

[28] Weber hatte sich mit einem Beitrag über das Börsenwesen (»Zweck und äußere Organisation der Börsen«) an Naumanns »Göttinger Arbeiterbibliothek« beteiligt (In der Göttinger Arbeiterbibliothek erschienen u. a. auch Publikationen von v. Schulze-Gävernitz und Hans Delbrück, dem Herausgeber der »Preußischen Jahrbücher«). Weber hielt außerdem Vorträge in christlichsozialen Versammlungen und beteiligte sich materiell an der Gründung der »Hilfe«.

[29] W. Mommsen; M. Weber, S. 142 f.

[30] Davon zeugt ein Brief Webers vom 15. 10. 1896 an seinen Onkel Adolf Hausrath:

Weber, der aus streng soziologischer Sicht politische Parteien als wirtschaftliche Interessenvertretungen sozialer Klassen verstand, einer an Ideologien orientierten Parteibildung dagegen einen Realitätsgehalt absprach, mußte als konsequenter Bourgeois die Aufforderung zur Mitwirkung in einer Partei, die sich die wirtschaftliche und soziale Besserstellung des Arbeiterstandes zum Ziele setzte, kategorisch zurückweisen.

In Webers scharfsinnigem Diskussionsbeitrag auf der Erfurter Gründungsversammlung stand deshalb auch die Frage nach der Möglichkeit der Mitwirkung von »Gebildeten« in der neuen Bewegung an der Spitze. Wolle man »in einer nationalen Arbeiterpartei die aufsteigenden Klassen der Arbeiter für sich zu gewinnen suchen«, um damit ein parteipolitisches Äquivalent zu der einem philosophischen Dogma verpflichteten Sozialdemokratie zu schaffen, so sei ein solches Bemühen in seinen Augen ein Fortschritt[31]. In einer derartigen Klassenpartei habe aber das gebildete Bürgertum keinen Platz.

Getreu seiner Vorstellung, nach der er die gesellschaftliche Verfassung um die Jahrhundertwende durch den Antagonismus der beiden um die politische Führung ringenden Gesellschaftsklassen, des agrarischen Junkertums und des Bürgertums, gekennzeichnet sah, stellte er die Delegierten vor die Alternative: »Sie haben heute einzig und allein die Wahl, welches von den einander bekämpfenden Interessen der heute führenden Klassen Sie stützen wollen; das bürgerliche oder das agrarisch-feudale«[32]. Eine Politik, die nicht von der Einsicht in diese fundamentale gesellschaftliche Gegebenheit getragen sei, betrachtete er als illusionistisch. Jede neue Partei sehe sich vor die Alternative gestellt, entweder die agrarisch-feudale oder die bürgerlich-kapitalistische Entwicklung zu stützen. »Zwischen ihnen müssen Sie wählen, und, wenn Ihnen die Zukunft der Bewegung am Herzen liegt, die bürgerlich-kapitalistische Entwicklung wählen«[33].

Jeder Versuch bürgerlicher Kreise, mit Hilfe einer politischen Partei zur Hebung des wirtschaftlichen und sozialen Niveaus der Arbeiterschaft beizutragen, lief für Weber letztlich auf eine Stärkung des Junkertums hinaus, da dem Bürgertum dadurch in seinem Interessenkampf gegen den Adel wertvolle Kräfte entzogen würden. Auch die Politik der Sozialdemokratie betrachtete er aus die-

»... Aber Deinem Rat, mich reinlich von allen ›Christlich-Sozialen‹ zu scheiden, könnte ich, wie die Dinge liegen, nicht folgen, ich müßte ihm vielmehr nach meiner Empfindung zuwiderhandeln. Ich bin nichts weniger als ›christlich-sozial‹, sondern ein ziemlich reiner Bourgeois, und meine Beziehungen zu Naumann beschränken sich darauf, daß ich ihn, dessen Charakter ich hochschätze, sachte von seinen sozialistischen Velleitäten loszulösen strebe. Aber gerade jetzt ihn öffentlich zu ›verleugnen‹, ginge am wenigsten an« (Zitiert nach W. Mommsen: M. Weber, S. 142).

[31] Weber hatte wiederholt in der Mitte der 90er Jahre der Hoffnung Ausdruck gegeben, daß eine dem nationalen Machtstaatsdenken verpflichtete Arbeiterbewegung entstehen möge (Nach W. Mommsen: M. Weber, S. 140).

[32] Protokoll, Vertreterversammlung Erfurt, 1896, S. 49.

[33] ebd., S. 49. – Daß Weber mit *dieser* Forderung nicht völlig alleine stand, beweist ein Brief von v. Schulze-Gävernitz, der allerdings an der Erfurter Gründungsversammlung nicht teilnahm, vom 12. 8. 96 an Naumann (DZA Potsdam, Nachl. Naumann, Aktz. 130, Bl. 1). In ihm heißt es, daß es »immerhin ein Fortschritt« sei, wenn Naumann dem »Parteitag die übereingekommenen Leitsätze annehmbar machen« könne. Er knüpft jedoch daran die Erwartung: »... später müssen Sie wohl noch freiheitlicher, kapitalistischer, entschiedener antiagrarisch (d. h. antijunkerlich) werden.«

sem klassenpolitischen Blickwinkel und verwarf sie, da sie gegen das Bürgertum vorgehe und damit der Reaktion die Wege ebnen helfe.

Webers massive Kritik basierte aber nicht nur auf seinen prinzipiellen politisch-soziologischen Grundeinsichten, sie entsprang auch einem aktuellen Anlaß, den Weber freimütig nannte. Die Stellungnahme gegen den Großgrundbesitz im ursprünglichen Programmentwurf habe ihn überhaupt erst veranlaßt, an der Versammlung teilzunehmen. Nun, nachdem diese – wie er formulierte – »politische Pointe« im neuen Programmentwurf Naumanns fallengelassen war, sah er sich in der Hoffnung, daß eine neue, bürgerlich-nationale, antifeudale Partei aus der Taufe gehoben würde, getäuscht[34]. Daß es der Wunsch Webers, eine nationalistische bürgerliche, an wirtschaftlichen Interessen orientierte Partei in Deutschland zu schaffen, überhaupt war, der ihn den Weg nach Erfurt gehen ließ – trotz aller Bedenken gegen die »sozialistischen Velleitäten« Naumanns, Göhres und anderer »Jüngerer« –, wird man ohne weiteres annehmen dürfen, denn eine Mitarbeit in den bestehenden bürgerlich-liberalen Parteien schien Weber ausgeschlossen, da keine von ihnen seinen nationalistischen und innenpolitischen Zielen entsprach. Die enge Verflechtung der Nationalliberalen mit den konservativen Agrariern widersprach seiner ausgeprägten bürgerlich-antifeudalen Haltung, und der dem nationalistischen Denken verschlossene und einem starren verfassungsrechtlichen Doktrinarismus verfallene Linksliberalismus Richterscher Provenienz konnte ihm ebensowenig politische Heimat sein. Darum beschwor er die Delegierten, mit der neuen Partei »eine nationale Partei der bürgerlichen Freiheit« zu schaffen, denn nur eine solche sei eine nationale Notwendigkeit; »es fehlt eine Demokratie, der wir die Leitung Deutschlands durch unsere Wahlstimmen anvertrauen könnten, weil wir der Wahrung der nationalen und wirtschaftlichen Machtinteressen in ihrer Hand sicher sein würden«[35].

Dieser Appell war jedoch nur noch deklamatorisch; Weber glaubte erkannt zu haben, daß die neue Partei »die Partei der Mühseligen und Beladenen« sein werde, »derjenigen, die irgendwo der Schuh drückt, aller derer, die keinen Besitz haben und welchen haben möchten«. Eine derartige Partei war für Weber aber

[34] Seine Verärgerung über die Streichung dieses Programmpunktes durch Naumann spricht aus einem Brief an seine Frau: »Montag in Erfurt hatte Naumann die Sache insofern arg verpfuscht, als er an Stelle des (vorbereiteten) einen ganz neuen Programmentwurf vorlegte, in dem er die Frauenfrage und die Stellungnahme gegen die Großgrundbesitzer gestrichen hatte. Die Folge war, daß ich in scharfer Weise ihn und die ganze ›Partei‹ angriff, sagte, daß sie auf diese Weise ›politische Hampelmänner‹ würden und bemerkte, daß, wenn die jetzige Art der Behandlung der Polenfrage fortdauere, ich die ›Zeit‹ weder halten noch unterstützen, sondern auf das äußerste bekämpfen würde. – Das Gerede der Pastoren, aus denen zu $^3/_4$ die Versammlung bestand, und das ganze Schauspiel, wie politische Kinder in die Speichen des Rades der deutschen Entwicklung einzugreifen suchten, war über die Maßen kläglich« (Zitiert nach M. WEBER: Max Weber, S. 234). Weber war – wie im Briefe anklingt – außerdem verärgert über die angeblich polenfreundliche Haltung der »Zeit«. In seiner Rede stellte er dazu mit Überreiztheit und Drastik fest: »Man hat gesprochen von einer Herabdrückung der Polen zu deutschen Staatsbürgern zweiter Klasse. Das Gegenteil ist wahr: wir haben die Polen aus Tieren zu Menschen gemacht« (Protokoll, Vertreterversammlung Erfurt, 1896, S. 49).

[35] Protokoll, Vertreterversammlung Erfurt, 1896, S. 49.

nur die »Karikatur einer Partei«[36], weil alle irdische Politik »den unabwendbaren ewigen Kampf des Menschen mit dem Menschen«[37] anerkennen müsse.

Webers Rede stieß auf nahezu einmütige Ablehnung in der Versammlung[38]. Dennoch war bei aller Überspitztheit und bei allem von Polemik begleiteten persönlichen Engagement, mit der Weber seine Thesen vortrug, das entscheidende Problem, vor dem die Gründer des Vereins standen, aufgeworfen. Es mußte das Ziel des Vereins sein, bestimmte Wählergruppen zu mobilisieren und ihm so in soziologischer Hinsicht feste Konturen und Grenzen zu geben. Aus der Sicht Webers, des klassenbewußten Bourgeois, konnte nur das Bürgertum die Wählerbasis des Vereins sein. Diese Vorstellung widersprach aber den Intentionen der meisten Delegierten, denen vor allem – aufgrund ihrer christlichsozialen Vergangenheit – die Sozialpolitik und damit ein Eintreten für die soziale Besserstellung der Arbeiterschaft eine wichtige Triebkraft ihres öffentlichen Wirkens war.

Nicht nur Max Weber, sondern auch Paul Göhre hatte erkannt, daß man in einer Zeit der erstarrten Fronten zwischen den sozialen Klassen sich nicht wählersoziologisch gleichsam zwischen sämtliche Stühle setzen konnte, sondern daß es vielmehr darauf ankommen mußte, die ökonomischen Interessen einer soziologisch festumrissenen Bevölkerungsschicht parteipolitisch zu vertreten und ihnen auf diesem Wege die nötige Durchschlagskraft zu verleihen.

Wenn Weber aber eine in soziologischer Hinsicht polymorphe, verschiedene soziale Klassen erfassende Partei zugunsten einer Partei des klassenbewußten nationalen Bürgertums ablehnte, so tat dies Göhre zugunsten einer klassenbewußten nationalen Partei des vierten Standes. Ging es Weber darum, das Bürgertum aus seiner ideologischen Erstarrung bzw. aus seiner Interessensymbiose mit dem Junkertum zu befreien – und damit seine gesellschaftliche und politische Spaltung zu überwinden –, um es in einheitlicher Front gegen das konservative Agrariertum zu sammeln, so war für Göhre die Arbeiterfrage »der Mittelpunkt und Angelpunkt« seiner Arbeit[39]. Er erstrebte die soziale und politische Integration der Arbeiterschaft in den nationalen Staat, und er hoffte dabei, die Sozialdemokratie zu beerben[40]. Im Gegensatz zu Weber glaubte Göhre, daß eine – wenn auch kleine – Anzahl von »Gebildeten« ihr eigenes soziales Interesse hintanzustellen bereit sein müsse, um sich ganz dem sozialen und politischen Interessen-

[36] ebd., S. 48.

[37] ebd., S. 49.

[38] Im Protokoll ist vermerkt, daß der Rede am Schluß »vereinzelter Beifall« gezollt wird (ebd., S. 49). Keiner der Delegierten ergriff in der Diskussion für Weber Partei. Den Eindruck Wilhelm Reins von der Rede Webers, den dieser in einem Brief an Naumann vom 5. Dezember 1896 schildert (DZA Potsdam, Nachl. Naumann, Aktz. 308, Bl. 94 R), gibt sicherlich die allgemeine Stimmung der Versammlung wieder und dokumentiert auch das Unverständnis, mit dem man den Gedankengängen Webers gegenüberstand: »M. Weber in Erfurt ist mir ganz unverständl[ich] gewesen u. geblieben. Er kam mir vor wie ein Mann, der in das Zimmer seines Freundes eindringt, ihm einen Felsblock an den Kopf wirft, im Hinauseilen ihn verhöhnt als polit. Hampelmann, auf der Treppe ein Zeitungsblatt sieht, dem er einen Fußtritt gibt, um dann abzustürzen. Wozu das alles?«

[39] Protokoll, Vertreterversammlung Erfurt, 1896, S. 57 (Zitat aus einem Diskussionsbeitrag Göhres).

[40] »Hilfe«, II. Jg., Nr. 48, 29. Nov. 1896, S. 2/3 (»Wir nationalen Sozialisten stehen schon als Erben vor ihrer Tür«, ebd., S. 3).

kampf des vierten Standes zu weihen[41]. Göhres proletarischer Standpunkt wurde von Naumann geteilt, wenn auch ein gradueller Unterschied in der Akzentuierung nicht zu übersehen ist. Schon der Paragraph seines Entwurfs, der das Verhältnis von Arbeitern und »Gebildeten« zum Inhalt hatte, verwies darauf, daß er die Beteiligung der »Gebildeten« am Kampf der Arbeiter um soziale und politische Rechte nicht in jenem radikalen Sinne Göhres verstand, wonach die Gebildeten ihre eigenen Interessen denen des Arbeiterstandes völlig aufzuopfern hatten.

Die Kritik, die von einem Arbeiterdelegierten gegen diesen Paragraphen des Naumannschen Entwurfs vorgebracht wurde[42], veranlaßte Naumann zu einer präzisierenden Erläuterung. Ausdrücklich betonte er, daß der Arbeiterschaft in der Bewegung der Primat gebühre: »Es ist die Partei der Arbeit, die wir gründen, nicht die Partei der Bildung. Die Bildung soll uns aufhelfen«[43]. Den Gebildeten kommt aus der Sicht Naumanns eine besondere Aufgabe zu; denn sie sind »die Propheten und die Vertreter der Gesamtinteressen der Nation«[44], und sie vermögen so die Funktion eines Bindegliedes zwischen Sonder- und Gesamtinteresse wahrzunehmen[45].

Hatten somit Göhre und auch Naumann den Verein in soziologischer Hinsicht als politische Vertretung des vierten Standes festzulegen versucht[46], so war Rudolf Sohm derjenige, der einer solchen eindeutigen Bindung am heftigsten widersprach. Für Sohm war – ähnlich wie für Weber – der nationale Machtstaat ein autonomes politisches Prinzip[47]. Auch er sah die internationale wie die innerstaatliche Politik im wesentlichen bestimmt durch den Antagonismus politischer und gesellschaftlicher Mächte[48]. Während Weber aber den *vollen Austrag* dieser sich widerstreitenden Kräfte im politischen und gesellschaftlichen Kampf als ein unum-

[41] Siehe hierzu S. 45 dieser Arbeit.

[42] Arbeiter Zenker (Frankfurt a. O.) meinte, die »›Gebildeten‹ haben ... nicht unseren Kampf zu ›unterstützen‹, sondern sie haben entweder in unsere Reihen zu treten und unseren Kampf mitzukämpfen oder uns fern zu bleiben« (Protokoll Vertreterversammlung Erfurt, 1896, S. 70).

[43] Protokoll, Vertreterversammlung Erfurt, 1896, S. 70.

[44] ebd., S. 44.

[45] In der Ausgabe der »Zeit« vom 27. Febr. 97 sprach Naumann der Bildungsschicht die Fähigkeit ab, »selber parteibildend vorzugehen, weil sie weder zahlreich noch direkt politisch interessiert genug ist, um für sich Politik machen zu können« (»Die Zeit«, I. Jg., Nr. 62, 12. Dez. 96, S. 1). Die Bildungskreise hätten aber »eine sehr hohe politische Bedeutung«. Ihnen käme die Aufgabe zu, »sich einer aufstrebenden Schicht anzuschließen, wenn deren Aufstreben für das Vaterland nötig geworden ist«. Wenn das Bildungsbürgertum vor 50 Jahren sich mit der aufstrebenden industriellen Unternehmerschicht verbündet hätte, so müsse es nun »mit dem aufstrebenden gelernten Arbeiter« ein Bündnis schließen. »Der bürgerliche Liberalismus hat ohne seine Akademiker nicht siegen können, und der Sozialismus braucht dieselben Helfer, wenn er Erfolge erringen soll« (ebd., S. 1).

[46] Unter anderen schloß sich dieser Entscheidung nachdrücklich der »Zeit«-Redakteur von Gerlach an. Er betonte: »Mit vollem Recht können wir wohl fast alle sagen, daß wir auf [der] Seite des Proletariats stehen« (Protokoll, Vertreterversammlung Erfurt, 1896, S. 53).

[47] In seiner Schrift »Die sozialen Aufgaben des modernen Staates« (Leipzig 1898) definierte er den Staat als »das für den Kampf ums Dasein organisierte Volk« (ebd., S. 24). »Die Macht des Volkes« sei »das unverbrüchliche Ziel aller Politik«, sei »zugleich Ziel und Gesetz des Staatslebens« (ebd., S. 25).

[48] Siehe hierzu S. 37 dieser Arbeit.

stößliches Gesetz verstand, wobei das einzelne Individuum nolens volens Partei ergreifen mußte, da es selbst »Partei« ist, strebte Sohm eine Nivellierung der Antagonismen – jedenfalls im innerstaatlichen Bereich – an, indem jenen gesellschaftlichen Kräften, die sozial deklassiert und politisch rechtlos sind, die Integration in das bestehende politische Gemeinwesen ermöglicht werden sollte[49].

Jede gesellschaftliche Entwicklung sah Sohm dadurch gekennzeichnet, »daß neue Schichten von unten nach oben gelangen«[50], d. h. aus ihrer ursprünglichen Oppositionsstellung gegen Gesellschafts- und Staatsordnung herausgeführt werden, indem man sie in diese integriert[51].

Auch die Arbeiterbewegung betrachtete er als gesellschaftliche Kraft, die in Opposition zur sozialen und staatlichen Verfassung stehe. Die Erfüllung ihrer berechtigten Interessen werde nur dann möglich sein, wenn sie sich »mit der Monarchie und mit den Gesamtinteressen des ganzen Volkes« verbünde[52]. Um die Arbeiterbewegung von der Notwendigkeit dieses Bündnisses zu überzeugen, müsse man sich an ihre Spitze stellen und die sozialdemokratische Führung ablösen[53]. Den Gebildeten fällt nach Ansicht Sohms bei dem Erziehungsprozeß des vierten Standes eine besondere Rolle zu[54]. »Sie bilden nur ein Prozent« der Gesamtbevölkerung – mit dieser Bemerkung griff Sohm eine Feststellung Naumanns auf –, »aber wie das eine Prozent des stehenden Heeres bilden sie die geistige Armee Deutschlands ... Alle anderen sind waffenlos und darum ohnmächtig. Ohne die Führung der Gebildeten gäbe es ... keine Arbeiterbewegung«[55].

Da es für Sohm das hervorragendste gesellschaftspolitische Ziel war, die unter Führung der Gebildeten stehende Arbeiterbewegung mit den anderen Volksteilen

[49] Die Feststellung Richard Nürnbergers (R. Nürnberger: Imperialismus, Sozialismus und Christentum, S. 530), daß Sohm »das öffentliche Leben ... als Kampf der Gesellschaftsklassen um die Macht« betrachtet habe, »dessen Motiv die Selbstsucht sei: jede Klasse erstrebt in diesem Ringen für sich die Alleinherrschaft«, wird deshalb den gesellschaftspolitischen Vorstellungen Sohms nicht voll gerecht und bedarf der Ergänzung.

[50] Protokoll, Vertreterversammlung Erfurt, 1896, S. 52.

[51] Eine derartige Integration ist nach Meinung Sohms nur durch ein Entgegenkommen der politisch führenden Gesellschaftsschichten vollziehbar. – Die Worte Heraklits »Alles fließt« übertrug Sohm auf den gesellschaftlichen Bereich: »Die Selbstaufhebung der Herrschermacht der Herrschenden ist Aufgabe und Lohn ihres Herrscherdienstes. Nur durch Opfer schreitet die Weltgeschichte fort. Die Frucht der Erfüllung des Herrscherdienstes heißt Entwicklung, der Nichterfüllung aber Revolution« (Rudolf Sohm: Die sozialen Pflichten der Gebildeten, Leipzig 1896, S. 10).

[52] Protokoll, Vertreterversammlung Erfurt, 1896, S. 52.

[53] ebd., S. 52. – Die Aufgabe des dritten Standes sei es in diesem Zusammenhang, »den vierten Stand zu erziehen«. Wenn er diese Aufgabe nicht löse, so werde er »verworfen werden vor dem Angesicht der Weltgeschichte. Und wenn dies Werk einmal vollbracht sein wird, so wird auch hier der Dank des Erzogenen darin sich äußern, daß er seinen Erzieher von der Alleinherrschaft entsetzt, um mit ihm an der Herrschaft teilzuhaben« (R. Sohm: Die sozialen Pflichten der Gebildeten, S. 9).

[54] In seiner Schrift »Die sozialen Pflichten der Gebildeten« motiviert Sohm die gesellschaftliche Führungs- und Erzieherrolle der Gebildeten: »Bildung ist Freiheit, und darum ist Bildung Macht. Nur von den Freien wird die Welt regiert. Der Gebildete ist der geborene Freie und darum der geborene Herr. Das Los des Ungebildeten ist Knechtschaft. Bildung regiert die Welt«, und sie »gibt Macht über die Gesellschaft, den Staat. Die Gebildeten sind die Herrscher der Nation« (ebd., S. 7).

[55] Protokoll, Vertreterversammlung Erfurt, 1896, S. 51.

auszusöhnen, lehnte er die Gründung einer bloßen Arbeiterpartei ab. »Wir wollen nicht allein das Wohl eines einzigen Standes«, so betonte er, »wollen keine einseitige Klassenpolitik: wir wollen, daß das ganze Volk gedeiht«[56].

Sohm hatte damit schon in der Gründungsversammlung des Vereins die Göhresche und Naumannsche Theorie von der »Klassen-« oder »Arbeiterpartei« mit seiner Theorie von der »Volkspartei« konfrontiert. Auch er bestritt nicht die Notwendigkeit einer Verbesserung der sozialen und politischen Lage des vierten Standes, aber das Ringen um eine Ausweitung der Rechte der Arbeiterschaft sah er eingebettet in das Gesamtinteresse der Nation, das für ihn den Primat vor allen Sonderrechten einzelner Gruppen besaß. Die Erlangung politischer und sozialer Rechte für den Arbeiterstand war in seinen Augen kein Selbstzweck, sondern »ein Mittel zur Hebung der ganzen Nation«[57].

Den Gebildeten kam im gesellschaftspolitischen Denken Sohms nicht wie bei Göhre eine dienende und helfende Funktion in der proletarischen Bewegung zu; sie waren vielmehr die Führer des Proletariats, und ihre Bereitschaft zur Mitarbeit in der Arbeiterbewegung entsprang ausschließlich der Einsicht, daß sie damit dem Gemeinwohl einen Dienst erweisen.

Sohm gelang es, den Paragraphen des Naumannschen Programmentwurfs, der das Verhältnis von Gebildeten und Arbeitern umriß, auf Antrag in seinem Sinne durch einen Einschub abzuändern. Die »Vertreter deutscher Bildung« sollten, so hieß es nun, *»im Dienst des Gemeinwohles«* »den politischen Kampf der deutschen Arbeit . . . unterstützen«[58].

Die divergierenden Meinungen von Göhre und Naumann einerseits und Sohm andererseits zu der Frage nach dem soziologischen »Standort« des Vereins mußten – soviel läßt sich schon im vorhinein sagen – einer überzeugenden Selbstdarstellung des Vereins im Wege stehen. Eine Entscheidung über die Frage, ob der Verein eine politische Vertretung des vierten Standes sein sollte – so wie Göhre und Naumann es wünschten – oder eine »Volkspartei«, die zwar Arbeiterinteressen vertrat, aber unter der geistigen Führung der »Gebildeten« stehen sollte, war deshalb dringend geboten. Die Gegensätzlichkeit der Standpunkte von Göhre und Sohm war es, die den Verein schon nach einem Jahr in eine tiefe Krise stürzte. Weber – obwohl er sich durch einen Sprung von der nationalsozialen Politik geschieden wußte – trat dem Verein bei[59] und zögerte nicht, Naumann in materieller Hinsicht bei seiner politischen Arbeit tatkräftig zu unterstützen[60]. An

[56] ebd., S. 52. – Seine emphatischen Worte: »Dem ganzen Volke gehört unsere Arbeit, darum nationale Sozialpolitik. Deutschland, Deutschland über alles – auch über den Arbeiterstand«, wurden von der Versammlung mit stürmischem, anhaltendem Beifall aufgenommen (ebd., S. 53).

[57] ebd., S. 53.

[58] ebd., S. 51.

[59] Nach M. Weber: Max Weber, S. 235.

[60] Im Nachlaß Naumann befindet sich ein Dankschreiben Naumanns an Weber für dessen und seiner Familie finanzielle Unterstützung von Naumanns Reichstagskandidatur. Da es für die persönliche Beziehung zwischen Naumann und Weber, auch nach der spektakulären Rede Webers in Erfurt, charakteristisch ist, sei es im Auszug zitiert: »Sie u. Ihre ganze Familie haben auf Anregen Ihres Vetters Baumgarten sich entschlossen, mir mit einer sehr wesentlichen Summe die Vorbereitung der nächsten Reichstagswahlen zu erleichtern. Haben Sie dafür innigen, herzlichen Dank, der um

der eigentlichen Vereinsarbeit nahm Weber aber keinen Anteil, wofür ein nicht unwesentlicher Grund eine schwere Krankheit war, die Weber für viele Jahre auch an der Ausübung seines akademischen Lehramtes hinderte.

Die Beratung über die weiteren Abschnitte des Programmentwurfs trat hinter den drei wichtigen Problemkreisen, der Frage nach der Stellung des Vereins zum Christentum, dem Verhältnis von Nationalismus und Sozialismus und dem Meinungsstreit über die wählersoziologische Standortbestimmung des Vereins in den Hintergrund.

Naumann hatte im Paragraphen 3 des Entwurfes, der Auskunft über die Haltung zu Verfassungs- und Wahlrechtsfragen gab, »ein kräftiges Zusammenwirken der Monarchie und der Volksvertretung«[61] verlangt – eine unklare und im Grunde nichtssagende Forderung. Dagegen ließ die Stellungnahme zur Wahlrechtsfrage an Eindeutigkeit nichts zu wünschen übrig. Nicht nur die »Unantastbarkeit des allgemeinen Wahlrechts zum Reichstage«, sondern auch die »Ausdehnung desselben auf Landtage und Kommunalvertretungen«[62] wurde als Forderung erhoben. Der letzte Passus stieß in der Diskussion vereinzelt auf Kritik. So meinte der ehemalige Sozialdemokrat Max Lorenz – dem sich auch der Verleger Ruprecht anschloß –, daß nach dem Reichstagswahlrecht gewählte Kommunalvertretungen den Sozialdemokraten in einer Reihe von Städten und Gemeinden einen bedeutenden Einfluß sichern würden. Ein aus dem Rheinland stammender Delegierter erblickte dagegen die Gefahr in einem Übermächtigwerden des Zentrums in den rheinischen Gemeinden.

Auch die im Paragraphen 3 enthaltene Forderung nach »ungeschmälerte[r] Erhaltung der staatsbürgerlichen Rechte aller Staatsbürger«[63] wurde von einigen Delegierten, die sich mehr oder weniger offen zum Antisemitismus bekannten, kritisiert. Naumann wies die Bedenken gegen den Programmsatz zurück. Er lehnte prinzipiell einen auf rassischer Grundlage basierenden Antisemitismus ab. Einen möglichen Gegensatz von Jude und Nicht-Jude wollte er auf den individuell-persönlichen Bereich beschränkt sehen[64].

so wärmer ist, als ich Ihre kritische Stellung zu vielem, was geschehen ist u. geschieht, kenne. Ich muß jetzt mit den Kräften arbeiten, die ich eben habe, u. will es tun, so gut ich kann ... Hoffentlich ist das große Opfer Ihrer Familie nicht vergeblich ...« (DZA Potsdam, Nachl. Naumann, Aktz. 106, Naumann an Weber vom 28. Okt. 1898, Bl. 109).

[61] Protokoll, Vertreterversammlung Erfurt, 1896, S. 38.

[62] ebd., S. 38.

[63] ebd., S. 38.

[64] Die Stöckersche Zeitung »Das Volk« nahm die Stellungnahme Naumanns zum Anlaß, um sich von dem – wie es hieß – »Philosemitismus« der Nationalsozialen und deren Vorsitzenden zu distanzieren (»Das Volk«, VIII. Jg., Nr. 278, 26. Nov. 96, S. 1: »Bei den Nationalsozialen«). Das Presseorgan Stöckers unterschätzte jedoch die antisemitischen Tendenzen unter einigen führenden Mitgliedern des Vereins. Sie traten schon wenige Wochen nach der Vereinsgründung durch Reaktionen einiger Nationalsozialer auf die in der »Zeit« aufgeworfene Frage, ob die Mitarbeit von Juden im Verein erwünscht sei, zutage. Naumann hatte den an ihn gerichteten Brief eines jüdischen Lehrers, der sich einerseits zu den nationalsozialen Ideen bekannte, sich andererseits aber im unklaren darüber war, ob Juden im Verein willkommen seien, zusammen mit seiner Antwort veröffentlicht. Aus dieser spricht deutlich das Bemühen taktischer Rücksichtnahme auf andersgesinnte Vereinsgenossen. Er selbst habe

Ergänzt wurde der Naumannsche Entwurf dadurch, daß auf Antrag von Frau Gnauck-Kühne der im ursprünglichen Programmentwurf des »Ausschusses« enthaltene und von Naumann entfernte Paragraph zur Frauenfrage in modifizierter Form wieder aufgenommen und als Paragraph 6 in den Programmentwurf eingeschoben wurde.

Schließlich erklärte die Versammlung den Programmentwurf nach wenigen Änderungen zum Programm und sprach ihm die Bedeutung von »Grundlinien« zu[65].

Endlich stand noch eine Entscheidung darüber aus, ob die Gründung eines Vereins, wie Naumann vorgeschlagen hatte, oder eine Parteigründung erfolgen sollte. In dem Meinungsstreit über diese Frage setzte sich Naumanns Ansicht durch, es handle sich um die Gründung eines Vereins »als Vorbereitung zu einer Partei«[66]. Naumann versuchte bei der Begründung seines Vorschlags nicht mehr wie im Februar eine historische Parallele zu konstruieren, indem er auf den Deutschen Nationalverein verwies; seine Argumentation war jetzt ungleich nüchterner. Eine Partei habe erst dann effektiven politischen Einfluß, wenn sie über eine

gegen eine Mitgliedschaft von Juden nichts einzuwenden, wenn diese sich zu einer »Politik des Deutschtums« und nicht einer »Politik des Judentums« bekennen und wenn in nationalsozialer Literatur »das persönliche Bekenntnis zum Christentum nach wie vor ungetrübt sich äußern kann« (»Die Zeit«, I. Jg., Nr. 74, 29. Dez. 96, S. 1). Er sei sich mit den anderen Nationalsozialen in der Ablehnung »jeder Verkürzung der staatsbürgerlichen Rechte« und damit in der »grundsätzliche[n] Abweisung des politischen Antisemitismus« einig. Aus dieser grundsätzlichen Abweisung folge jedoch nicht, daß die einzelnen nationalsozialen Ortsvereine »ohne weiteres israelitische Mitarbeit willkommen« hießen. Es sei denkbar, daß Vereine selbst in benachbarten Städten eine verschiedene Praxis in dieser Hinsicht hätten: »Das mag als eine Schwäche erscheinen, kann aber beim heutigen Bestande unserer Bewegung kaum anders sein. Unsere Mitglieder kommen aus zu verschiedenen Lagern, um schon eine einheitliche Stimmung zu haben« (ebd., S. 1). Da sich Naumann »nicht völlig sicher« ist, ob er »in der vorliegenden Angelegenheit« »im Namen aller ... politischen Freunde« sprechen kann, bittet er diese, »etwaige andere Meinungen auszusprechen, damit über die Aufnahme von Israeliten in national-soziale Vereine volle Klarheit entsteht« (ebd., S. 1).

Von den veröffentlichten Zuschriften enthielt die Stellungnahme Wilhelm Ruprechts die schärfste antisemitische Tendenz. Die im § 3 der nationalsozialen »Grundlinien« enthaltene Forderung nach »ungeschmälerte(r) Erhaltung der staatsbürgerlichen Rechte aller Staatsbürger« betrachtete er als »eine überflüssige und schädliche Verbeugung gegen das Judentum« (»Die Zeit«, II. Jg., Nr. 2, 3. Jan. 97, S. 1). Der Antisemitismus Ruprechts beruhte nicht auf rassischen oder religiösen Vorurteilen; er nährte sich vielmehr von der Meinung, das Judentum spiele im politischen und sozialen Leben Deutschlands »eine verhängnisvolle Rolle«. »Wir haben ganz bestimmte soziale, wirtschaftliche und politische Schäden im Auge«, erklärte Ruprecht, »deren Hauptträger bisher das Judentum gewesen ist, man kann fast sagen, soweit die Geschichte aller Zeiten und Völker reicht, und deshalb bekämpfen wir die auch in unserm Vaterlande große Macht des Judentums im nationalen Interesse« (ebd., S. 1). Im »politischen und sozialen Antisemitismus« sah Ruprecht deshalb »etwas Berechtigtes«.

Die Frage nach der Mitgliedschaft von Juden im Nationalsozialen Verein beantwortete er mit der Feststellung, daß nur derjenige Jude, der »wirklich deutsch-national wird«, willkommen sei (ebd., S. 1).

[65] Siehe im Anhang dieser Arbeit.

[66] Protokoll, Vertreterversammlung Erfurt, 1896, S. 66.

Million Wahlstimmen verfüge. Solange man noch keine Parlamentsvertreter, noch keine weitverbreitete Presse habe, so meinte Naumann, wolle man auch keine Partei sein[67].

Die Suche nach einem Namen für den neuen Verein bereitete wenig Schwierigkeiten. Der Vorschlag Göhres, dem Verein den Namen »Verein für nationalen Sozialismus« zu geben, da »sozialistisch« bezeichnender sei als »sozial«, verfiel der Ablehnung. Pfarrer Battenberg aus Frankfurt und Professor Gregory aus Leipzig schlugen den Namen »Nationalsozialer Verein« vor. Diesen Vorschlag nahm die Versammlung einstimmig an, so daß die neue politische Bewegung den Namen erhalten hatte, unter dem sie sieben Jahre in die parteipolitischen Auseinandersetzungen der Jahrhundertwende eingriff.

[67] ebd., S. 65.

4. *Die Synthese von Nationalismus und Sozialismus. Naumanns Sozialismus- und Nationalismus-Verständnis in der nationalsozialen Zeit*

a) Der revidierte Sozialismus

Hatten Göhre und Naumann in Erfurt bei der Erörterung der Frage, welchen Namen man dem Verein geben sollte, ihre Bereitschaft dokumentiert, anstelle des mit dem Odium des Klassenkampfes versehenen Wortes »sozialistisch« das den Beigeschmack des Revolutionären vermissende Adjektiv »sozial« im Vereinsnamen zu akzeptieren, so zögerten aber beide nicht, sich auch in Zukunft als »Sozialisten« und ihre Bewegung als die eines »nationalen Sozialismus« zu bezeichnen, die als »politisch rechts stehender Flügel« innerhalb der »Gesamtbewegung des Sozialismus« aufzufassen sei[1]. Naumanns Sozialismus-Begriff ist, nachdem er während des Jahres 1895 seine religiöse Motivierung verloren hatte und stattdessen mit dem nationalen Machtstaatprinzip verschmolzen war, das Resultat eines Prozesses der geistigen Auseinandersetzung mit der Sozialdemokratie. Wenn es in der christlichsozialen Zeit Naumanns ein von der christlichen Verkündigung her bestimmtes Weltbild war, das ihn von der sozialistischen Arbeiterpartei trennte, so erwiesen sich in der nationalsozialen Zeit politische Kategorien als trennende Elemente zwischen seinem Verständnis von Sozialismus und dem »marxistischen Sozialismus« der Sozialdemokratie. Da die Sozialdemokratie sich

[1] »Hilfe«, V. Jg., Nr. 50, 10. Dez. 1899, S. 4 (Naumann: »Weshalb nennen wir uns Sozialisten?«).
Theodor Heuss wird Naumanns politischem Selbstverständnis nicht gerecht, wenn er in der 1932 erschienenen Schrift »Hitlers Weg« bemerkt, daß Naumann schon in der nationalsozialen Zeit – zumindest nach dem Austritt Göhres (er erfolgte im April 1899; siehe S. 99 dieser Arbeit) – »die Formel sozialistisch ablehnte« (Theodor Heuss: Hitlers Weg, Stuttgart, Berlin, Leipzig 1932, 1. Aufl. S. 23). »Es war für ihn ein Gebot geistiger Sauberkeit«, meinte Heuss rückschauend, »daß er ein so anspruchsvolles Wort, dessen von Jahr zu Jahr wachsende Unverbindlichkeit er spüren mußte, mied und ablehnte« (ebd.).
Heuss selbst, der schon als Gymnasiast Anhänger der Politik Naumanns wurde – in einem Brief vom 26. Nov. 1901 an seinen Lehrer Eberhard Goes bekannte er, daß er »politisch ... jetzt ziemlich ganz nationalsoz. geworden« sei (Theodor Heuss Archiv Stuttgart, Nachlaß Heuss, Heuss an E. Goes vom 26. November 01) –, sah zur Zeit der Existenz des nationalsozialen Vereins nicht nur keinen Grund, sich von der Bewegung des Sozialismus zu distanzieren, sondern legte vielmehr – in einer Rezension von Naumanns »Neudeutscher Wirtschaftspolitik« (es handelte sich dabei um eine Sammlung Berliner Vorträge des nationalsozialen Politikers) – ein Bekenntnis zum Sozialismus ab. Der achtzehnjährige Heuss schrieb: »Mit Recht hat man das verflossene Jahrhundert in mancher Hinsicht gepriesen und seine ungeheuren, vielseitigen Fortschritte hervorgehoben; man hat es das Jahrhundert des Dampfes, der Elektrizität, des Verkehrs usw. genannt. Ich möchte ihm den schöneren Ehrennamen geben: Jahrhundert des Sozialismus, eine Zeit, in dem das soziale Gewissen erwacht und als Macht erstanden ist« (Neckarzeitung, 25. Juni 1902). –
In dem ersten vom Verein herausgegebenen Flugblatt mit dem Titel »Was wollen wir Nationalsozialen« umschrieb man den Zweck der Vereinsgründung mit folgenden Worten: »Es handelt sich um langsame, aber zielbewußte Vorbereitung einer neuen Partei ... für nationalen Sozialismus. Eine solche Partei ist nötig, wenn der Sozialismus unserem Volke zum dauernden Segen werden soll« (1. Flugblatt des Nationalsozialen Vereins, enthalten im Nachlaß Traub, BA).

in der Theorie, d. h. in dem seit dem Erfurter Parteitag von 1891 gültigen Parteiprogramm, auf die marxistische Gesellschaftslehre berief, entzog sich Naumann bei seiner Auseinandersetzung mit der Sozialdemokratie nicht einer Beschäftigung mit den Marxschen Theorien[2].

Das unbestreitbare Verdienst, das sich Karl Marx um die sozialistische Bewegung erworben habe, sah Naumann in dem Umstand, daß durch ihn die Stufe des utopischen Sozialismus überwunden worden sei, indem er »in dem wirren Gebiet von Tendenzen, Ideen, Träumen, die unter dem Wort ›Sozialismus‹ liefen . . ., erst mal begriffliche Klarheit geschaffen« habe[3]. Diese Tat ist für Naumann nicht zuletzt deshalb bedeutsam, weil sie seiner eigenen Vorstellung vom Sozialismus als etwas Lebendigem und Werdendem entgegenkam. Der Übergang von den Utopisten St. Simon und Weitling zu den Philosophen Marx und Engels war für Naumann die erste Metamorphose in der als einen langen historischen Prozeß zu verstehenden sozialistischen Bewegung, die erst in der Gegenwart »als lebendige, werdende, lernende, schaffende Macht« »die große Volksbewegung« geworden sei, nachdem sie im Anschluß an ihre wissenschaftliche Begründung ein agitatorisches Stadium – vertreten durch Bebel und Liebknecht – durchlaufen habe, bis sie in das gegenwärtige taktische Stadium – repräsentiert durch v. Vollmar und Bernstein – eingemündet sei[4].

Alle bisherigen vom Sozialismus durchlaufenen Perioden waren aus der Sicht Naumanns Vorstadien des eigentlichen *politischen* Sozialismus. Der Eintritt in die »wirkliche Politik« stehe dem Sozialismus noch bevor[5].

Der Sozialismus war für Naumann aber nicht nur in dem Sinne etwas höchst »Lebendiges«, »Werdendes«, daß er sich als eine in einem historischen Prozeß wachsende und sich vollendende gesellschaftliche Kraft erwies, sondern auch in jener Bedeutung, daß mit ihm »eine Bewegung der abhängigen Klassen des Volkes nach oben« stattfinde. »Die, die unten sind, wollen sich hinaufarbeiten, wollen bessere Nahrung, mehr Bildung und mehr Macht haben. Und indem sie das alles zusammenfassen, was ihre Kulturhöhe weiter in die Höhe hebt, sagen sie ›Sozialismus‹«[6].

Nicht die der Gesellschaft innewohnende Dialektik und deren ökonomische Bedingungen sah Naumann als die Ursache für eine Veränderung des gesellschaftlichen Zustandes an, sondern das »natürliche« Bedürfnis unterprivilegierter »Klassen« nach materieller, geistig-kultureller und politischer Verbesserung ihrer Lage. Nicht der mit Zwangsläufigkeit eintretende revolutionäre Umschlag werde

[2] Naumann zögerte zu einem späteren Zeitpunkt nicht, öffentlich zu bekennen, daß das Studium der Schriften von Marx ihn zu vertieften sozialen Kenntnissen geführt habe. In seiner 1908 erschienenen »Leidensgeschichte des deutschen Liberalismus« stellt er fest: »Ich gehöre zu denen, die vom Rhythmus der Arbeiterbewegung erfaßt wurden und denen die Lehre von Marx viele neue Gesichtspunkte gab« (Fr. NAUMANN, Werke, Bd. IV, S. 312).

[3] »Nationaler und internationaler Sozialismus«, in: Fr. NAUMANN, Werke, Bd. V, S. 275.
Siehe auch »Weshalb nennen wir uns Sozialisten«, »Hilfe«, a.a.O., S. 3.

[4] »Weshalb nennen wir uns Sozialisten«, »Hilfe«, a.a.O., S. 3.

[5] ebd., S. 3.

[6] »Nationaler und internationaler Sozialismus«, in: Fr. NAUMANN, Werke, Bd. V, S. 271.

N. rejected socialism in its (a) revolutionary and (b) international aspect

zum Sozialismus führen, sondern eine materielle, bildungsmäßige und politische Emporentwicklung des vierten Standes in der bestehenden Gesellschaftsordnung.

Hatte Naumann den Marxschen Sozialismus in einem entscheidenden Punkt revidiert, indem er nämlich dessen sozial-revolutionären Grundcharakter verwarf, so war er aber dennoch davon überzeugt – und damit stand er in einem klaren Gegensatz zu Rudolf Sohm –, »daß die zukünftige Politik Deutschlands von der Arbeiterklasse getragen werden muß«[7]. Der Sozialismus habe mit der Industriearbeiterbewegung begonnen, und die Industriearbeiter werden »auch heute und für immer« die »Kerntruppe« des Sozialismus bilden[8].

Der »nationale Sozialist« Naumann wies den Marxschen Sozialismus aber nicht nur wegen seines sozial-revolutionären Charakters zurück, sondern auch wegen des ihm eigenen Internationalismus[9]. Der Naumannsche Ansatz zu einer Revision des internationalen Sozialismus war der gleiche, mit dem er die sozialdemokratische Vorstellung vom »Zukunftsstaat« einer Kritik unterzog. Wie er diese als utopisch betrachtete und ihr seine Theorie eines reformistischen Sozialismus entgegenstellte, versuchte er die Idee eines internationalen Sozialismus als ein wirklichkeitsfremdes, im Widerspruch zu den nationalstaatlichen Gegebenheiten stehendes Denkmodell auszuweisen.

Da der Sozialismus wesensmäßig von der Industrialisierung abhängig sei, deren Entwicklung aber selbst in den westeuropäischen Staaten mit einer großen zeitlichen Phasenverschiebung verlaufe – ganz abgesehen von dem meist erst in geringen Ansätzen vorhandenen Industrialismus in den übrigen Staaten der Welt –, könne, so hob Naumann hervor, die Verwirklichung des Sozialismus nicht als ein weltweiter, die verschiedenen Nationalstaaten übergreifender Prozeß verstanden werden; vielmehr sei die Realisierung nur innerhalb bestehender Staaten möglich, wobei der jeweilige Entwicklungsstand der Industrialisierung und der davon abhängige zahlenmäßige Anteil der Industriearbeiterschaft an der Gesamtbevölkerung ausschlaggebend sei für die Möglichkeit eines Sieges des Sozialismus[10].

Von der Prämisse ausgehend, daß der Sozialismus nur im nationalstaatlichen Rahmen realisierbar sei, grenzte Naumann seinen Blick – trotz aller Vergleiche mit der Entwicklung im Ausland – vornehmlich auf die sozialistische Bewegung in Deutschland ein. Da Deutschland wegen seiner ständig wachsenden Bevölkerungszahl zu einer forcierten Industrialisierung gezwungen sei, gelte es, so folgerte Naumann, für die sozialistische Bewegung eine klare Frontstellung gegen jene konservativ-agrarische Aristokratie zu beziehen, die »über ein Volk, dessen Lebensinteressen mit jedem Jahr mehr industriell werden, herrscht ...«[11]. »Das ist unser Konflikt«, so unterstreicht Naumann, »darin liegt unsere Not, von der aus bestimmt sich unsere Auffassung des Sozialismus«[12]. Denn Sozialismus hieß

[7] »Nationaler Sozialismus«, in: Fr. NAUMANN, Werke, Bd. V, S. 252.

[8] »Weshalb nennen wir uns Sozialisten«, »Hilfe«, a.a.O., S. 4.

[9] ebd., S. 4.

[10] Siehe hierzu »Nationaler u. internationaler Sozialismus«, in Fr. Naumann, Werke, Bd. V, S. 278 ff.

[11] »Nationaler Sozialismus«, in: Fr. Naumann, Werke, Bd. V, S. 252 f.

[12] ebd., S. 253.

für Naumann in materieller Hinsicht: »Mehr Nahrung, Kleidung, Wohnung, mehr Bedürfnisse für das arbeitende Volk«[13]. Da eine Befriedigung der elementaren Lebensbedürfnisse der breiten Bevölkerungsschichten aber nicht von einem sich durch hohe Schutzzollmauern gegenüber dem Ausland abkapselnden »Agrarstaat« zu erwarten war, betrachtete Naumann den »Industriestaat«, der sich zum Weltmarkt hin öffnet und die notwendige Einfuhr von Lebensgütern und Rohstoffen ermöglicht, als ein historisches Erfordernis ersten Ranges. Nur in ihm sei der Sozialismus realisierbar, der »praktisch gleichbedeutend mit Import« sei[14].

Diese Form des Sozialismus, der auf die Befriedigung der Bedürfnisse der Menschen in der Gegenwart hinausläuft, nennt Naumann einen »praktischen« oder »politischen« Sozialismus, den er in Antithese zum »ethischen« Sozialismus gesetzt sehen möchte[15]. Ein solcher praktischer Sozialismus könne aber nicht die Kategorie des Nationalen, die identisch ist mit der »reichsdeutschen Weltmachtsidee«, ausklammern[16]. Denn die »reichsdeutsche Volkszukunft« werde nach Lage der Dinge nur dann gesichert sein, wenn Deutschland – gestützt auf seine militärische Stärke – bei der Verteilung der materiellen Güter der Erde wirksam eingreifen könne. »Da wir keinen Agrarstaat mehr haben können, so müssen wir vorwärts zum Weltmachtstaat, so schwer und teuer er sei, wir müssen vorwärts, wenn wir leben wollen . . .«[17].

[13] ebd., S. 253.

[14] ebd., S. 254. Ähnlich wurde in dem nationalsozialen Flugblatt »Der deutsche Arbeiter und die Flotte« argumentiert: »Alle Hebung des inneren Konsums ist von der Steigerung der Einfuhr abhängig. Es gibt keine Art von Sozialismus, die ohne erweiterte Einfuhrpolitik denkbar wäre« (8. Flugblatt des Nationalsozialen Vereins, enthalten im Nachlaß Traub, BA).

[15] »Der ethische Sozialist fordert das Wünschenswerte, der politische Sozialist sucht das mit dem vorhandenen Kräftemaß Mögliche zu erreichen« (»Nationaler Sozialismus«, a.a.O., S. 256).

[16] ebd., S. 253.

[17] ebd., S. 254. – In diesem Zusammenhang mußte sich für Naumann die Frage stellen, wieso die das Agrariertum repräsentierende Konservative Partei, »eine Partei, deren Wirtschaftssystem den Idealen der großen Majorität des Volkes absolut fremd gegenübersteht, ihre Herrschaft behaupten kann«. Die Antwort lag für Naumann nahe: Weil die Konservative Partei »die Führung des deutschen Volkes in nationalen Fragen« übernommen habe (Zitiert aus der Rede Naumanns »Macht, Freiheit, Arbeit« am 7. 2. 1898 in Hamburg; Staatsarchiv Hamburg, Polizeibehörde, Polit. Polizei, Vers 666, Acte in Sachen Nationalsozialer Verein 1896–1900, S. 238). Ohne auf die tiefgreifende Diskrepanz zwischen gesellschaftlicher und politischer Verfassung des Reiches einzugehen, in der eine wesentliche Ursache für die innenpolitische Hegemonie des Junkertums zu suchen war, führte er in seiner Hamburger Rede die Einflußlosigkeit der »Masse« auf deren mangelnden Nationalsinn zurück. Denn »nur diejenigen Parteien herrschen und regieren auch nach innen, welche die äußeren Interessen ihres Volkes vertreten« (ebd., S. 238 R). Solange nicht die Erfahrung berücksichtigt werde, daß nur *die* Partei herrschen kann, welche für die Ausdehnung und Entfaltung des Staates eintritt, solange werde sich die Konservative Partei in ihrer gegenwärtigen ausschlaggebenden Stellung behaupten, weil sie als einzige Trägerin des Staatsgedankens auftrete. Nur ein »Patriotismus der Masse« (ebd., S. 245 R) ist nach Meinung Naumanns letztlich in der Lage, die konservative Vorherrschaft zu beenden.

b) Der hypertrophe Nationalismus

Es ist ohne Zweifel zutreffend, wenn man das außenpolitische Verständnis Naumanns und der anderen Nationalsozialen in der ersten Zeit der Existenz des Vereins dahingehend charakterisiert hat, daß sie von der Innenpolitik her das Wesen der Außenpolitik zu begreifen versucht haben[18]. Die Existenz eines industriell hoch entwickelten deutschen Nationalstaates betrachtete Naumann als Bedingung für eine nationalsoziale und damit auch machtstaatliche Politik[19].

Die Verquickung von wirtschaftlichen und politischen Motiven, die das nationalsoziale Machtstaatsdenken auszeichnete[20], war keine originale Leistung der Nationalsozialen[21]. In einem Zeitalter fortschreitender Industrialisierung und imperialen Machtdenkens war es nur allzu natürlich, daß wirtschaftlicher Expansionsdrang und politischer Eroberungswille miteinander verschmolzen.

Das von wirtschaftlichen Kategorien her bestimmte nationalsoziale Großmachtdenken fand auch terminologisch seinen Niederschlag. So sprachen die Nationalsozialen von »Großwirtschaftsräumen«, »Wirtschaftskörpern«, »Macht-« oder »Riesenbetrieben«, wenn sie die existierenden »Kolonialreiche«, nämlich England, Rußland und die Vereinigten Staaten von Nordamerika charakterisierten.

Schenkten die Nationalsozialen Amerika und Rußland keine übermäßige Aufmerksamkeit, so sollte England im außenpolitischen Konzept der Nationalsozialen bald eine dominierende Stellung einnehmen.

[18] Hellmut HARTMANN: Friedrich Naumanns Verhältnis und Stellungnahme zur auswärtigen Politik bis 1914, Diss. Köln 1951, S. 39.

[19] In diesem Sinne äußerte er sich noch im Jahre 1900: »Der nationalsoziale Gedanke setzt zwei Sachen voraus: ... Nationalstaat und gesteigerten Industrialismus« (Friedrich NAUMANN: Deutschland und Österreich, Berlin 1900, S. 4).

[20] Adolf Damaschke meinte z. B. in einer nationalsozialen Propagandaschrift: »Auf dem Weltmarkt freie Bahn schaffen, wo Markt eröffnet wird, und da, wo über Stücke unserer Erdkugel neue Verfügung getroffen wird, deutsche Interessen umsichtig wahren: Das ist es, was die neue Zeit von deutscher Staatskunst fordert, das ist es, was das Wort bedeutet: Deutschland muß eine Weltmacht werden« (Adolf DAMASCHKE: Was ist National-Sozial?, Berlin 1899, S. 6). – In einem Flugblatt des Vereins, betitelt »Unsere Gegner«, wurde festgestellt: »Wir treten ein für Weltmachtpolitik, weil uns die Millionen deutscher Arbeitswilliger zwingen, Welthandelspolitik zu treiben ... Wo Welthandel ist, muß ... auch Weltpolitik getrieben werden. Eine Politik, die dem Handel nicht schützend folgt, ist keine Politik ...« (6. Flugblatt des Nationalsozialen Vereins, enthalten im Nachlaß Traub, BA). Ähnlich wurde in dem Flugblatt: »Warum unterstützen die National-Sozialen eine Weltpolitik Deutschlands?« argumentiert: »Weltpolitik bedeutet nichts anderes, als daß diese deutsche Nation in der Welt eine Rolle spielen will, die ihr in Anbetracht ihrer Kraft, ihres Fleißes und ihrer Volkszahl zukommt. Auf allen Gebieten der Industrie und des Gewerbes erzeugt deutscher Fleiß und deutsche Fähigkeit Waren, die es an Güte mit den Erzeugnissen aller anderen Völker aufnehmen« (3. Flugblatt des Nationalsozialen Vereins, enthalten im Nachlaß Traub, BA).

[21] Eine im Februar 1896 in der »Hilfe« zitierte Äußerung Lujo Brentanos, der zu diesem Zeitpunkt noch keine Beziehungen zu den »jüngeren« Christlichsozialen hatte, dokumentiert die Übereinstimmung mit der nationalsozialen Position in der Frage der wechselseitigen Abhängigkeit von wirtschaftlicher und politischer Machtentfaltung: »Nur wenn Deutschland auch wirtschaftlich die erste Stellung unter den umgebenden Nationen erringt, wird es auch politisch die erste Stelle zu wahren imstande sein« (»Hilfe«, II. Jg., Nr. 6, 9. Febr. 96, S. 2).

Schon in der Mitte des Jahres 1896, als man vorsichtig begann, sich außenpolitischen Problemen zuzuwenden, »gewann in dem Naumannschen Kreis die Ansicht Raum, daß bei Durchsetzung der deutschen weltpolitischen Ziele die Gegnerschaft zu England gegeben sei«[22]. So hieß es in der »Hilfe«, daß »das Studium und die genaue Kenntnis des Volks- und Wirtschaftslebens von England ... für die Weiterentwicklung unseres deutschen Vaterlandes von größter Bedeutung« sei[23].

Das Ergebnis dieses Studiums war, daß man die Weltmacht England mehr und mehr als den eigentlichen außenpolitischen Antipoden Deutschlands betrachtete. Eine antienglische Linie durchzog bald wie ein roter Faden die außenpolitische Vorstellungswelt der Nationalsozialen.

Verdichtete sich die Englandfeindlichkeit der Nationalsozialen auch geradezu zu einem antienglischen Komplex, so war der *Ausgangspunkt* für die antienglische Haltung – obwohl in Deutschland allgemein eine gegen England gerichtete Stimmung im Schwange war[24] – eine nüchterne Bestandsaufnahme der weltpolitischen Lage[25]. Anläßlich der Jahrhundertwende zog man z. B. in der »Hilfe« eine Bilanz der außen- und innenpolitischen Leistungen Englands im 19. Jahrhundert[26].

[22] H. Hartmann: Friedrich Naumanns Verhältnis u. Stellungnahme z. auswärtigen Politik, S. 35.

[23] »Hilfe«, II. Jg., Nr. 22, 31. Mai 96, S. 7.

[24] Siehe hierzu Percy Ernst Schramm: Deutschlands Verhältnis zur englischen Kultur nach der Begründung des Neuen Reiches, in: Schicksalswege deutscher Vergangenheit. Beiträge zur geschichtlichen Deutung der letzten hundertfünfzig Jahre. Festschrift für Siegfried A. Kaehler, Düsseldorf 1950, S. 289 ff.

[25] Die Feststellung von Werner Conze (Fr. Naumann, Grundlagen u. Ansatz seiner Politik, in: Festschrift für S. Kaehler, S. 364), Naumann habe sich einer englandfeindlichen Stimmung hingegeben, ist zweifellos richtig. Dennoch muß hinzugefügt werden, daß die *Wurzel* dieser antienglischen Haltung nicht in einem primitiv-instinktiven Chauvinismus zu suchen ist. Die Englandfeindlichkeit Naumanns und der anderen Nationalsozialen resultierte vielmehr aus der Einsicht in die Überlegenheit Englands. Die Rivalität mit der Weltmacht England mußte ins Kalkül gezogen werden, wenn Deutschland Weltpolitik treiben wollte.

[26] »Hilfe«, VI. Jg., Nr. 1, 7. Jan. 1900, S. 2/3. Es hieß dort: England habe im 19. Jh. die Führung der Welt inne gehabt. Ihm gehörten die Erfindungen, die am Anfang des kapitalistischen Zeitalters standen; seine Industrie sei der des Kontinents um mindestens dreißig Jahre voraus. Seine Flotte habe seit der Schlacht bei Trafalgar unbestritten die Herrschaft auf dem Meere gehabt. »Von allen europäischen Staaten ist es der einzige, der dem starken Willen Napoleons I. sich nicht gebeugt hat. Die siegreiche Überwindung der Kontinentalsperre begründete seine dauernde wirtschaftliche Überlegenheit. Während die andern Frankreich besiegten, eroberte es französische und holländische Kolonien ... Während die andern dann 50 Jahre um europäische Fragen stritten, dehnte es seine Kolonien in allen Erdteilen ins Unermeßliche aus ... So ist es am ersten von allen aus einem europäischen Staate zur Weltmacht geworden.« Diese Ausdehnung des Territoriums sei begleitet gewesen von einer Demokratisierung des Staates. Wenn am Anfang des Jahrhunderts die englische Verfassung noch stark aristokratisch geprägt war, so wurde England bald in den Verfassungskämpfen des Festlandes das Vorbild aller Liberalen. »In London sind auch die Gedanken zuerst gedacht worden, die in der sozialistischen Arbeiterbewegung sich einen Ausdruck schufen: hier studierte Karl Marx das Wesen der kapitalistischen Gesellschaft, und hier lernte der frühere Marxist Bernstein die Tatsachen, die der marxistischen Lehre widersprechen. Was die Arbeiterbewegung selbst an Organisa-

Wenn Naumann – trotz des eindeutigen Vorsprungs, den England als Imperialmacht gegenüber dem Deutschen Reich besaß – empfahl, Deutschland solle den Schritt von einem Nationalstaat ohne imperialistische Ambitionen zur Weltmacht tun, so deshalb, weil er in der – im Vergleich zu anderen europäischen Staaten – sich besonders günstig ausnehmenden Bevölkerungsvermehrung Deutschlands und in seiner voranschreitenden Industrialisierung deutliche Symptome einer Aufwärtsentwicklung erblickte. Außerdem meinte er, daß Deutschland eine weltmachtpolitische Rolle von der Geschichte zugewiesen sei; denn die romanische Welt habe durch die Niederlage von 1870/71 endgültig »auf die große Zukunft verzichtet«[27]. Der »germanische Imperialismus« habe den französischen beerbt und mit diesem Erbe auch die Gegnerschaft Englands übernommen.

Die Alternative von internationaler und nationaler Politik setzte Naumann unter dem Eindruck des von der Geschichte diktierten deutsch-englischen Gegensatzes mit der Entscheidungsmöglichkeit einer pro- oder antienglischen Politik gleich. »Wer ›international‹ ist, der mag englisch denken, wer ›national‹ ist, muß antienglisch sein«[28]. Internationale Politik billigte Naumann nur den kleinen und den größten Nationen zu. »Die kleinen sind international, weil sie unter diesem Wort Schutz suchen, die Größten sind international, weil in diesem Wort für sie unendliche Herrschaft über alle anderen liegt. Mittlere Völker, wie Deutsche und Franzosen, müssen national sein«[29]. Die Regelung der Beziehungen zu den anderen europäischen Staaten war aus der Sicht der Nationalsozialen nur auf dem Hintergrund des deutsch-englischen Gegensatzes möglich.

Paul Rohrbach, der außenpolitische Experte der Nationalsozialen, wies mit Nachdruck auf die Notwendigkeit einer Intensivierung der deutsch-russischen Beziehungen hin[30]. Mit Blickrichtung auf England war man auch bereit, das Ver-

tionen geschaffen hat, in gewerkschaftlicher und genossenschaftlicher Arbeit, das hat ebenfalls in England seinen Ausgang genommen. Die englische Arbeiterschaft ist auch die erste gewesen, die den Zusammenhang zwischen Weltwirtschaft und Weltmacht, zwischen Handel und Schlachtflotte begriffen hat«.

[27] »Hilfe«, VI. Jg., Nr. 1, 7. Jan. 1900, S. 1 (Naumann: »Die Politik des Jahrhunderts«).

[28] »Hilfe«, VI. Jg., Nr. 10, 11. März 1900, S. 1. – Ähnlich in einer Rede Naumanns in Hamburg vom März 1899: »Für die europäischen Kontinentalmächte heißt international sein soviel wie englisch sein ... Völker, die sich selbst lähmen, die für ihre Machtpolitik keinen Sinn haben oder zu schwach sind, eine solche auszuüben, gehören von vornherein zu den Trabanten der ersten und zweiten vorhandenen Macht ... National aber heißt, daß wir Deutschen unsere Zukunft nicht aufgeben wollen, daß wir uns noch nicht von dem Dampfer »Großbritannia« in einen englischen Hafen schleppen lassen, sondern daß wir um unsere nationale Existenz zu kämpfen gesonnen sind ...« (Fr. Naumann: Weltpolitik und Sozialreform, Berlin 1899, S. 6. Siehe auch »Hamburger Nachrichten« vom 14. 3. 1899, Nr. 62; enthalten in: Acte in Sachen Nationalsozialer Wahlverein f. Hamburg u. Umgegend, Vers 700, Bd. 1, Polizei, Staatsarchiv Hamburg).

[29] »Hilfe«, V. Jg., Nr. 5, 29. Jan. 1899, S. 3.

[30] »Hilfe«, III. Jg., Nr. 42, 17. Okt. 1897, S. 2. – Der Äußerung Wilhelm Liebknechts, er stehe wie Karl Marx auf dem Standpunkt, daß der Sieg des Proletariats erst möglich werde, wenn Polen als Staat wieder hergestellt sei, begegnete Naumann 1899 mit dem Hinweis, daß dies auf ein gemeinsames kriegerisches Vorgehen von Deutschland und England gegen Rußland hinauslaufe. »Der Deutsche weiß aber«, so

hältnis zu Frankreich einer Revision zu unterziehen. Das Trennende zwischen beiden Ländern veranschlagte Naumann als unbedeutend »im Vergleich mit den großen gemeinsamen Interessen«[31]. Der gemeinsame Gegner in der Weltgeschichte sei das englische Riesenreich. »Überall, wo wir sind, sind auch die Engländer, denn sie sind eben an allen Stellen der Erde«[32].

Auf dem vierten Delegiertentag des Nationalsozialen Vereins betonte er, daß man »gegenüber der erdrückenden Übermacht Englands eine Annäherung Deutschlands an Frankreich« wünsche[33].

Naumann erwog darüberhinaus eine »mitteleuropäische Organisation«[34] als kontinentales Äquivalent gegenüber dem englischen Rivalen. Die Stellung, welche ein Teil der Nationalsozialen in den Jahren 1898/99 zu einem aktuellen politischen Vorgang bezog, war ebenfalls im wesentlichen durch ihre antienglische Gesinnung beeinflußt.

In den 90er Jahren waren im Osmanischen Staat lebende christliche Armenier mit der Gründung revolutionärer Komitees zum bewaffneten Aufstand übergegangen. Die Türken hatten bei einer Vergeltungsaktion Hunderttausende unschuldiger Armenier in grausamer Weise hingemordet. Während breite Kreise der Öffentlichkeit in Europa eine Intervention der Großmächte verlangten, beschränkten sich diese im wesentlichen darauf, in Form von Protestnoten bei der Regierung an der Pforte vorstellig zu werden. Die Nationalsozialen standen vor der Alternative, ob sie für die christlichen Armenier oder für den mit dem Deutschen Reich befreundeten Sultan Partei ergreifen sollten. Die Frage nach der Priorität von christlicher Grundhaltung oder nationalem Machtstaatsprinzip war aufgeworfen.

Schon auf dem Vertretertag in Darmstadt im Jahre 1898 kam es zu einer Konfrontation zweier Strömungen innerhalb des Vereins, nachdem die »Hilfe« in einer kühlen Antwort auf den Protest süddeutscher Vereinsfreunde gegen das Vorgehen des Sultans reagiert hatte. Von Gerlach, der die Unterschiedlichkeit der Standpunkte als einen Gegensatz von »sentimentalischer« und »praktischer« Politik bezeichnete und dem Vertretertag das Recht absprach, ein sittliches Urteil zu fällen[35], erhielt Unterstützung durch Naumann. Die Arbeit für das eigene Volk betrachtete er als »eine näher liegende sittliche Pflicht, als gegen ein großes moralisches Unrecht in einem *anderen* Volke zu kämpfen«. »Wir haben eine moralische Verpflichtung für das eigene Volkswohl, die mit der zweiten moralischen

meinte Naumann, »daß die Gefahr des Aufgehens im Engländertum für ihn schon immer eine große gewesen ist ... Der Anschluß an Russen und Franzosen ist in dieser Richtung viel weniger gefährlich« (Fr. NAUMANN: Weltpolitik und Sozialreform, S. 7).

[31] »Hilfe«, V. Jg., Nr. 5, 29. Jan. 1899, S. 3.

[32] ebd., S. 3.

[33] Protokoll über die Verhandlungen des Nationalsozialen Vereins, (4. Vertretertag) zu Göttingen vom 1.–4. Okt. 1899, Berlin (1899), S. 34. – Solche Äußerungen standen in einem gewissen Gegensatz zu der Auffassung, Deutschland habe als imperialistische Großmacht das Erbe Frankreichs angetreten, siehe oben S. 69.

[34] ebd., S. 34.

[35] Protokoll über die Verhandlungen des Nationalsozialen Vereins (3. Vertretertag) zu Darmstadt vom 25.–28. September 1898, Berlin (1898), S. 51.

Verpflichtung kämpft, anderen beizuspringen, wenn es nötig ist«[36]. Deutete sich schon hier im Ansatz der Versuch an, den Gegensatz von Ethos und Macht zu entschärfen, indem Naumann dem nationalen Machtkampf ebenfalls eine sittliche Kategorie beimaß, so wurde dieses Bemühen auf dem Vertretertag des nächsten Jahres in Göttingen noch augenfälliger. In der Zwischenzeit hatte Naumann eine Reise in die Länder rund um das östliche Mittelmeer unternommen; er war Wilhelm II. gefolgt, welcher der Türkei, Damaskus und Jerusalem einen demonstrativen und spektakulären Besuch abgestattet hatte[37].

Naumann lehnte es in Göttingen nachdrücklich ab, den Zwiespalt als einen »Konflikt zwischen Moral und Machtpolitik« aufzufassen: »Indem wir des deutschen Volkes Macht vertreten und damit die Verteidigung und Erhaltung großer sittlicher und christlicher Güter übernehmen, entscheidet für uns die Tatsache, daß der ungeschwächte Bestand des Deutschtums in der Welt ungleich wichtiger ist als die gesamte armenische Frage«[38]. Denn im »deutschen Volkstum« liege »ein Kapital von wahrhaft sittlicher Kraft«, »an dem noch einmal die Welt genesen« solle[39]. Der Nationalsoziale Verein stehe deshalb nicht vor der Alternative von »Macht oder Ethik«, sondern vor der Entscheidung für eine »Politik der Macht« oder eine »Politik der Nachgiebigkeit« gegenüber England[40].

Das nationale Machtprinzip, das Naumann jetzt mit letzter Konsequenz verfocht, erhielt einen besonderen Akzent dadurch, daß er seine Berechtigung mit den angeblichen Qualitäten des Deutschtums begründete. Nicht nur der dem deutschen Volkstum zugesprochene profane Heilscharakter[41], sondern auch die Verbrämung eines verabsolutierten Machtgedankens mit sittlichen Kategorien hat aus heutiger Sicht eine ernüchternde und abschreckende Wirkung zugleich[42]. Um so erstaunlicher ist es, daß Naumann mit dieser Erklärung die Debatte über die Armenierfrage innerhalb des Vereins zu einem Ende brachte.

In den Jahren 1898/99 beschäftigten sich die Nationalsozialen – an ihrer Spitze Friedrich Naumann – mit dem Erlaß des Zaren vom August 1898, in dem dieser eine Konferenz der europäischen Mächte vorgeschlagen hatte, die eine allgemeine Abrüstung zum Ziele haben sollte. Mit aller Skepsis wurde der »weichherzige Erlaß« des Zaren schon in einer ersten Stellungnahme der »Hilfe« kommentiert[43]. Eine Teilnahme Deutschlands an einer solchen Friedenskonferenz betrachtete man nur in jenem Falle als geboten, wenn sie ohne England stattfinden würde,

[36] ebd., S. 52.

[37] Die literarische Frucht der Reise Naumanns war sein Buch »Asia«.

[38] Protokoll, Vertretertag Göttingen, 1899, S. 33.

[39] ebd., S. 34.

[40] ebd., S. 34.

[41] Wenig später tauchte im Vokabular Naumanns auch ein Begriff wie »deutsches Herrenvolk« auf (Fr. NAUMANN: Deutschland u. Österreich, S. 15).

[42] In der gleichen Stellungnahme führte Naumann aber auch nachdrücklich das handfeste politische Argument ins Feld, daß »die armenierfreundliche Stellung unsererseits ... eine wirkliche, wenn auch ungewollte Unterstützung englischer Weltausdehnungspolitik« sei (Protokoll, Vertreterversammlung Göttingen, 1899, S. 34). Ebenso in einer »Briefkasten«-Notiz der »Hilfe« (IV. Jg., Nr. 50, 11. Dez. 1898, S. 6) nach seiner Rückkehr aus dem Orient: »Entweder wir sind für die Armenier, dann tun wir die Geschäfte Englands, oder wir sind für die Türken, dann können wir eine nationaldeutsche Politik weiterführen«.

[43] »Hilfe«, IV. Jg., Nr. 36, 4. Sept. 1898, S. 2.

denn dann könne die Konferenz »eine Art militärisches Syndikat, in dem die militärische Produktion gegenüber einer englisch-amerikanischen Konkurrenz geregelt« werde, vorbereiten[44]. Bei einer Beteiligung Englands liefe aber die Abmachung auf »einen Vertrag der beiden großen Weltmächte auf Kosten aller übrigen hinaus«[45].

War also auch hier wieder die Stellung Englands Kriterium dafür, wie man das Angebot des Zaren auffassen sollte, so begegnete man dem Erlaß, dessen Stil »lebhaft an Bertha von Suttner« erinnere, auch grundsätzlich mit großer Skepsis, da man in ihm einen diplomatischen Schachzug der russischen Politik zu erkennen glaubte[46]. Den Versuch, auf dem Wege der Diplomatie internationale, alle Nationen verpflichtende Regelungen auszuhandeln, charakterisierte Naumann schließlich in einem Vortrag, dem er den Titel »Zar und Weltfrieden« gab, als utopisches Unterfangen, da er im Widerspruch zu einem unumstößlichen Naturgesetz stehe. Denn es gebe »tatsächlich in der Menschheitsgeschichte einen Kampf ums Dasein auch zwischen den Völkern, bei dem die einen steigen, die anderen sinken«[47]. Angesichts dieser darwinistisch-getönten Geschichtsauffassung wollte Naumann der Diplomatie nur eine diesen Kampf mildernde Funktion einräumen.

Das biologisch-deterministische Entwicklungsdenken Naumanns[48] enthielt aber auch eine materialistische Komponente. Denn »die Kämpfe der steigenden und sinkenden Völker« seien verbunden »mit dem Kampf um den wirtschaftlichen Besitz der Erdkugel«. »Solange einer das nicht aufhalten kann, daß es wachsende und abnehmende Völker gibt, daß ein Volk größere Bedürfnisse bekommt als ein anderes, solange einer nicht verhindern kann, daß die Millionen, die wachsen, auch essen wollen, solange einer die natürlichen Triebe der Vermehrung und des Essenwollens nicht hemmen kann, bringt auch keiner die Ursachen aus der Welt, warum immer wieder der Kampf ums Dasein aufsteigt ... zwischen Staat und Staat.«

Deutschland als eine Macht mittlerer Größe habe, so meinte Naumann, keine andere Möglichkeit, als den Krieg als ein Mittel zur Selbstbehauptung der Nation und zur Erweiterung seines Einflusses ins Kalkül zu ziehen. »Die Deutschen dürfen nicht vergessen«, so gab er mit unmißverständlicher Klarheit zu verstehen, »daß das neue deutsche Reich auf Krieg aufgebaut ist«[49]. Der Gedanke, daß letztlich nur ein weltumspannender kriegerischer Konflikt Deutschland in den Stand setzen werde, sich gegen die Weltmacht England zu behaupten, wurde für die Nationalsozialen eine feststehende Gewißheit[50].

[44] ebd., S. 2.

[45] ebd., S. 2.

[46] ebd., S. 2.

[47] Friedrich NAUMANN: Zar und Weltfrieden, Berlin 1899, S. 11.

[48] Nach Wolfgang Schieder, in: Friedrich Naumann, Werke, Bd. 4, S. 378. Naumann hat in seinem Buch »Neudeutsche Wirtschaftspolitik« aus dem Jahre 1902 dem von Hegel begründeten idealistischen Entwicklungsgedanken und der materialistischen Geschichtsauffassung die »entwicklungsgeschichtliche« gegenübergestellt (Siehe hierzu W. CONZE, Festschrift für S. Kaehler, S. 360).

[49] Fr. NAUMANN: Zar und Weltfrieden, S. 14.

[50] In einem Aufsatz Naumanns in der »Hilfe« vom 11. März 1900 (VI. Jg., Nr. 10, S. 1) heißt es: »Wenn irgend etwas in der Weltgeschichte sicher ist, so ist es der zukünftige ›Weltkrieg‹, das heißt der Krieg derer, die sich vor England retten wollen«.

Der Burenkrieg, der im Oktober 1899 ausbrach, war den meisten Nationalsozialen insofern willkommen, als er eine stimulierende Wirkung auf die latent vorhandene antienglische Stimmung in Deutschland haben mußte[51]. Mit der gegen England gerichteten Propaganda näherte sich der Verein in auffälliger Weise der antienglischen Agitation des Alldeutschen Verbandes[52].

Welche welthistorische Bedeutung die Nationalsozialen dem Unabhängigkeitskrieg der Buren zumaßen, läßt ein Aufsatz Naumanns vom März 1900 in der »Hilfe« erkennen[53]. »Die Buren verteidigen tatsächlich ein Stück deutsche Zukunft«, heißt es dort, »denn sie sind ein Pfahl im Fleische Englands. Sie schießen für uns, bluten für uns, denn jeder schießt und blutet für uns, der gegen England kämpft«[54]. England sei »die alle Volksselbständigkeit, alle Nationalität auf Erden bedrohende internationale Weltmacht, ein neues Römervolk gebärend, das alle Volkseigenart der bekannten Welt zerstört, . . . erdrosselt«[55].

Der nationale Machtgedanke hatte für Naumann um die Jahrhundertwende eine solche Mächtigkeit erlangt, daß er ihn mit der ganzen ihm zu Gebote stehenden Variationsbreite seines journalistischen und rhetorischen Ausdrucksvermögens verfocht. Dabei schreckte er auch nicht vor in ihrer Radikalität schockierenden Formulierungen zurück. Nüchterne kriegstechnische Überlegungen wechselten mit ans Mystische grenzenden Betrachtungen über den Wert des deutschen Volkstums für die Zukunft der Menschheitsgeschichte.

Ein Höhepunkt in Naumanns hypertropher imperialistischer Agitation war seine Stellungnahme zu einer Kaiserrede am 27. Juli 1900 in Bremerhaven, mit welcher Wilhelm II. eine deutsche Expeditionstruppe verabschiedete, deren Aufgabe es sein sollte, den in China ausgebrochenen Boxeraufstand niederzuschlagen. Im Zusammenhang mit den chinesischen Unruhen war der deutsche Gesandte in Peking, von Ketteler, ermordet worden.

Wilhelm II. entließ die Soldaten mit einer hochtönenden Rede. »Pardon wird nicht gegeben, Gefangene werden nicht gemacht«, rief er der Truppe zu[56]. »Führt eure Waffen so, daß auf tausend Jahre hinaus kein Chinese mehr es wagt, einen Deutschen scheel anzusehen«[57].

[51] In der »Hilfe« vom 29. Oktober 1899 (V. Jg., Nr. 44, S. 2) heißt es: »Es ist eine unleugbare Tatsache, daß gerade der Burenkrieg in allen nationalen Kreisen unseres Volkes eine neue starke Mißstimmung gegen England geweckt hat, und . . . es ist gut, daß es so ist; denn Mißtrauen gegen England muß immer und überall der Grundton unserer auswärtigen Politik sein«. Martin Wenck äußerte sich im gleichen Sinne in der »Hilfe« (V. Jg., Nr. 46, 12. Nov. 1899, S. 1): »Das politisch Wertvolle für uns liegt in dem vielseitigen Erwachen antienglischer Stimmung in Deutschland, wie sie jetzt zu Tage tritt«.

[52] Naumann charakterisierte das Verhältnis der Nationalsozialen zu diesem Verband kritisch-wohlwollend, wenn er meinte, daß es frei und deutsch gesinnten Männern leichter falle, die Verdienste des Verbandes anzuerkennen, würde dieser eine unmißverständlich zustimmende Erklärung zum allgemeinen, gleichen und geheimen Reichstagswahlrecht abgeben (Fr. NAUMANN: Deutschland und Österreich, S. 7).

[53] »Hilfe«, VI. Jg., Nr. 10, 11. März 1900, S. 1.

[54] ebd., S. 1.

[55] ebd., S. 1.

[56] Kaiserreden. Reden und Erlasse, Briefe und Telegramme Kaiser Wilhelms des Zweiten. Ein Charakterbild des deutschen Kaisers, Leipzig 1902, S. 358.

[57] ebd., S. 358.

Während die liberale und sozialdemokratische Presse die Kaiserrede einer heftigen Kritik unterzog, stimmte Naumann ihrem Inhalt grundsätzlich zu[58]. Er meinte, daß die deutschen Truppen in China gar nicht in der Lage seien, größere Gefangenenbestände zu machen: »Was sollen wir machen, wenn es 50 000 Chinesen einfällt, sich uns zu ergeben? Dann bewachen und ernähren wir diese gelben Brüder und sind dadurch kampfunfähig«[59].

Der zum Teil leidenschaftliche Widerspruch, den Naumanns Aufsatz in nationalsozialen Kreisen erfuhr, schlug sich nieder in einer Reihe von Leserzuschriften an die »Hilfe«. Während Naumann seine harte Position in einem Brief vom 18. 8. 1900 an seinen Schwager Martin Rade revidierte, indem er einräumte, daß man den Gefangenen »Pardon« gewähren solle – »von großen Gefangenschaften ohne Pardon« habe er »nie etwas gelesen«[60] –, reagierte er auf die Protestbriefe öffentlich mit einer scharfen Entgegnung in der »Hilfe«.

Die Kaiserrede war der Anlaß, daß die Antinomie von christlicher Ethik und Machtpolitik, die für Naumann seit 1895 eine reflektierte Gegebenheit war, ihm und seinen Anhängern nun mit aller Schärfe ins Bewußtsein trat. Naumann wies eine Berufung auf das Christentum, d. h. auf Jesus, bei der Entscheidung, ob man das Recht der Kriegsführung für sich beanspruchen dürfe, zurück. »Jesus (hat) mitten im Frieden des römischen Weltreichs gelehrt und gelebt ... Niemand kann wagen, die Frage zu beantworten: Wie würde der Sohn Gottes in einem politisch leistungsfähigen Volke, das um seine politische Zukunft zu kämpfen hat, sich verhalten haben«?[61]

Naumann unterließ nun den Versuch des Vorjahres, ein nationales, machtpolitisches Denken und Handeln als eine ethische Pflicht sui generis auszuweisen; er warf vielmehr die Frage nach dem Wesen der Politik auf, nämlich, ob sie »angewendete Ethik« oder »Technik der Machtverhältnisse« sei[62].

Für Naumann konnte nur die zweite Möglichkeit in Frage kommen, da der »Kampf der Nation um ihr Leben«[63] das Wissen um Macht und das Vermögen ihrer Anwendung im politischen Bereich voraussetzt.

Sah Naumann zu diesem Zeitpunkt das nationale Machtprinzip in einer Wertüberzeugung außerethischer Art verwurzelt, so glaubte er dennoch – wie er in einem Brief an Rade schrieb –, daß sein Standpunkt »ethisch nicht minderwertig ist«, aber er werde wohl, so fügte er mit einem Anflug der Resignation hinzu, »zu schwach sein, um die lange Tradition, die gegen mich ist, zu durchbrechen«[64].

Naumanns Stellungnahme zur Kaiserrede war der Anlaß für den Austritt mehrerer Theologen aus dem Verein. Außerdem kam es auf dem Delegiertentag im Oktober 1900 zum ersten Male in der Vereinsgeschichte zu einem Affront gegen den Vereinsvorsitzenden. Adolf Damaschke brachte eine Resolution ein,

[58] »Hilfe«, VI. Jg., Nr. 31, 5. Aug. 1900, S. 2.
[59] ebd., S. 2.
[60] DZA Potsdam, Nachl. Naumann, Aktz. 126, (Naumann an Rade vom 18. 8. 1900, Briefabschrift), Bl. 101.
[61] »Hilfe«, VI. Jg., Nr. 33, 19. Aug. 1900, S. 6.
[62] ebd., S. 6.
[63] ebd., S. 6.
[64] DZA Potsdam, Nachl. Naumann, Aktz. 126, (Naumann an Rade vom 10. 8. 1900, Briefabschrift), Bl. 99.

wonach der Vertretertag erklären möge, »daß die Haltung der ›Hilfe‹ zu dem Wort ›Pardon wird nicht gegeben‹ eine Privatmeinung der Hilferedaktion« darstelle, »für die die Nationalsozialen als solche die Verantwortung nicht zu tragen haben«[65]. Hatte Damaschke seiner Resolution die persönliche, gegen Naumann gerichtete Spitze dadurch genommen, daß er verbal die Redaktion der »Hilfe« zum Zielpunkt seines Angriffes machte, so war es doch faktisch die Absicht des stellvertretenden Vereinsvorsitzenden – wie er später äußerte –, »einmal öffentlich festzustellen«, daß man keine »Personalgemeinde Naumanns« sei, »sondern daß jeder ... das Recht habe, auch seine Worte abzulehnen«[66].

Die Bemerkung Damaschkes, daß sich »ein einfaches menschliches Empfinden« »dagegen aufbäumt«, einen solchen Befehl, wie den des Kaisers »als Grundsatz, als Regel anzuerkennen«[67], griff Naumann auf, indem er das »rein Menschliche« als das »noch nicht durch komplizierte moderne Kultur und Rechtsanschauung« Hindurchgegangene bezeichnete, das in einer Antithese zum »zivilisierte[n] Menschliche[n]« stehe. Die Ethik, deren Nährboden die Zivilisation sei, habe aber keine Daseinsberechtigung dort, wo die Zivilisation fehle[68]. Aber dieses mehr vordergründige Argument, das die Berechtigung der Kaiserworte mit der Unzivilisiertheit des chinesischen Gegners motivieren sollte, fand seine grundsätzliche Ergänzung durch Naumanns darwinistische Geschichtstheorie: »Aufwärtssteigende Völker«, »Völker, die auf eigene Zukunft Hoffnung haben«, seien eher »zu scharf und schroff gewesen«, niedergehende Völker dagegen seien geneigt gewesen, »den allgemeinen Gedanken des Mitleids auszudehnen«[69]. Der eindrucksvollste, wenn auch seinem Inhalt nach einseitige Diskussionsbeitrag in der Delegiertenversammlung, die den Antrag mit geteilter Meinung anfnahm, war jener von Sohm. Die Frage, ob man Gefangenen Pardon geben solle, war aus seiner Sicht ein kriegstechnisches Problem. Denn jede Kriegführung müsse als oberstes Ziel den Erfolg im Auge haben. Die grundsätzliche Frage bestehe aber darin, ob »überhaupt Krieg zulässig ist«[70]. Sohm meinte, diese Frage bejahen zu müssen, denn der Staat verdanke seine Entstehung dem Krieg, »und um des Krieges willen ist der Staat da«[71].

Angesichts der in der Versammlung zutage tretenden Divergenzen in dieser Grundsatzfrage und um eine Kraftprobe zu vermeiden, zog Damaschke seine Resolution zugunsten einer inhaltlich ziemlich abgeschwächten »modifizierten Tagesordnung« zurück, wonach in der nationalsozialen Bewegung nur Beschlüsse des Vertretertages für den einzelnen verbindlich seien.

Die Gefahr einer möglichen Desavouierung des Vereinsvorsitzenden bei der Abstimmung über den Antrag war durch den Rückzug Damaschkes vermieden worden. – Dennoch war – wie Naumann im politischen Jahresbericht feststellte – der Diskussionsgegenstand für den Verein weiterhin ein »offenes Problem«[72].

[65] Protokoll über die Verhandlungen des Nationalsozialen Vereins (5. Vertretertag) zu Leipzig vom 30. Sept.–3. Okt. 1900, Berlin (1900), S. 37.

[66] A. Damaschke: Zeitenwende, S. 395.

[67] Protokoll, Vertreterversammlung Leipzig, 1900, S. 37.

[68] ebd., S. 40.

[69] ebd., S. 40.

[70] ebd., S. 51.

[71] ebd., S. 51.

[72] ebd., S. 55.

Unter dem Eindruck der Auseinandersetzung auf dem Leipziger Delegiertentag versuchte Naumann zwei Wochen später in einem Vortrag, den er in Hamburg hielt, ein Fazit aus der Debatte über die Kaiserrede zu ziehen.

Er unterschied deutlich zwischen politischer Aktion und christlicher Mission. Er könne sich nicht mit der Idee befreunden, »als sei der Krieg gegen China eine Art christlicher Mission«[73]. »Daß man mit Krupp'schen Kanonen die Gesinnungen der Völker zum Evangelium wenden will, ist in meinen Augen ein unmöglicher Gedanke. Was wir in China zu tun haben, ist weder Rache noch Mission, sondern die Herstellung von politisch geordneten Verhältnissen, die es dem modernen Verkehr und insbesondere auch dem deutschen Handel ermöglichen, den großen Markt des zahlreichsten Volkes der Erde zu eröffnen«[74]. Die Frage, ob man Gefangenen Pardon geben solle, bezeichnete er – ebenso wie Sohm auf dem Delegiertentag – als eine nicht vom Christentum her zu beantwortende, sondern rein kriegstechnische Frage[75].

Daß die Leipziger Rede Sohms einen nachhaltigen Eindruck bei Naumann hinterlassen hatte, wird durch seinen Hamburger Vortrag in auffälliger Weise dokumentiert.

Naumann griff ein Beispiel Sohms auf, wenn er meinte, daß man durchaus als Christ zum Krieg stehen könne wie Leo Tolstoi, »der den Grundsatz der leidenden Geduld so weit ausgedehnt hat, daß er unter keinen Umständen zulassen wollte, daß jemand sich mit der Waffe in der Hand verteidigt«. Es seien aber nur sehr wenige, die diesen Grundsatz in ihrem eigenen Leben durchzuführen imstande sind. Aber selbst wenn der einzelne sein Leben nach dieser Grundvorstellung ausrichte, so könne ein Staat »nach keinem anderen Recht urteilen als nach dem alttestamentarischen Recht: Aug' um Auge, Zahn um Zahn«[76].

Es ist sicherlich nicht verfehlt, zu sagen, daß Naumanns Reflexion über das Verhältnis von christlichem Ethos und nationaler Machtidee im Jahre 1900 zu einer Klärung gelangt war. Naumann hatte bereits gegen Ende des Jahres 1895 die Notwendigkeit einer Trennung von Religion und Politik grundsätzlich erkannt; diese wurde aber von ihm und seinen Gesinnungsfreunden aufgrund ihrer christlich*sozialen* Vergangenheit primär als eine Scheidung von christlicher Glaubenslehre und *sozial*politischem Handeln verstanden.

Durch das Übermächtigwerden der zweiten konstitutiven Komponente nationalsozialen Denkens – der Idee des nationalen Machtstaates – schon in den ersten Jahren der Existenz des Vereins mußte den Nationalsozialen das Spannungsverhältnis zwischen einem christlichen »Idealismus« und einem machtpolitischen »Realismus« nachdrücklich ins Bewußtsein treten. Im Jahre 1900 sah Naumann keine Möglichkeit mehr für einen Brückenschlag zwischen beiden Wertsphären, der christlich-ethischen und der machtpolitischen. Ihm war bewußt, daß – wie Nürnberger es formuliert – »beide« (Wertsphären) »auseinan-

[73] Fr. NAUMANN: Weltpolitik und Bürgerpolitik. Vortrag Naumanns in Hamburg am 16. 10. 1900, als Sonderdruck des »Nationalsozialen Vereins f. Hamburg u. Umgegend« erschienen; enthalten in Vers 700, Bd. 1, Acte in Sachen Nationalsozialer Wahlverein f. Hamburg u. Umgegend, Polit. Polizei, Staatsarchiv Hamburg, S. 8.

[74] ebd., S. 8.

[75] ebd., S. 9.

[76] ebd., S. 9.

derklaffen und nicht in ein dynamisches Spannungsverhältnis zueinander gebracht werden können«[77].

Ungleich zwiespältiger als im Jahr 1896, als die »jüngeren« Christlichsozialen bereit waren, die von Sohm und Naumann postulierte grundsätzliche Trennung von Religion und Politik und die Idee des nationalen Machtstaates zu akzeptieren, war die Aufnahme der verabsolutierten Machtstaatsidee Naumanns im Jahre 1900. Zweifellos war die überwiegende Mehrheit nicht bereit, Naumann die Gefolgschaft zu versagen, wenn dieser seine nationale Machtidee verbal mit letzter Konsequenz vertrat; dennoch hatte sich innerhalb des Vereins eine – wenn auch nicht übermächtige – Opposition zu Wort gemeldet, welche sich einer Verabsolutierung des Machtgedankens im Naumannschen Sinne versperrte.

Gegen Ende des Jahres 1900 steckte Naumann in Briefen an Martin Rade und Gottfried Traub seine durch die Auseinandersetzungen des vergangenen Jahres geklärte Position zur christlichen Ethik ab: An Rade schrieb Naumann: »Wenn ich gegen die Ethiker etwas unleidlich geworden bin, so liegt es an der traditionellen Überschätzung der Ethik, die sich als Meisterin allen Handelns ansieht. Sie ist ein Faktor unter anderen, ein Teil unserer ganzen Seele. Daß Du die Naturhaftigkeit der staatlichen Bewegungen und die formale Ungebundenheit verantwortlicher Gewissen anerkennst, ebnet den Boden der Verständigung sehr ... Es ist furchtbar leicht, sich auf eine ethische Kathedra zu setzen und von der aus zu verlangen, wie die Welt sein soll. Erst soll man selber etwas zur Besserung tun. Daß die christl. Kreise so wenig Personen schaffen, die praktische Dinge in ihrem Wesen erfassen, ist mir betrübend, da ich gern und immer Christ bleiben möchte. Fast alles aber, was ich jetzt von dorther sehe und erfahre, erschwert diese innere Haltung. Ist das der Beweis des Geistes und der Kraft«?[78]

Der wenige Tage später an Gottfried Traub geschriebene Brief wird thematisch ganz durch die Polarität von christlicher Ethik und politischer Macht beherrscht. Ein wie auch immer gearteter Versuch, die Diskrepanz zwischen beiden Bereichen zu mildern, ist für Naumann letzten Endes nichts weiter als eine Selbsttäuschung. Eine Entschärfung des Konflikts mit Hilfe der These, »die christliche Moral« gebe »kein inhaltlich bestimmbares Ziel« an, erscheint ihm »zweifelhaft«[79]. Naumann glaubt, das irdische Ziel des Christentums erkennen zu können: »... Dem Evangelium ... schwebt ein Ideal von ethischem Kommunismus, gegenseitigem Dienst u. Abweisung alles Herrschaftswillens vor. Ich beuge mich diesem Ideal nicht, da es nur einen Teil dessen sagt, was zur Erhaltung der Menschheit nötig ist, aber ich bin geneigt, zuzugeben, daß dieses materiell bestimmbare Ideal christlich ist«[80]. Diese der christlichen Ethik immanente Zielvorstellung ist unvereinbar mit dem, was der Begriff der politischen Macht beinhaltet, den Naumann voluntaristisch definiert als »Herrschen wollen durch Beugung menschlicher Willen«[81]. Auch bestimmte Verhaltensweisen Christi, so sein

[77] R. NÜRNBERGER: Imperialismus, Sozialismus und Christentum, S. 533.

[78] DZA Potsdam, Nachl. Naumann, Aktz. 126, (Naumann an Rade vom 20. 12. 1900, Briefabschrift), Bl. 59.

[79] BA, Nachl. Gottfried Traub, Nr. 66 (Naumann an Traub vom 27. 12. 1900).

[80] ebd.

[81] ebd.

»Kampf gegen die Pharisäer«, dürften nicht als »Machtstreben« beurteilt werden; denn »er« (Jesus) »protestiert, wie es der Vorwärtsredakteur tut, aber er hat dabei nicht die Absicht, sich an Stelle der bisherigen Macht als neue Macht zu setzen«[82].

Naumann will sich zwar nicht als Anhänger uneingeschränkter politischer Macht verstehen – er spricht davon, daß der Machtwille »seine internen Grenzen« haben muß, »wenn er nicht seinem Inhaber verhängnisvoll werden soll«[83] –, die Grenze zwischen erlaubter Macht und unerlaubter »Barbarei« vermag er jedoch nicht zu ziehen[84].

Keinen Zweifel aber läßt Naumann auch nach dieser postulierten Selbstbeschränkung des Machtwillens daran, daß bewußter Verzicht auf äußere Machtausübung nach seiner Meinung nicht erst Bedingung für eigentliche Macht sein könne: »Der Satz, daß ein Mangel an Macht die Voraussetzung der größten Machtäußerung ist – ›wenn ich schwach bin, so bin ich stark‹ –, ist eines der vielen neutestamentlichen Oxymora, die ich schwer in nüchterne Logik umsetzen kann: Ist die Schwäche die Ursache der Macht? Doch wohl nicht. Das Bewußtsein, schwach zu sein, kann zu Anstrengung, Gebet, Besinnung veranlassen«[85]. Ja, Naumann glaubt, daß der dem Gedanken der Macht fernstehenden christlichen Religion letztlich nur im Bündnis mit politischer Machtentfaltung ein Erfolg beschieden sei: »Der Sieg des Christentums« hänge doch schließlich »vom politischen Siege der europäischen Mächte ab«. Eine Niederlage dieser Staaten gegenüber den asiatischen Völkern bedeute auch das Ende christlicher Missionstätigkeit: »Sollten die asiatischen Völker in der Schule des Abendlands soviel neue Technik u. Energie gewinnen, daß sie im Verlauf von 100 Jahren uns politisch überflügeln, so scheint mir, daß das zugleich das Ende der christl. Mission sein würde. Es ist ja denkbar, daß sich trotzdem das Christentum durchsetzt, aber doch sehr zweifelhaft. Dieser Gesichtspunkt hilft dem Christen etwas, sich die Machtpolitik zurechtzulegen, ändert aber nichts an der Getrenntheit der Arbeit beider Gebiete«[86].

Der Brief Naumanns an Traub ist vor allem dadurch bedeutsam, daß sein Schreiber das Christentum nur aus seiner historischen Bedingtheit heraus zu begreifen gewillt ist und somit der christlichen Ethik nicht eine absolute, normative, sondern geschichtlich begrenzte Bedeutung zuerkennt. Diese Betrachtungsweise führt dazu, daß Naumann nicht länger bereit ist, von der Ethik schlechthin zu sprechen: »Man muß grundsätzlich aufhören, ›die Ethik‹ als Einheit zu betrachten. Ethik ist ein Gattungsname wie etwa ›die Architektur‹, ›die Jurisprudenz‹. Innerhalb der Gattung gibt es verschiedene getrennte Stile u. Auffassungsweisen: antik, romanisch, gotisch, italienisch, maurisch u.s.w. Erst vom Standpunkt des bestimmten Stiles aus läßt sich etwas als wichtig oder nicht [wichtig] beurteilen. So ist Christentumsethik u. Aufklärungsethik, antike

[82] ebd.
[83] ebd.
[84] Im gleichen Brief konzediert Naumann: »Es ist denkbar, daß Wilhelm II. schon das Maß des Möglichen überschritt, auch denkbar, daß er Barbarei wollte. Im letzteren Falle würde ich mit Ihnen sein Wort preisgeben müssen . . .«.
[85] ebd.
[86] ebd.

Staatsethik u. moderne Nationalethik, aristokratische u. demokratische Gesellschaftsethik u.s.w. zu einem ethischen Stilchaos zusammengeflossen, das sich der genaueren Analyse fast entzieht. Es steht Ethik gegen Ethik«[87].

»Die leichteste Lösung« der Pluralität der ethischen Stile zu entrinnen, bestände darin – so meint Naumann –, daß der Mensch nur einen Stil sein eigen nennen solle, etwa den christlichen. Diese Lösung falle jedoch fort, da sie »ein Rückfall in überwundene Einzelperiode« sei. »Wir bleiben also im Chaos!« resümiert er und folgert: »... damit bleiben wir in den Konflikten u. in der Gefahr steter Heuchelei«[88].

Naumann, der diese Betrachtungsweise selbst als »pessimistische Anschauung« charakterisiert, sucht für sich – nach seinen eigenen Worten – »das Christentum trotz entschiedener Staatsgesinnung behalten zu können« und bezeichnet dieses Bestreben als »Parallelgebrauch an sich verschiedener Ethiken«[89]. »In diesem Parallelgebrauch« werde – so wird ausdrücklich hervorgehoben – »der Konflikt als permanent erklärt«, denn: »Keinesfalls genügt die christliche Ethik allen vorhandenen Lebensbedürfnissen, wenn man sie in ihrer galiläischen Ursprünglichkeit nimmt. Das ist mir«, so betont Naumann, »der ich theoretisch und praktisch nach der Moral Jesu gesucht habe, zur schmerzlichen Gewißheit geworden ...«[90].

c) Das wechselseitige Verhältnis von monarchischem und demokratischem Prinzip

Naumanns Intention, sein Konzept einer Synthese von Sozialismus und Nationalismus durch Gründung des Nationalsozialen Vereins parteipolitisch fruchtbar zu machen, ist nur dann ganz in ihrem historischen Bedeutungsgehalt zu erfassen, wenn man Naumanns Stellung zur monarchischen Staatsgewalt mit in die Betrachtung einbezieht. Da Naumanns Monarchie-Verständnis in keinem wesentlichen Punkte von dem der anderen Nationalsozialen abweicht, ja er es sogar gewesen ist, der durch seine rhetorische und publizistische Tätigkeit der spezifisch nationalsozialen Vorstellung eines deutschen Kaisertums zur größten Ausdruckskraft und propagandistischen Wirkkraft verholfen hat, ist es nicht verfehlt, den Blick hauptsächlich auf Naumanns Stellung zum monarchischen Prinzip einzugrenzen. Die Naumannsche Synthese von Sozialismus und Nationalismus erhielt ihren wesentlichen Akzent dadurch, daß sich Naumann

[87] ebd.
[88] ebd.
[89] ebd.
[90] ebd. – Im gleichen Brief wirft Naumann auch die Frage nach dem Fortschritt in der Geschichte auf, ohne sie jedoch selbst zu beantworten. Er bezeichnet die Frage, ob aller vermeintlicher Fortschritt nicht letztlich doch ein Rückschritt sei, als eine »Fundamentalfrage für philosophische Ethik«, wohingegen die »christliche Ethik« »sie außer acht lassen« könne, »da Christentum von Haus aus gläubiger Optimismus« sei. – Naumann erwähnt in diesem Zusammenhang, daß er »vor kurzer Zeit« ein Gespräch mit dem »alten Mommsen« führte, in dem dieser alle Weltverbesserungsgedanken »grausam« ironisiert habe. Mommsens »Schlußwort« sei gewesen: »Predigen Sie uns weiter Fortschritt, es wird doch nichts helfen!« »Mich hat es tief ergriffen«, bekennt Naumann, »daß das das Ergebnis aller seiner historischen Arbeit ist« (ebd.).

ihre Realisierung nur unter der politischen Führung des Kaisertums vorzustellen vermochte. Eine Einflußnahme der breiten Massen, vor allem der Arbeiterschaft, auf die Gestaltung und Richtung der Politik schien ihm nur dann Aussicht auf Verwirklichung zu haben, wenn diese ein Bündnis mit dem Kaiser einzugehen bereit waren. Dieser Gedanke eines nationalen Volkskaisertums, der Naumann seit Gründung des Vereins beherrschte und den er – obwohl die politische Wirklichkeit ihm deutlich genug widersprach – mit Festigkeit und Ausdauer verfocht, war die ideelle Basis für »Demokratie und Kaisertum«, seine bedeutendste Schrift der nationalsozialen Zeit. In dieser 1901 erschienenen Publikation »entwickelte er ausführlich seine Vision eines von den breiten Massen, insbesondere der industriellen Arbeiterschaft, getragenen demokratischen Kaisertums, das zur Führung einer fortschrittlichen, sozial ausgerichteten Politik des Industrialismus im Innern und einer kraftvollen Weltpolitik nach Außen berufen sei«[91].

Die Vorstellung eines Volkskaisertums war ohne Zweifel die Frucht von Naumanns synthetischem Denkvermögen. Naumann war sich der Polarität zwischen den eine demokratische Gesellschaftsordnung anstrebenden Massen und dem autoritären monarchischen Führungsanspruch bewußt; sein auf Kompromisse abzielendes politisches Denken ließ ihn den Gegensatz von demokratischem und monarchischem Prinzip aber nicht als kontradiktorischen Gegensatz begreifen; vielmehr sah er einen Ausgleich der widerstreitenden Prinzipien als notwendig und möglich an, ja er war überzeugt – da man in einem »Kompromißzeitalter«[92] lebe –, daß dafür eine historisch-immanente Tendenz spräche.

Die These von Theodor Heuss, daß bei Naumann das Kaisertum »keine Angelegenheit von Legitimität«, sondern »Sammlung und Bekrönung des nationalen Macht- und Lebenswillens« sei[93], trifft in dieser antithetischen Zuspitzung sicherlich nicht zu. Naumann war durchaus bereit, die Existenz des Kaisertums historisch zu legitimieren[94]. Nicht den geschichtlich legitimierten Führungsanspruch des Kaisertums stellte Naumann in Frage, wohl aber seinen politischen Bedeutungsgehalt innerhalb einer Gesellschaft, deren Strukturen sich in den letzten Jahrzehnten von Grund auf gewandelt hatten. Naumann intendierte eine politische Funktionsänderung des Kaisertums im Sinne einer Anpassung an die veränderte gesellschaftliche Verfassung. Das Kaisertum sollte fortan nicht nur national, sondern auch industriell »in seiner politischen Richtung«[95] sein und im

[91] Wolfgang MOMMSEN: Fr. Naumann, Werke, II. Bd., Einleitung, S. XLI. Siehe hierzu auch die Arbeit von Elisabeth FEHRENBACH: Wandlungen des deutschen Kaisergedankens 1871–1918, München/Wien 1969, S. 200 ff., die als Bd. I der von der Forschungsabteilung des Historischen Seminars der Universität Köln herausgegebenen »Studien zur Geschichte des neunzehnten Jahrhunderts« erschienen ist.

[92] Friedrich NAUMANN: Die Politik Kaiser Wilhelms II., München [1903], S. 7.

[93] Theodor HEUSS: Hitlers Weg, S. 23.

[94] In diesem Sinne äußerte er sich auf dem 4. Delegiertentag des Nationalsozialen Vereins. Er halte, so führte er aus, »das deutsche Kaisertum für so fest gegründet durch die Vergangenheit, daß alle republikanischen Oppositionsparteien daran nichts ändern werden ... Das Kaisertum ist geschichtlich geworden, und wir können um vorübergehender Trübungen und Enttäuschungen willen unsere monarchische Überzeugung nicht grundsätzlich ändern« (Protokoll, Vertretertag Göttingen, 1899, S. 38).

[95] Fr. NAUMANN: Die Politik Kaiser Wilhelms II., S. 16.

Bündnis mit der Großindustrie, dem Liberalismus und Sozialismus »als Überwinder des konservativen Regiments« auftreten[96]. Naumann versuchte zu beweisen, daß sich demokratisches und monarchisches Prinzip nicht grundsätzlich gegenseitig ausschließen; so meinte er feststellen zu können, daß auch Körperschaften, die demokratisch strukturiert seien, von einer gewissen Größenordnung an eine monarchische Tendenz aufwiesen[97].

Darüber hinaus mache Deutschlands Parlamentsverfassung und Parteienkonstellation eine kaiserliche Gewalt notwendig. Denn die Existenz eines »dreigespaltenen Systems« im deutschen Parlamentarismus – die Gliederung in drei Gruppierungen: »eine rechts vom Zentrum, das Zentrum und eine links vom Zentrum«[98] – erschwere ein rasches politisches Entscheidungshandeln und erfordere eine starke monarchische »Zentralperson«.

Es wäre verfehlt, den Skeptizismus, mit dem Naumann dem deutschen Parlamentarismus teilweise begegnete, als Ausfluß einer antiparlamentarischen Gesinnung zu deuten. Naumann meinte – mit dem Blick auf die parlamentarische Tradition in England –, daß der deutsche Parlamentarismus erst im Entstehen sei und nicht die innere Stärke besitze, um »einen großen staatlichen Betrieb auch dann noch in Einheitlichkeit weiterzuführen, wenn seine Aufgaben sich erweitern«[99].

Naumanns Bestreben – und das seiner politischen Freunde – zielte auf eine weitgehende Demokratisierung des öffentlichen Lebens ab. Sie erhoffte man sich vor allem durch die Einführung des Reichstagswahlrechtes für die Wahlen zu den Landes- und Kommunalparlamenten. Das allgemeine, gleiche, geheime und direkte Reichstagswahlrecht betrachtete man neben dem Kaisertum als eine der »beiden Säulen des Deutschen Reiches«[100]. Außerdem setzte man sich energisch für eine längst überfällig gewordene Neueinteilung der Reichstagswahlkreise

[96] »Hilfe«, V. Jg., Nr. 34, 20. August 1899, S. 2.

[97] »Es ist ja eine merkwürdige Beobachtung, daß Körper, die von Haus aus ganz demokratisch angelegt sind, wenn sie über eine gewisse Größe hinauskommen, von selbst in etwas einen monarchischen Charakter bekommen« (Fr. NAUMANN: Die Politik Kaiser Wilhelms II., S. 7).

[98] ebd., S. 9.

[99] ebd., S. 8. – Ein Zweiparteiensystem betrachtete Naumann für das politische Leben in Deutschland als vorteilhaft; denn: »Hätten wir einen Reichstag mit Zweiparteiensystem« – so argumentierte er in »Demokratie und Kaisertum« –, dann »würde der Reichstag dem Kaiser politisch gleichwertig gegenüberstehen können, dann würde er eigene gesetzgeberische Initiative besitzen und durch die Geschlossenheit seines Auftretens eine ihm genehme Regierung erzwingen können« (Fr. NAUMANN, Werke, Bd. II, S. 259). Siehe hierzu auch: W. HAPP: Das Staatsdenken Friedrich Naumanns, S. 152 ff. E. FEHRENBACH: Wandlungen des deutschen Kaisergedankens, S. 206. Peter GILG: Die Erneuerung des demokratischen Denkens im Wilhelminischen Deutschland. Eine ideengeschichtliche Studie zur Wende vom 19. zum 20. Jahrhundert, Wiesbaden 1965, S. 194 ff.

[100] So äußerte sich Naumann auf dem 3. Delegiertentag des Vereins in Darmstadt (Vertretertag Darmstadt, 1898, S. 28). Zur Wahlrechtsfrage in der nationalsozialen Bewegung siehe: Walter GAGEL: Die Wahlrechtsfrage in der Geschichte der deutschen lieberalen Parteien 1848–1918, hrsg. v. der Kommission für Geschichte des Parlamentarismus und der politischen Parteien, Düsseldorf 1958, S. 149 ff.

ein[101]. Die bestehende Wahlkreiseinteilung, die in den Jahren 1867–1871 erfolgt war und die im wesentlichen nach dem Prinzip durchgeführt wurde, daß auf 100 000 Einwohner je ein Reichstagsmandat entfiel, begünstigte die Konservativen und auch das Zentrum – die ihre Reichstagsmandate vor allem in ländlichen Wahlkreisen gewannen –, weil durch eine Bevölkerungsvermehrung in den Städten im Laufe der Jahrzehnte eine deutliche Disproportion zwischen dem Bevölkerungsanteil in den städtischen und ländlichen Wahlkreisen entstanden war[102].

Die Forderung nach einer Neueinteilung der Reichstagswahlkreise, die der Bevölkerungsverschiebung Rechnung trug, richtete sich deshalb gegen ein »konservativ-klerikales Regiment«[103] im Reichstag und zielte auf eine Stärkung der industriell orientierten Gruppierungen, der Sozialdemokratie und der Liberalen, ab. Wenn Naumann und die Nationalsozialen für eine Neueinteilung der Wahlkreise plädierten und sich darüberhinaus mit Vehemenz jedem nur erkennbaren Versuch der Reichsregierung widersetzten, das bestehende Wahlrecht zugunsten eines eingeschränkten Wahlrechtes aufzuheben, so ist jedoch auffallend, daß im Nationalsozialen Verein zu keinem Zeitpunkt die Forderung nach einer dem Parlament verantwortlichen Regierung erhoben, geschweige denn zum Programmsatz gemacht wurde[104].

Das für den älteren deutschen Liberalismus entscheidend wichtige Postulat nach einem parlamentarischen System in Form eines verantwortlichen Ministeriums machten sich die Nationalsozialen nicht zu eigen[105]. Nicht die Verantwortung der Regierung gegenüber dem Parlament, was eine neue Kodifizierung des Verhältnisses zwischen zwei verfassungsrechtlichen Institutionen bedeutete, betrachteten die Nationalsozialen als die für die gesellschaft-

[101] Siehe hierzu »Hilfe«, VIII. Jg., Nr. 25, 22. Juni 1902, S. 1 (»Bundesrat und Volksrecht«) und »Hilfe«, IX. Jg., Nr. 6, 8. Febr. 1903, S. 1 (»Der Kampf um das Wahlrecht«).

[102] Der an Bevölkerungszahl größte Wahlkreis Berlin VI wies um 1900 über 500 000 Einwohner auf, während der bevölkerungsmäßig kleinste Wahlkreis Schaumburg-Lippe rund 40 000 Einwohner zählte.

[103] Fr. Naumann: Die Politik Kaiser Wilhelms II., S. 23.

[104] Friedrich Naumann hat erstmals im Jahre 1908 das Fehlen eines »parlamentarischen Regiments« bedauert: »Wir haben kein parlamentarisches Regiment, wir haben keine Volksvertretung, die von sich aus den Gang der Gesetzgebung entscheidend beeinflußt: wir haben einen Parlamentarismus, der neben einer gewaltigen zentralen Autorität eine gewisse Nebenrolle spielt. Die Frage des Liberalismus besteht deswegen darin, ob und in welcher Weise das deutsche Volk eine politische Vertretung bekommen kann, durch welche der Wille des Volkes mehr als bisher sich in politischen Taten ausdrückt« (Aus »Patria« 1908, Jahrbuch der »Hilfe«; zitiert nach: Gertrud Daniels: Individuum und Gemeinschaft bei Theodor Barth und Friedrich Naumann, Diss. Hamburg 1932, S. 112).

[105] Wolfgang Mommsen weist in seiner Einleitung zum zweiten Band der Sammlung Naumannscher Schriften (Fr. Naumann, Werke, II. Bd., Schriften zur Verfassungspolitik) darauf hin, daß Naumann in geistiger Nähe zu Ferdinand Lassalle gestanden habe, wenn er mit diesem zwischen Verfassungsrecht und Verfassungswirklichkeit zu unterscheiden wußte. Legislative Fixierung von Verfassungspraktiken sei keineswegs das Entscheidende. Wenn sich erst einmal starke politische Kräfte zugunsten eines Verfassungswandels engagiert hätten, werde sich dieser gegebenenfalls auch ohne formelle Verfassungsänderung vollziehen (ebd., S. XXXIV).

liche und politische Entwicklung ausschlaggebende Zukunftsaufgabe, sondern das In-Bezug-Setzen der Masse zum Kaiser. Die »hinter der Zentralperson vorwärtsdrängende Masse«[106] war für die Nationalsozialen die politische Formel, von deren Anwendung sie sich sowohl eine imperiale Außenpolitik als auch eine innenpolitische Schwerpunktverlagerung vom Agrariertum zum Industrialismus erhofften.

Das von den Nationalsozialen angestrebte direkte Bezugsverhältnis von Masse und Kaiser lief zwangsläufig auf eine »Mediatisierung« des Reichstages hinaus. In einem durch die Masse und den Kaiser getragenen staatlichen System in der Weise, wie es die Nationalsozialen intendierten, konnte dem Parlament nur ein funktionaler Charakter zukommen, insofern als es die Aufgabe hatte, den Willen der Masse in adäquater Weise gegenüber dem Monarchen zu artikulieren[107].

Die Beziehung von Kaiser und Masse sollte aber nicht so geartet sein, daß letztere in blinder Abhängigkeit dem Monarchen folgt, oder – wie Naumann formuliert: »Das Verhältnis zum Cäsar darf nicht ein Verhältnis zum ›Väterchen‹ werden, der Cäsar soll kein Zar sein für das deutsche Volk«[108], sondern die Masse wird als politischer Faktor in Rechnung gestellt, eine Masse, die zwar »nicht im Stande sein wird, den Cäsar zu verdrängen«, die »aber stark genug werden kann, Garantien für Selbstverwaltung und Geistesfreiheit von ihm zu ertrotzen«[109].

War also die Beziehung zwischen Masse und Kaiser durchaus ambivalenter Natur – in dem Sinne, daß sich beide nicht nur in einem einheitlichen politischen Willensakt zusammenfinden, sondern sich auch durchaus ihrer polaren Stellung bewußt bleiben sollen –, so lag jedoch die Führung, wie Naumann mit einer dem »industriellen Zeitalter« angepaßten Formulierung feststellte, »in Initiativsachen bei dem einen Mann, der am Schalthebel der großen Dynamomaschine des Deutschtums sitzt, und dem gegenüber kann der Akkumulatorenbetrieb des Parlamentarismus nicht eine gleichwertige politische elektrische Kraft entfalten«[110].

Es lag nahe, daß sich die Nationalsozialen die Frage stellten, warum der von ihnen so heftig gewünschte neudeutsche plebiszitäre Cäsarismus in der Gegenwart noch nicht Wirklichkeit war.

Den Grund dafür suchte man nicht in der Persönlichkeitsstruktur Wilhelm II., sondern in den gesellschaftlichen und politischen Gegebenheiten der Zeit. Einen

[106] Fr. Naumann: Deutschland und Österreich, S. 16.

[107] Wie sehr Naumann von der Idee eines Volkskaisertums durchdrungen war, gibt eine Äußerung zu erkennen, die er im Anschluß an einen Österreich-Besuch im Jahre 1899 in seiner Schrift »Deutschland und Österreich« machte. Er meinte, daß ein plebiszitärer Bonapartismus auch für Österreich die geeignete Regierungsform sei: »... Ein solcher österreichischer Napoleon müßte zuerst das jetzige Abgeordnetenhaus nach Hause gehen lassen, dann dem Volke mitteilen, er habe dem Unfug eines falsch zusammengesetzten Parlamentes ein wohlverdientes Ende bereitet, wolle sich durch Plebiszit für diesen segensreichen Schritt die Zustimmung der Bevölkerung aussprechen lassen und wolle dann mit einer nicht ständisch zusammengesetzten, sondern aus gleichem Wahlrecht hervorgegangenen Volksvertretung regieren« (ebd., S. 16).

[108] »Zeit«, Nr. 1, 3. Okt. 1901, S. 10 (»Im Zeitalter Wilhelms II.«).

[109] ebd., S. 10.

[110] Fr. Naumann: Die Politik Kaiser Wilhelms II., S. 9.

Beweis dafür, daß sich mit Wilhelm II. das soziale Kaisertum realisieren lasse, glaubte man in den sozialreformerischen Februarerlassen des Kaisers aus dem Jahre 1890 zu haben, deren Durchführung nur an der ablehnenden Haltung der Regierung und der Sozialdemokratie gescheitert sei[111]. Erst wenn eine »nationale Arbeiterpartei« bereitstehe, so versuchte Naumann Wilhelm II. zu entlasten, sei der Kaiser in der Lage, das Bündnis mit den konservativen Mächten aufzukündigen und seine Politik auf die breiten industriell orientierten Massen des Volkes zu stützen[112]. Auf dem Vertretertag im Jahre 1898 erklärte er es als die Aufgabe des Vereins, »eine Vortruppe überzeugter Menschen« zu »sammeln, die für jene Zukunft arbeitet und sie zu begreifen versteht, wenn die neue Epoche der deutschen Entwicklung herankommt«[113].

Naumann und seine nationalsozialen Freunde hatten sich bei der Einschätzung der Person Wilhelm II. von einem Wunschdenken leiten lassen, das ihnen den Blick für den politischen Dilettantismus und die mangelnde Selbstkontrolle des deutschen Kaisers versperrte[114]. Wenn Naumann Wilhelm II. als einen Mann charakterisierte, der bestrebt sei, »keck, mutig, deutsch in den Nebel der Zukunft hineinzufahren«[115], und diese Eigenschaften als eine positive Seite seines Wesens deutete, so hatte er damit in Wirklichkeit jene dem letzten deutschen Kaiser eigentümliche »Forschheit« beschrieben, die einer nüchternen und zielbewußten Politik im Wege stand. Die Vorstellung der Nationalsozialen, daß Wilhelm II. sich zu einem »demokratischen Volkskaiser« wandeln könne, war nichts weiter als utopisch.

[111] Siehe hierzu: »Hilfe«, IV. Jg., Nr. 31, 31. Juli 1898, S. 1 (Naumann: »Das Zeitalter Wilhelms II.«); »Hilfe«, VII. Jg., Nr. 16, 21. April 1901, S. 3 (Naumann: »Kaiser und Arbeiter«).

[112] »Hilfe«, III. Jg., Nr. 4, 24. Jan. 1897, S. 3 (»Der soziale Kaiser«). – Ähnlich argumentierte Naumann in der »Zeit«, II. Jg., Nr. 162, 14. Juli 1897, S. 1 (»Das persönliche Regiment«): Wilhelm II. suche »als Notbehelf« ein gegen die Arbeiterschaft gerichtetes »Kartell der Besitzenden«, »weil er eine Regierung, die ihm entspricht, nicht haben kann«. Es gäbe nur »einen Weg«, »allerdings einen saueren Weg«, der aus der »tiefe(n) vielseitige(n) Schwierigkeit«, in der sich der Kaiser befinde, herausführe; nämlich die Bildung eines »Kartell(s) der nationalen Elemente« aus Arbeiterschaft und Bürgertum, welches vom Kaiser geführt werde. Dies wäre »der Hintergrund, der für das Bild Wilhelms II. paßt«. »Mit einer solchen Gruppierung« könne »er noch Deutschland zu herrlichen Zeiten führen«.

[113] Protokoll, Vertretertag Darmstadt, 1898, S. 66 (Aus Naumanns Referat: »Über das deutsche Kaisertum«).

[114] Die Kritik aus nationalsozialen Kreisen an der Person und der Politik des Kaisers war nur sehr spärlich. So war es schon ein außergewöhnlicher Akt, wenn der Nationalsoziale Verein in Hamburg nach der Bremerhavener Kaiserrede im Jahre 1900 (Siehe hierzu S. 73 dieser Arbeit), die u. a. auch einen Tadel gegen streikende Hamburger Werftarbeiter enthielt, in einer Resolution diesen Teil der Kaiserrede verwarf. In der Resolution hieß es: »Der nationalsoziale Wahlverein, der unablässig in den Versammlungen der Arbeiter den Sinn für nationale Aufgaben Deutschlands und die Liebe zu seinem Kaiser zu erwecken bestrebt war, bedauert lebhaft die in der Bremerhavener Rede des Kaisers erfolgte Charakterisierung der Hamburger Werftarbeiter und ihrer Führer. Der Verein ist der Meinung, daß die Stellungnahme der streikenden Nieter, der ausgesperrten Werftarbeiter keineswegs vaterlandslos noch ehrlos ist ...« (Staatsarchiv Hamburg, Polit. Polizei, Vers 700, Bd. 1, Acte Nat.-Soz. Verein, Bl. 462).

[115] »Hilfe«, IV. Jg., Nr. 31, 31. Juli 1898, S. 1.

5. *Die Polarität Sohm – Göhre als Zeichen für die Heterogenität politischer Standpunkte im Nationalsozialen Verein*

a) Der Nationalsoziale Verein – eine »Partei der Bildung« oder »Partei der Arbeit« bzw. eine »Volks-« oder »Massenpartei«?

Die Meinungsdifferenz zwischen Göhre und Naumann einerseits und Sohm andererseits über die Stellung des Vereins zur Arbeiterbewegung, die auf der Erfurter Gründungsversammlung schon sichtbar wurde, aber hier noch den Charakter eines theoretischen Prinzipienstreites hatte, mußte sich in dem Augenblick aktualisieren, wo man in den Bereich praktischen politischen Handelns eintrat. Da der seinem Inhalt nach verschwommen abgefaßte Paragraph 5 der »Grundlinien«, der das Verhältnis von »Arbeit« und »Bildung« umschrieb, die Möglichkeit für divergierende Interpretationen offen ließ, sahen sich Sohm und Göhre nicht auf einen gemeinsamen Programmsatz verpflichtet, der ihren ausgeprägten individuellen Ansichten gewisse Schranken gesetzt hätte. Schon nach Ablauf des ersten Vereinsjahres war die Kontroverse über die politische Richtung des Vereins einem ersten Höhepunkt zugetrieben. Dabei wurde offenbar, daß die Alternative, ob man primär »Partei der Bildung« oder »Partei der Arbeit« sein sollte, nicht ausschließlich eine Entscheidung in wählersoziologischer Hinsicht notwendig machte; nicht davon zu isolieren war im innenpolitischen Tageskampf die Entscheidung darüber, ob man den eigenen parteipolitischen Standort in größerer Nähe zu den bürgerlichen Parteien oder zur Sozialdemokratie sah.

Anlaß für eine Forcierung des Meinungsstreites zwischen Sohm und Göhre war der die gesamte Innenpolitik im Winter 1896/97 bestimmende Hamburger Hafenarbeiterstreik.

Die Nationalsozialen ergriffen – vor allem durch ihre Anfang Oktober 1896 gegründete Tageszeitung »Die Zeit« – in diesem Arbeitskampf als einzige nichtsozialdemokratische politische Gruppierung Partei für die Hafenarbeiter[1].

Die sozialpolitsch-progressive Haltung der nationalsozialen Tageszeitung rief sofort den energischen Widerspruch Sohms und anderer »konservativer« Vereinsmitglieder hervor. Auf einer Sitzung des nationalsozialen Vorstandes im März 1897 machte sich Sohm zum Sprachrohr der »konservativen« Gruppe, indem er eine grundsätzliche Debatte über die Stellung des Vereins zur Sozialdemokratie forderte[2].

Wenn er der »Zeit« vorwarf, daß sie »durch zu günstige Schilderungen der Lage der Streikenden nicht immer bei der vollen Wahrheit geblieben sei«[3], so war diese Attacke nicht nur gegen die »Zeit«-Redakteure von Gerlach und Oberwinder, sondern auch gegen den Vereinsvorsitzenden gerichtet, der ebenfalls verantwortlicher Redakteur der nationalsozialen Tageszeitung war.

Sohm sah in der publizistischen und finanziellen Unterstützung der Hamburger Hafenarbeiter durch das nationalsoziale Presseorgan[4] eine weitgehende Identifizierung mit den sozialpolitischen Zielsetzungen der Sozialdemokratie. Er

[1] Siehe hierzu S. 109 dieser Arbeit.
[2] DZA Potsdam, Nachl. Naumann, Aktz. 53 (Vorstandssitzung vom 8. März 97), Bl. 4 R.
[3] ebd., Bl. 5.
[4] Siehe hierzu S. 110 f. dieser Arbeit.

monierte, »daß der mehr konservativ gerichtete Flügel des Vereins in der ›Zeit‹ zu wenig Ausdruck finde, vielmehr durch demokratische Schärfe oftmals verletzt werde«. Es müsse einmal die ablehnende Stellung zur marxistischen Sozialdemokratie schärfer hervortreten und dann die Tendenz verfolgt werden, die Gebildeten zu gewinnen, ohne die ein politischer Einfluß unmöglich sei. Es gelte im Interesse der Nation mit Hilfe der Gebildeten für die Arbeiter einzutreten, aber die Sozialdemokratie zu bekämpfen[5].

Sohm hatte mit dem letzten Satz in formelhafter Kürze seine schon auf dem Erfurter Kongreß vertretenen innenpolitischen Vorstellungen zusammengefaßt. Er hatte durch die Nachdrücklichkeit, mit der er seine Thesen zu diesem Zeitpunkt wiederholte, zu erkennen gegeben, daß er diese nicht als einen bloßen theoretischen Beitrag zur Schaffung einer parteipolitischen Plattform des Vereins, sondern als verbindliche Richtschnur für dessen Stellung zu bestimmten tagespolitischen Fragen betrachtet sehen wollte.

Naumann und Göhre verteidigten in der Vorstandssitzung die Haltung der »Zeit« zum Hamburger Hafenarbeiterstreik und setzten sich auch von der Sohmschen Forderung nach einer Bekämpfung der Sozialdemokratie deutlich ab. Naumann meinte, man dürfe die Hoffnung auf eine innere Umwandlung der Sozialdemokratie nicht aufgeben. Er glaubte feststellen zu können, daß diese Umwandlung »sich selbst bis zu einem gewissen Grade bei Bebel zeige«. Außerdem betrachtete er es als zweckmäßig, »die Masse« der Sozialdemokraten »von den veralteten Führern zu unterscheiden«. Mit anderen Worten gab Göhre dem gleichen Gedanken Ausdruck. Er hob hervor, daß die »Bekämpfung der Sozialdemokratie noch immer unter dem Gesichtspunkt zu erfolgen habe, daß man sie umbilden wolle«[6].

Im Gegensatz dazu wurden die von Sohm erhobenen Forderungen am Schluß der Sitzung thesenartig zusammengefaßt: »1. Die ›Zeit‹ muß mehr als bisher zur Beeinflussung der Gebildeten, nicht nur der Arbeiter dienen und dementsprechend ihre Haltung einrichten. 2. Die Unterschiede zur Sozialdemokratie bezüglich der staatspolitischen Gesamtauffassung sind stärker hervorzuheben. 3. Der Vorstand muß mehr Einfluß auf die ›Zeit‹ haben als bisher«[7]. Da sich der Vorstand diese Thesen Sohms nicht zu eigen machte, blieben sie ohne Einfluß auf die politische Richtung der »Zeit«. Sohm, der erkannte, daß er innerhalb des Vorstandes mit seiner »konservativen« Grundeinstellung isoliert war und es ihm nicht gelingen konnte, mit Hilfe des Vorstandes den Verein auf einen »konservativen« Kurs auszurichten, rechnete sich bei einer Erörterung der politischen Grundsatzfragen auf dem nächsten Delegiertentag größere Chancen aus, da er vermutete, daß eine nicht unerhebliche Zahl »konservativer« Delegierter seine Meinung teilte.

Zusammen mit einigen gleichgesinnten Vereinsfreunden – darunter Max Lorenz und Karl Rathgen – brachte er deshalb eine Resolution zum 2. Delegiertentag in Erfurt ein, in welcher betont wurde, daß man »das Eigen-

[5] DZA Potsdam, Nachl. Naumann, Aktz. 53 (Vorstandssitzung vom 8. März 97), Bl. 4 R/5.

[6] ebd., Bl. 5.

[7] ebd., Bl. 5.

tümliche und Richtunggebende« der Bewegung »nicht in der Bekämpfung der Konservativen oder sonst einer national gesinnten Partei, sondern in der Bekämpfung der Sozialdemokratie« erblicke[8]. Der nationalsoziale Vertretertag solle dagegen protestieren, daß die Bewegung »als eine Spielart der Sozialdemokratie, überhaupt als eine demagogische antimonarchische Richtung aufgefaßt« werde[9]. Mit einer deutlichen Spitze gegen den Vereinsvorstand schloß die Resolution: »Er« (der Vertretertag) erwarte »vom Vorstande, daß er das öffentliche Vorgehen des Vereins im Sinne des vorhin dargelegten Grundgedanken(s) regelt«[10].

Dem zweiten Delegiertentag des Nationalsozialen Vereins lag jedoch nicht nur diese, von Sohm inspirierte Resolution zur Beratung vor, als er Ende September 1897 in Erfurt zusammentrat, sondern auch eine von Göhre, die inhaltlich eine klare Antithese zu dem Sohmschen Antrag darstellte.

In der Resolution Göhres, deren Veröffentlichung Naumann zunächst zu verhindern suchte[11], und die nach den Worten ihres Verfassers »nur der grobe Keil auf den Sohmschen Klotz« war[12], wurde offen konstatiert, daß es innerhalb des Nationalsozialen Vereins »zwei einander entgegengesetzte Richtungen« gebe[13]. Die eine fühle sich »mehr den sogenannten staatserhaltenden Parteien, insbesondere der konservativen, verwandt«; sie sehe dementsprechend »die Hauptaufgabe der Nationalsozialen in der Gewinnung der diesen Parteien bisher angehörenden sogenannten Gebildeten für den Gedanken der sozialen Reform«[14]. Die andere betrachte »den Beruf der Nationalsozialen dagegen vorwiegend in einer ... energischen Vertretung der Interessen des arbeitenden Volkes«. Demgemäß nehme sie auch zur Sozialdemokratie eine andere Haltung ein. Sie sei sich zwar der Unterschiede zwischen Nationalsozialen und Sozialdemokraten bewußt, erkenne aber »die großen Verdienste der Sozialdemokratie um die Emporentwicklung der arbeitenden Bevölkerung unumwunden an«[15]. Um alle Mißverständnisse zu vermeiden, möge deshalb der Delegiertentag erklären, »daß die Taktik der letzteren Richtung, wie sie schon von den sog. jüngeren Evangelisch-Sozialen und im letzten Jahr vom nationalsozialen Verein mit Erfolg angewendet worden ist, auch in Zukunft allein maß- und richtunggebend für die Haltung des Vereins sein« dürfe[16].

Daß die Situation in der Führungsspitze des Vereins vor dem zweiten Delegiertentag bis zur Zerreißprobe gespannt war, dokumentiert ein ausführlicher Brief Göhres an Naumann, der wenige Tage vor der Erfurter Zusammenkunft geschrieben wurde. Auch wenn Göhre bei der Niederschrift des Briefes gewiß

[8] Protokoll über die Verhandlungen des Nationalsozialen Vereins (2. Delegiertentag) zu Erfurt vom 26.–29. September 1897, Berlin (1897), S. 6.

[9] ebd., S. 6.

[10] ebd., S. 6 f.

[11] wie aus einem Brief Göhres an Naumann vom 17. September 97 hervorgeht (DZA Potsdam, Nachl. Naumann, Aktz. 114, Bl. 71).

[12] ebd., Bl. 72.

[13] Protokoll, Delegiertentag Erfurt, 1897, S. 7.

[14] ebd., S. 7.

[15] ebd., S. 7.

[16] ebd., S. 7.

nicht frei von Emotionen war, so gibt der Brief dennoch über den Ernst der Lage Auskunft, da auch die mit Stimmungen geladene Atmosphäre innerhalb des Vereins ein nicht unwesentlicher Faktor bei der Vereinskrise war.

Göhre spricht davon, daß es die »entscheidungsreichsten Tage« seines Lebens seien, da seine Gegner ihn gezwungen hätten, einen »Machtkampf auszukämpfen«[17]. Er sei dazu bereit; aber es gehe nicht bloß um die Austragung eines Machtkampfes. »Ich weiß«, so fährt Göhre fort, »daß ich unterliegen werde. Aber ich will es mit Ehren tun. Ich will nicht, indem ich nochmals wie voriges Jahr mich mit diesen Herren an einen Karren spanne, meine Vergangenheit und meine heiligsten Überzeugungen verleugnen. Ich kann es gar nicht. Selbst wenn ich wollte . . . In vier Wochen steigen neue Konflikte auf und lähmen nicht nur meine persönliche Arbeit, sondern die ganze Tätigkeit des Vereins . . .«[18].

Göhre räumte einer Annahme seiner oder der Sohmschen Resolution durch den Delegiertentag nur geringe Chancen ein. Bei einer Annahme der Resolution Sohms werde er sofort aus dem Verein austreten[19].

Schließlich unterbreitete er Naumann den Vorschlag, seinerseits eine Resolution einzubringen, die in seinem (Göhreschen) Sinne, aber in einer konzilianteren Form abgefaßt sein müsse. Eine solche Resolution werde, so vermutete er, vom Vertretertag angenommen. »Wir würden $^{2}/_{3}$ aller bisherigen Nationalsozialen dann mit uns ziehen, die Vereinsorganisation halten, sie allerdings auf sparsamerem Fuß fortführen müssen, hätten die verdoppelte ›Hilfe‹[20] und würden, ausgehend von dieser doppelten Basis, also von einer besseren und stärkeren . . ., wie wir sie im vorigen Sommer noch hatten, doch an das Stadium von damals wieder anknüpfen und mehr unter uns unsere Gedanken und Ziele auf eine neue Sozialdemokratie hin herausarbeiten . . . Es ist meine felsenfeste Überzeugung, daß der geschilderte Weg der allein rechte für uns und unsere ganze Vergangenheit entsprechende ist . . . Gehst Du diesen Weg nicht, so bedeutet das für mich nicht nur zeitweise totale Isolierung (. . .), sondern auch beschleunigten, verfrühten Eintritt in die Sozialdemokratie und damit vielleicht Lahmlegung meiner Kraft. Aber für Dich bedeutet es noch weit Schlimmeres:

[17] DZA Potsdam, Nachl. Naumann, Aktz. 114 (Göhre an Naumann vom 17. Sept. 97), Bl. 71.

[18] ebd., Bl. 71 f.

[19] Göhre berichtet Naumann im selben Brief von einer Zusammenkunft der Leipziger Nationalsozialen: ». . . Aber, wenn ich noch nicht recht sicher meines Weges gewesen wäre, der Donnerstagabend hier, wo wir Versammlung hatten, hätte mich ganz sicher gemacht. Wir teilten unsere Resolutionen nach kurzer gegenseitiger Rücksprache mit; Es kam (Sohm war nicht da) zu sehr heftigen und vor allem offenen Aussprachen zwischen Lorenz und mir. Lorenz sagte mir: ich wollte nichts als einst den Sozdem. unsere Schar zuführen. Er selber stellte die Entwicklung unserer Sache nach rechts als notwendig hin, und es fiel von ihm das Wort vom ›Neukonservativen‹. Als ich dann in meiner Antwort, nachdem noch mehrere gesprochen und die ganze Sache nicht so schlimm dargestellt, diesen Leichtsinn zurückwies und von der tiefen und weiten Kluft, die tatsächlich klaffte und durch stolze Redereien nicht überbrückt wurde, gesprochen hatte, konstatierte neben vielen anderen Herr Lorenz auch bereits eine indirekte Austrittserklärung von mir. Frecher Geselle. Das alles ist mir ein Beweis, daß die Leute wissen, was sie tun. . .« (ebd., Bl. 71).

[20] Die »Hilfe« erschien seit dem 3. Oktober 1897 in verdoppeltem Umfang, nachdem die »Zeit« aus finanziellen Gründen ihr Erscheinen am 1. Oktober einstellen mußte.

Dein polit. Ende. Denn den einen Weg, unbedingte Unterwerfung unter die Richtung Sohm, kannst Du, wie Du selber sagst, nicht mitmachen . . .«[21].

Nicht nur Göhre, sondern auch Sohm schloß in den Tagen vor der Delegiertenversammlung die Möglichkeit eines Kompromisses zwischen den beiden konträren Positionen aus. Beide wünschten ihn auch nicht. Sie drängten vielmehr auf eine Klärung in dem Sinne, daß sich die Mehrheit der nationalsozialen Delegierten für eine der beiden Auffassungen entschied, so daß die politische Richtung des Vereins für die Zukunft klar vorgezeichnet war.

Am 18. September suchte Göhre Sohm auf, um ihn von der Notwendigkeit einer klaren Entscheidung in Erfurt zu überzeugen. Sohm stimmte der Auffassung Göhre grundsätzlich zu. Beide glaubten darüber hinaus, daß Naumanns Votum in diesem Meinungsstreit in Erfurt den Ausschlag geben würde[22].

Die Erfurter Delegiertenversammlung vom 26. bis 29. September 1897 wurde, wie nicht anders zu erwarten war, zu einem Forum, auf dem die grundlegenden Meinungsdifferenzen, ohne Rücksicht auf nachteilige Folgen für das Ansehen des Vereins in der Öffentlichkeit, zum Austrag kamen. Mit schonungsloser Offenheit wie auf keinem der nachfolgenden Delegiertentage des Vereins wurden die unterschiedlichen Standpunkte artikuliert. Nachdem Sohm in einem einleitenden Referat über das allgemeine Wahlrecht in provozierender Weise behauptet hatte, die Masse sei »dumm«, prallten die Meinungen schroff aufeinander.

Sohm motivierte den von ihm und seinen Anhängern eingebrachten Antrag mit dem »herausfordernde(n) Auftreten des Herrn von Gerlach, sowie des Herrn Pfarrer Göhre« und »einige(n) Äußerungen unseres allverehrten Pfarrers Naumann«[23].

Durch das Auftreten dieser Herren habe der Verein eine Richtung erhalten, die ihn »immer mehr nach links zu den Demokraten, in unmittelbare Nähe der Sozialdemokratie geführt« habe. »Diese Bewegung«, so fuhr er fort, »vermögen wir, die wir den Antrag gestellt haben, nicht mitzumachen . . . Was wir wollen, ist

[21] Göhre an Naumann, a.a.O., Bl. 72 f.

[22] Sohm und Göhre benachrichtigen unabhängig voneinander Naumann brieflich über ihre Zusammenkunft und referierten über den Inhalt ihres Gesprächs. Sohm ließ Naumann wissen, es sei »notwendig, daß in Erfurt eine Entscheidung über die prinzipielle Frage getroffen wird.« Die Entscheidung innerhalb der Versammlung werde nach der Seite hin ausfallen, für welche sich Naumann entscheide. »Sie müssen aber für Göhre sich entscheiden«, meint Sohm. »Das wollte Göhre zuerst bestreiten, er hat es aber zugegeben. Sie können sich für mich nicht entscheiden, denn innerlich gehören Sie zu Göhre. Es würde unrichtig sein, wenn Sie sich für mich entschieden: der innere Gegensatz, der ... zwischen uns besteht (leider!), würde doch bleiben ...« (DZA Potsdam, Nachl. Naumann, Aktz. 237, Sohm an Naumann vom 18. 9. 97, Bl. 1 f.). – Göhre teilte Naumann mit, daß er sich mit Sohm in einer eineinhalbstündigen Besprechung wie folgt geeinigt habe: »Eine endgültige Klärung des Gegensatzes ist um unsert, um Deinet und um des ganzen Vereins willen eine unbedingte Notwendigkeit. Sie soll sich aber in größter Freundschaft vollziehen. Derjenige Teil, für den Du Dich entscheidest, wird siegen. Das ist also vermutlich der meinige. Dann will Sohm als Vorstandsmitglied zurücktreten und einfaches Mitglied werden (Im anderen Falle ich) ...« (DZA Potsdam, Nachl. Naumann, Aktz. 114, Göhre an Naumann vom 19. 9. 97, Bl. 70).

[23] Protokoll, Delegiertentag Erfurt, 1897, S. 52.

eine energische Schwenkung nach rechts«[24]. Die mit variierten Worten ausgesprochene abwertende Charakterisierung der Sozialdemokratie – sie sei »der Geist, der stets verneint«; sie sauge »dem Volkskörper das Mark aus«[25] – war begleitet von der Forderung nach einer eindeutigen wählersoziologischen Festlegung des Vereins. Nicht die Arbeiterschaft dürfe die soziale Basis des Vereins abgeben, wie es das Ziel der bisherigen Leitung gewesen sei, sondern die Gebildeten müßten gewonnen werden. Denn sie seien »in gewissem Sinne der Staat. Sie beherrschen den Staat. Was die Gebildeten wollen, das geschieht«[26]. Sohm folgerte, daß ein Verein, dessen sozialer Hauptträger das Bildungsbürgertum sei, sich als »bürgerliche Partei« verstehen müsse. Eine solche Partei vermöge durch »die Unterstützung des Berechtigten in der Arbeiterbewegung« »die Macht der Sozialdemokratie über die Arbeiterschaft zu brechen«[27].

Wie wenig sich Sohm mit seiner Forderung nach einer »bürgerlichen Partei« der auf der Gründungsversammlung des Vereins nachdrücklich von Weber vertretenen Konzeption einer »nationalen Partei der bürgerlichen Freiheit« genähert hatte, erhellt nicht nur seine von einem reinen Wunschdenken getragene Vorstellung, daß eine Partei des Bildungsbürgertums die Arbeiterschaft an sich zu binden vermöge – kraft der angeblichen gesellschaftlichen Omnipotenz der Gebildeten –, sondern auch die von ihm postulierte enge Anlehnung an das Junkertum. »Ich bin nicht in den Verein eingetreten«, so bekannte er, »um eine antikonservative und demokratische Bewegung zu fördern und die konservative Partei um jeden Preis zu zerstören«[28]. Daß der Konservativismus auch weiterhin seine politische Konfession sei, erklärte er ohne Umschweife. Aus der Konservativen Partei seien die ersten Sozialreformen, der christliche Sozialismus und die nationalsoziale Bewegung hervorgegangen. »Der Konservatismus ist unser Vater. Wie kann man da behaupten, die Konservative Partei als solche sei unsozial«[29].

Göhre deckte in seiner Erwiderung, die sein rhetorisches Talent, aber auch gleichzeitig seine Neigung zu einer demagogischen Diktion offenbarte, mit einem sicheren Blick für Sohms illusionistische Vorstellungen die Schwächen der Sohmschen Argumente auf. Den Gedanken an eine Trennung der Arbeiterschaft von der Sozialdemokratie wies er als utopisch zurück, da diese »zu groß und geschichtlich begründet« sei. Man könne höchstens »eine Umbildung und Veredelung derselben anstreben«[30]. Die Sozialdemokratie war für Göhre trotz aller Vorbehalte, die er ihrer Politik gegenüber äußerte, »ein Hort des Fortschritts und

[24] ebd., S. 52.
[25] ebd., S. 53.
[26] ebd., S. 52.
[27] ebd., S. 53.
[28] ebd., S. 52.
[29] ebd., S. 53.
[30] ebd., S. 55. – Göhres Äußerung läßt erkennen, daß er zu seiner ursprünglichen Vorstellung zurückgekehrt war, wonach eine innere Metamorphose der Sozialdemokratie von *außen* zu fördern sei. Ihm war bewußt geworden, daß seine Hoffnung, die er vorübergehend in den Jahren 1895/96 hegte, nämlich mit Hilfe einer neuen nationalen Arbeiterpartei die Sozialdemokratie zu »beerben« (Siehe die Seiten 40 f. und 56 dieser Arbeit), trügerisch war.

der Freiheit«[31]. Sohms Argument, daß die nationalsoziale Bewegung ihren Ursprung dem Konservativismus verdanke, entkräftete Göhre mit dem Hinweis, daß die Nationalsozialen sich bei ihrer Gründung als »nicht-konservative Christlichsoziale« verstanden hätten und damit ihre Vereinsgründung der deutlichen Oppositionsstellung zum Konservativismus verdankten.

Auffallend war, daß Naumann in die erregte Diskussion, die sich an die Grundsatzerklärungen anschloß, nicht eingriff. Die von Göhre und Sohm gewünschte Klärung durch ein Votum Naumanns blieb aus.

Das Ergebnis der Debatte war, daß beide Resolutionen der Ablehnung verfielen und zwei Kompromißanträge von Dr. Ruprecht und Tischendörfer angenommen wurden. In beiden Anträgen wurde zwar die Verbesserung der sozialen Lage der Arbeiterschaft als Ziel proklamiert, aber man lehnte es ab, »eine einseitige Interessenvertretung des Arbeiterstandes zu sein«[32]. Fortan wollte man sich als politische Kraft ausweisen, die interessenpolitisch eine *neutrale* Stellung zwischen Arbeiterschaft und Bürgertum einnahm.

Gleichzeitig grenzte man sich in beiden Resolutionen von der Sozialdemokratie und den »nationalen Parteien« ab[33].

Das Resultat des Erfurter Delegiertentages konnte weder Göhre noch Sohm befriedigen. Ganz im Gegensatz zu ihrer Absicht, mit der sie nach Erfurt gekommen waren, hatte die Versammlung – mit dem stillschweigenden Einverständnis Naumanns – den politisch-ideellen Gegensatz mit zwei Deklarationen zu überdecken versucht. Daß die ideelle Kluft zwischen den beiden Antipoden innerhalb des Vereins durch die Annahme der beiden Resolutionen nicht aus der Welt geschafft war, mußte jedem nüchternen Beobachter einsichtig sein. Auch Naumann konnte sich diesem Eindruck nicht entziehen. Seine Bemerkung im politischen Jahresbericht, den er dem Delegiertentag vortrug, man habe »keine Ursache, an dem ferneren Gedeihen zu zweifeln, noch ein oder zwei Jahre, und die Legierung« werde »vollständig sein«[34], beruhte deshalb auch auf reinem Zweckoptimismus. Mit welchem Ernst er in Wirklichkeit die Lage des Vereins betrachtete, schilderte er in einem Brief wenige Tage nach dem Delegiertentag seinem Schwager Martin Rade[35]. »Die Gegensätze Sohm-Göhre-Lorenz«, heißt es hier, »haben das ihrige dazu beigetragen, die Lage zu verschlimmern. Jeder Ruck nach links reißt mir den finanziellen Boden weiter unter den Füßen weg. Ohne Geld in die Reichstagswahl! Das geht doch nicht ... Ich will stehen und kämpfen, solange ich kann, aber oft fassen mich recht dunkle Gedanken ...

[31] ebd., S. 55.

[32] ebd., S. 62. – Formulierung aus dem Antrag Ruprechts. Im gleichen Sinne hieß es im Antrag Tischendörfers, daß »die Arbeiterfrage nur in Verbindung mit dem Gesamtinteresse des Volks gelöst werden kann« (ebd., S. 63).

[33] In der Resolution Ruprechts lautete der entsprechende Passus: »Wir stehen in einem scharfen Gegensatze zur marxistischen Sozialdemokratie ... Wir werden daher die sozialdemokratische Partei mit allen tauglichen Mitteln bekämpfen . . .«. »Von den ›nationalen Parteien‹ trennt uns ihr antisoziales Verhalten. Wir werden diese Parteien bekämpfen, soweit sie egoistische Klasseninteressen vertreten . . .« (ebd., S. 62 f.).

[34] ebd., S. 47.

[35] DZA Potsdam, Nachl. Naumann, Aktz. 126 (Naumann an Rade vom 5. Oktober 1897, Briefabschrift), Bl. 42.

Wenn wir jetzt wenigstens die Mittel hätten, um Gerlach, Weinhausen u. noch einige ganz in den Dienst unseres Vereins zu stellen. Ich muß die besten Kräfte fahren lassen, trotz des Kompromisses von Erfurt . . .«[36].

Waren die beiden Erfurter Resolutionen von Ruprecht und Tischendörfer unzweifelhaft Dokumente eines wechselseitigen Entgegenkommens der beiden Strömungen innerhalb des Vereins, so kam ihnen andererseits aber die wesentliche Bedeutung zu, eine deutliche Kräfteverschiebung zugunsten der Sohmschen Richtung herbeigeführt zu haben. Der Verein war durch die Annahme der beiden Resolutionen offiziell nicht mehr eine politische Interessenvertretung des vierten Standes. Von der politischen Intention Göhres und Naumanns, die diese mit der Gründung des Vereins verfolgten und im ersten Jahr seines Bestehens auch durchzusetzen vermochten, hatte man sich damit im wesentlichen distanziert.

Stand der Verein durch die progressive sozialpolitische Haltung der »Zeit«, welche die ausdrückliche Zustimmung des Vereinsvorstandes fand, während des ersten Vereinsjahres tatsächlich in größerer Nähe zur Sozialdemokratie als zu irgendeiner anderen Partei[37], so hatte man nun eine deutliche Schwenkung nach »rechts« getan.

Daß Naumanns Meinungsabstinenz auf dem Erfurter Delegiertentag zu dem den Verein erschütternden Grundsatzstreit nicht unwesentlich von der Rücksicht auf die Finanzlage des Vereins diktiert war, läßt die oben aus dem Brief Naumanns an Rade zitierte Bemerkung erkennen. Naumann erhoffte sich bei einer mehr nach »rechts« orientierten politischen Gesamthaltung eine größere finanzielle Unterstützung durch die »konservativen«, finanzkräftigeren Vereinsmitglieder[38].

Der auf dem Erfurter Delegiertentag hergestellte Kompromiß vermochte die Meinungsdifferenz zwischen Göhre und Sohm nicht aus der Welt zu schaffen,

[36] ebd., Bl. 42.

[37] Obwohl August Bebel bei einer Veranstaltung seiner Partei in Berlin im Jahre 1897, auf der er und Ledebour und von nationalsozialer Seite Naumann und Lorenz in eine heftige Diskussion gerieten, vom »Zerschneiden des Tischtuchs« zwischen Sozialdemokraten und Nationalsozialen gesprochen hatte. Die Bemerkung Bebels bezog sich aber nicht auf Divergenzen in sozialpolitischen Fragen, sondern auf die unterschiedlichen Standpunkte zur Außenpolitik. Während Bebel eine Anlehnung an England wünschte, forderte Naumann eine solche an Rußland.

[38] Nicht nur der »konservativen« Gruppe innerhalb des Vereins war der »Linksdrall« der Nationalsozialen im ersten Vereinsjahr Stein des Anstoßes, auch von außen meldete sich Kritik an der Richtung des Vereins. Der Ev.-Soz. Kongreß sah sich durch die arbeiterfreundliche Haltung und vor allem durch Angriffe Göhres gegen das ostelbische Junkertum (siehe hierzu »Hilfe«, III. Jg., Nr. 34, 22. Aug. 1897, S. 3 f.) veranlaßt, sich von Naumann zu distanzieren. Naumann reagierte auf dieses Verhalten des Kongresses in dem Brief an Rade vom 5. Okt. 1897 mit großer Heftigkeit: ». . . Ich schreibe dies einesteils, um mich überhaupt einmal auszuklagen, dann aber auch als Material zur Beurteilung der Absicht des Evangel.-soz. Kongresses, mich jetzt abzuschieben. In dieser Lage bedeutet die Abschiebung den Verlust vom letzten Anhalt in christlich-gebildeten Kreisen. Das habe ich am Kongreß nicht verdient, nachdem ich Jahre lang mich absichtlich zurückgehalten habe . . . Göhre öffentlich disavouieren! Das kann ich doch nicht, selbst wenn ich lieber wollte, er hätte den betr. Passus nicht geschrieben. Es ist unerhört, daß man aus Göhres Äußerung mir den Strick drehen will. Der evangelisch-soziale Kongreß ist doch wahrlich keine Schutztruppe für Großgrundbesitzer! . . . Was taugt denn ein Kongreß, der so voll Angst ist? Es kann ja sein, daß an Deinem votum negativum der Kongreß ein-

sondern ihren offenen Austrag nur für einige Zeit, nämlich bis unmittelbar nach den Reichstagswahlen im Juni 1898, zu unterdrücken.

Ein Aufsatz Naumanns in der »Hilfe« vom 3. Juli war gleichsam die Initialzündung für ein erneutes Aufflammen des Meinungsstreites. Naumann hatte in ihm seine bisher geübte Zurückhaltung aufgegeben und die Parole von der »Massenpolitik« ausgegeben, die es künftig zu vertreten gelte. Aufgabe der Nationalsozialen müsse es sein, »die Eierschalen der Zusammengehörigkeit mit den bisherigen herrschenden Klassen« abzulegen, den Standpunkt »inmitten der ringenden Menge« einzunehmen, um eine »männliche, nüchterne deutsche Massenpolitik« zu betreiben[39].

Durch den Naumannschen Artikel angeregt, hatte Sohm in der Vorstandssitzung vom 2. Juli eine »prinzip(ielle) Aussprache« gewünscht[40]. Nachdem er es als »unmöglich« bezeichnet hatte, den Massen den nationalen Gedanken beizubringen, und daraus folgerte, daß die Gebildeten für eine soziale Politik gewonnen werden müßten[41], stellte Naumann seinerseits fest, daß er es für »aussichtsloser« halte, »die Gebildeten zu einem sozialen Verständnis zu erziehen« als auf die Sozialdemokratie einzuwirken; außerdem fehle ihm zu dieser Erziehung der Gebildeten die Begabung[42].

Am Schluß der Sitzung gab Sohm zu verstehen, daß er als Erwiderung auf den Naumannschen »Massen«-Artikel ebenfalls einen Aufsatz in der »Hilfe« zu veröffentlichen gedenke. Göhre kündigte daraufhin an, »daß ... auch er das Wort nehmen werde«[43]. Unter der Überschrift »Volkspolitik oder ›Massenpolitik‹« erschien der Aufsatz Sohms schon in der nächsten Nummer der »Hilfe«[44]. Sohm ging in seinem Artikel von der Prämisse aus, daß Massenpolitik immer Interessenpolitik, eine Massenpartei immer eine Klassenpartei sei. Da die Nationalsozialen aber soziale Politik »um der Nation, um des Volkes« willen betrieben, handle es sich bei der Alternative von Volks- oder Massenpolitik nicht um einen terminologischen Streitfall, sondern »um einen sachlichen Gegensatz«.

Sohm variierte seinen auf dem Erfurter Delegiertentag ausgesprochenen Satz, die Masse sei dumm, indem er die Masse nun als »etwas Dumpfes, Stumpfes, Unfähiges«, als das »Unvolk« bezeichnete. Die Masse sei nicht das Volk. Eine Schicht nach der anderen solle sich emporheben, um am Leben des Volkes teilzuhaben. Diese Emporentwicklung der Masse werde aber »niemals das Werk der Masse selber« sein, »sondern *nur* das Werk der herrschenden Klassen ...«[45].

Die Replik Göhres bestand aus vier Aufsätzen[46]. Da Sohm seinerseits nicht den Versuch unternahm, sich durch eine Erwiderung gegen die Angriffe Göhres

geht. Laß fahren dahin! Er ist doch kein frei evangelisch Concilium mehr ... Erst betet man zu Gott, daß Leute sich dem Arbeiterstand widmen, u. dann setzt man diese Leute vor die Tür ...« (DZA Potsdam, Nachl. Naumann, Aktz. 126, Naumann an Rade vom 5. Okt. 1897, Bl. 42 f.).

[39] »Hilfe«, IV. Jg., Nr. 27, 3. Juli 1898, S. 2.
[40] DZA Potsdam, Nachl. Naumann, Aktz. 53, Bl. 42.
[41] ebd., Bl. 42 R.
[42] ebd., Bl. 43.
[43] ebd., Bl. 43.
[44] »Hilfe«, IV. Jg., Nr. 28, 10. Juli 1898, S. 3 f.
[45] ebd., S. 4.
[46] »Hilfe«, IV. Jg., Nr. 29, 17. Juli 1898, S. 3 f. (»Volkspolitik oder Massenpolitik«);

zu rechtfertigen, richteten sich die Aufsätze ausnahmslos gegen den einen Sohmschen Artikel, dessen pointierte Einseitigkeit es der dialektischen Schärfe Göhres leicht machte, ihn als unvereinbar mit der nationalsozialen Politik auszuweisen. Seinen ersten Aufsatz leitete er mit der polemischen, aber zweifellos nicht unmotivierten Bemerkung ein, daß es sich um »einen neuen Versuch des Herrn Professors Sohm« handle, »unsere Bewegung von dem Boden des im vorigen Herbste gefundenen Kompromisses weg und wiederum ein Stück weiter nach ›rechts‹ an die Seite der sogenannten staatserhaltenden, ›herrschenden‹ Parteien heran zu drängen«[47].

Die Göhreschen Angriffe konzentrierten sich vor allem gegen die Sohmsche Gleichung: »Die Masse ist das Unvolk« und gegen dessen Überbewertung der herrschenden Klassen. Gegen die erste These brachte Göhre das Argument vor, daß gerade die »arbeitenden Massen Deutschlands« ... »politisch zu einem ... Selbstbewußtsein erwacht« seien. Der Zusammenschluß der Arbeiter in der Sozialdemokratischen Partei, die vorbildlich durch ihre Organisation, ihre Agitation und ihre Presse sei, sowie die rührige Gewerkschaftsbewegung widersprächen der Sohmschen Vorstellung von einer dumpfen, stumpfen und unfähigen Masse[48].

Der These Sohms, daß nur die herrschenden Klassen fähig seien, die Emporentwicklung der arbeitenden Klasse voranzutreiben, begegnete er mit dem Einwand, daß Volkspolitik für Sohm damit »nichts mehr und nichts weniger als

»Hilfe«, IV. Jg., Nr. 30, 24. Juli 1898, S. 6 f. (»Die Masse ist dumm?«);
»Hilfe«, IV. Jg., Nr. 32, 7. Aug. 1898, S. 4 ff. (»Die Emporentwicklung der arbeitenden Massen – das alleinige Werk der herrschenden Klassen?«);
»Hilfe«, IV. Jg., Nr. 33, 14. Aug. 1898, S. 5 f. (»Zweierlei Ziel«). – Vereinssekretär Wenck hatte zunächst versucht, allerdings vergeblich, den Vereinsvorsitzenden zu einer Antwort auf den Artikel Sohms zu bewegen. In einem Brief vom 7. Juli 1898 an Naumann führte Wenck zwei Gründe für eine Replik des Vereinsvorsitzenden ins Feld: »1. weil Du es bist, der von Sohm angezapft wird und ein Schweigen Deinerseits darum wie ein Ausweichen erscheinen würde. 2. weil Göhre zu scharf werden würde. Mir scheint die richtige Taktik zu sein, daß die Scheidung von Sohm aus vollzogen werden muß und daß darum von uns in einer durchaus nicht provozierenden Weise geantwortet werden muß. Je ruhiger, sachlicher, freundlicher, entgegenkommender wir sind – um so geringer wird Sohms Anhang bei seinem etwaigen Abgang sein – um so mehr stehen wir da als die Brüsquierten, die den Frieden und die Eintracht wollten. Ich hoffe darum auf ein Meisterstück Deiner, wenn auch in diesem Fall nur noch scheinbaren Vermittlungskunst, welches den offenbaren Bruch hinausschiebt, wenn auch nicht verhindert« (DZA Potsdam, Nachl. Naumann, Aktz. 308, Wenck an Naumann vom 7. Juli 1898, Bl. 118/118R). – Über das Zustandekommen des ersten der vier Göhreschen »Hilfe«-Aufsätze unterrichtete der Redakteur Weinhausen am 19. 7. 1898 Naumann: » . . . Göhre (sagte) montagfrüh brieflich definitiv ab. Er bringe nichts Gescheites zu Papier. Montagmittag 2 Uhr telegraphierte er: ›Eilbrief für nächste Nummer unterwegs‹. Nachts bekam ich den Brief nach Steglitz und mußte ihn nun nach flüchtiger Durchsicht in Druck geben. Ich habe aber nachher für die folgenden Aufsätze Göhre um größere Sachlichkeit und mildere Ausdrücke gebeten, und er hat auf meinen Wunsch auch verschiedene Milderungen vorgenommen« (DZA Potsdam, Nachl. Naumann, Aktz. 308, Weinhausen an Naumann vom 19. 7. 98, Bl. 121/121 R).

[47] »Hilfe«, IV. Jg., Nr. 29, 17. Juli 1898, S. 3.

[48] »Hilfe«, IV. Jg., Nr. 30, 24. Juli 1898, S. 7.

Politik der herrschenden Klassen« bedeute[49]. Da das Selbstinteresse der herrschenden Klassen aber diese von der Sozialpolitik abhalte, müsse die Emporentwicklung der arbeitenden Klasse in erster Linie das Werk dieser Klasse selbst sein[50].

In die publizistische Kontroverse griffen auch andere führende Nationalsoziale ein. Vor allem stellte sich der Jenaer Pädagoge Wilhelm Rein hinter die Thesen Sohms. Er bezeichnete den Nationalsozialen Verein ohne Umschweife als »eine neue bürgerliche Partei, die aus den arbeitenden Schichten alle die emporzuheben sucht, die die Eierschalen der sozialdemokratischen Träume gründlich abgelegt und auf eine kräftige, zielbewußte Reform innerhalb der bürgerlichen Gesellschaft hinarbeiten«[51].

Die Behauptung Reins, der Nationalsoziale Verein sei eine bürgerliche parteipolitische Gruppierung, erregte vor allem den Widerspruch Hellmut von Gerlachs, der im Verein eine politische Gruppe sah, »die vollkommen gleichweit entfernt ist von der Sozialdemokratie auf der einen und den bürgerlichen Parteien auf der anderen Seite«[52].

Der in aller Öffentlichkeit ausgetragene Grundsatzstreit wurde im Sommer 1898 von einem regen Briefwechsel zwischen den führenden Nationalsozialen begleitet, der einerseits das Ziel verfolgte, der Bloßlegung der vereinsinternen Differenzen in der »Hilfe«, die dem Ansehen des Vereins in der Öffentlichkeit nur zum Nachteil gereichen konnte, ein Ende zu bereiten, andererseits aber auch teilweise von der Absicht getragen war, auf dieser Ebene der persönlichen Meinung – vor allem beim Vereinsvorsitzenden – Durchschlagskraft zu verleihen.

Der Brief des Göttinger Verlegers Ruprecht an den verantwortlichen politischen Redakteur der »Hilfe«, Weinhausen, vom 15. 7. 1898 war geradezu ein Imperativ, den in der »Hilfe« begonnenen »Prinzipienstreit« zu beenden. »Im Namen hiesiger Freunde« richtete er »die dringende Bitte an die Redaktion der ›Hilfe‹«, »den begonnenen Prinzipienstreit auf das vorsichtigste zu behandeln, ihn womöglich jetzt abzuschneiden bis Naumann im Stande ist, ein ruhiges Wort zu schreiben«. »Unter keinen Umständen« aber dürfe die »Hilfe« »zum Sprechsaal so leidenschaftlicher Artikel, wie der neue Göhresche einer ist«, gemacht werden[53]. Daß es Ruprecht, der dem »konservativen« Flügel des Vereins angehörte, auch darum ging, Stimmung gegen Göhre zu erzeugen, war nicht zu überhören. »Göhre ist der Vorwurf nicht zu ersparen«, so hieß es weiter, »daß er nicht, wie es unter politischen Freunden sein sollte, den Versuch gemacht hat, Sohm zu verstehen ... Es ist doch einfach lächerlich, Sohm in den Mund zu legen, daß er uns *die* Politik der herrschenden Klassen aufoktroyieren wolle! Die ›Hilfe‹ ist doch keine Kinderstube, in der sich rechthaberische heftige Parteikinder prügeln, sie ist ein öffentlicher Platz, dem solche Fehden ferngehalten werden müssen«[54].

[49] »Hilfe«, IV. Jg., Nr. 29, 17. Juli 1898, S. 3.
[50] »Hilfe«, IV. Jg., Nr. 32, 7. Aug. 1898, S. 4/5.
[51] »Hilfe«, IV. Jg., Nr. 31, 31. Juli 1898, S. 6.
[52] »Hilfe«, IV. Jg., Nr. 34, 21. August 1898, S. 5.
[53] DZA Potsdam, Nachl. Naumann, Aktz. 308 (Ruprecht an Weinhausen vom 15. 7. 98), Bl. 119.
[54] ebd., Bl. 119 R.

Ruprecht schloß seinen Brief mit der Frage: »Was bezweckt Göhre mit seiner Heftigkeit? Will er Sohm, der nun einmal seinem Alter und seiner Bedeutung nach eine Sonderstellung einnimmt, hinausdrängen«?[55]

In einem vom 25.7. datierten Brief Ruprechts wiederholt der Göttinger Verleger den Vorwurf gegen Göhre, daß dieser »ausfallend und ungerecht« geworden sei. Leider habe Göhre das »noch immer nicht eingesehen, wie seine Antwort an Prof. Bousset, der ihn gewarnt hatte, beweist. Sie zeugt leider von großem Mangel an Selbstkritik und etwas zu großer Selbstzufriedenheit bei allem, was G. sonst richtiges vorbringt«[56].

Ruprechts Brief gibt außerdem Aufschluß darüber, wie die führenden Nationalsozialen in Göttingen, die alle extrem oder gemäßigt »rechts« orientiert waren, sich bei einem möglichen Austritt Sohms aus dem Vereinsvorstand verhalten würden: »Wir alle würden«, schreibt Ruprecht, »Sohms Rücktritt aufs Äußerste beklagen und als eine Erschütterung unserer Sache ansehen, würden aber weiter mitmachen, so lange man sich von links an unser sehr ernsthaft genommenes Kompromiß hält«[57].

In einem ebenfalls am 25.7. geschriebenen Brief[58] an Naumann verteidigt Göhre seine »Hilfe«-Aufsätze und richtet heftige Angriffe gegen Sohm. Er sehe, so heißt es, »nach Sohms letzten Ausführungen keine Möglichkeit des Zusammenarbeitens mehr ... Es würde die Verleugnung unserer ganzen Vergangenheit bedeuten. Darum habe ich so scharf und offen geantwortet. Ich glaubte aber nicht und glaube auch heute noch nicht, daß ich Sohm beleidigt habe ... Mit meinen Artikeln ... ist die Luft rein geworden ...«[59].

Am Schluß des Briefes wirft Göhre die entscheidende Frage nach Naumanns politischer Zielsetzung und Zukunft auf, die gleichzeitig die Frage nach dem Schicksal des Vereins ist: »Du willst die zwei Flügel in einer Organisation zusammenhalten, um mit ihr Dein Ziel, das Ziel des einen Flügels, zu erreichen, aber je länger Du diese so zugeschnittene Organisation gebrauchst, desto mehr entfernst Du Dich von dem Ziel, das Du verfolgst«[60].

Nicht nur Angehörige des »konservativen« Vereinsflügels bedachten die »Hilfe«-Aufsätze Göhres mit heftiger Kritik, sondern auch der Vereinssekretär und Intimus Naumanns Martin Wenck sah in den Stellungnahmen Göhres, allerdings nicht wegen ihres Inhalts, sondern wegen ihres scharfen polemischen Tones eine Gefahr für die Zukunft des Vereins. So bezeichnete er in einem ausführli-

[55] ebd., Bl. 120.

[56] DZA Potsdam, Nachl. Naumann, Aktz. 237 (Ruprecht an Naumann vom 25. 7. 98), Bl. 23.

[57] ebd., Bl. 22 R.

[58] Der Brief datiert vom 25. 6. Der Inhalt des Briefes – vor allem die Erwähnung seiner gegen Sohms Artikel gerichteten »Hilfe«-Aufsätze (Göhres 2. Aufsatz erschien in der Hilfe vom 24. 7., siehe oben S. 93, Anm. 46) – läßt jedoch nur den Schluß zu, daß Göhre sich bei der Niederschrift des Datums geirrt hat. Der Datierungsfehler dürfte durch einen Schreibfehler bei der Monatsangabe zustande gekommen sein, da Göhre hierfür römische Zahlen verwendete (25. VI. statt 25. VII.).

[59] DZA Potsdam, Nachl. Naumann, Aktz. 237 (Göhre an Naumann vom 25. 7. 98), Bl. 10/10 R.

[60] ebd., Bl. 11 R.

chen Brief an Naumann Göhres Antwort als taktlos. Göhre habe nur als »Gefühlsmensch« und »in einer aus seinem Proletarier-Gefühl erklärlichen Leidenschaftlichkeit« geschrieben. »Die Brüskierung Sohms durch Göhre«, meinte Wenck, »ist ... so stark, daß ich Sohm bewundere, wie er auch nur eine Stunde noch im Vorstand bleiben konnte; denn es ist unerhört, daß ein Vorstandsmitglied das andere in dieser Weise in der Öffentlichkeit behandelt«[61].

Auch in der von Adolf Damaschke herausgegebenen »Deutschen Volksstimme« erschien unter dem Titel »Nationalsoziale Rücksichtslosigkeiten« ein Beitrag zu dem vereinsinternen Meinungsstreit[62].

In dem Aufsatz, der mit »Fidus« unterzeichnet und zweifellos von Damaschke verfaßt oder inspiriert ist, werden die Göhreschen Ausführungen als »einfach unverständlich« apostrophiert. Am Schluß des Artikels wird an Naumann die Frage gerichtet, warum er »jenem Streit, der nur die... Freunde verwirren und beirren« könne, nicht ein Ende mache. »Er ist der erste Vorsitzende der Partei«, hieß es; »möge er wachen, daß ihr kein Schaden geschieht«[63].

Um die erneut offen ausgebrochene Vereinskrise zu beheben, unternahm Wenck den zweifelhaften Versuch, einen abermaligen Kompromiß zwischen Sohm und Göhre zu erreichen oder zumindest eine »schiedlich-friedliche« Trennung von Sohm zu gewährleisten. Zu diesem Zweck hatte er Göhre einen Briefentwurf zugestellt, der als Grundlage für eine Art Entschuldigungsschreiben an Sohm dienen sollte[64].

[61] DZA Potsdam, Nachl. Naumann, Aktz. 237 (Wenck an Naumann vom 27. 7. 98), Bl. 14 R/15/15 R.

[62] »Deutsche Volksstimme«, IX. Jg., Nr. 15, 5. 8. 98, S. 437 f.

[63] ebd., S. 438.

[64] In dem Entwurf Wencks heißt es u. a.: »Durch Pfarrer Naumann habe ich gehört, daß Sie sich durch meinen ersten Artikel in der ›Hilfe‹ persönlich verletzt fühlen. Ich kann demgegenüber nur versichern, daß es mir nur auf die Sache angekommen ist und daß mir darum nichts ferner gelegen hat, als Ihnen persönlich zu nahe zu treten. Der von mir angeschlagene scharfe Ton entsprach meinem Bestreben, alles abzuweisen, was auch nur entfernt geeignet schien, die bei unserem letzten Delegiertentag für unsere nationalsoziale Politik gezogene Mittellinie zu verlassen und dadurch die gerade jetzt nach den Wahlen so notwendige ruhige innere Entwicklung unseres Vereins zu hindern ... Da mir nun wirklich nichts ferner liegt als ein Austrag der sachlichen Differenzen auf persönlichem Gebiet, so kann ich nur den Wunsch hegen, von Ihnen zu erfahren, inwiefern ich Sie mißverstanden habe. Ich erlaube mir darum die Bitte an Sie, mich hierüber entweder schriftlich aufzuklären oder mir die Gelegenheit einer Aussprache mit Ihnen zu geben« (DZA Potsdam, Nachl. Naumann, Aktz. 237, Bl. 35/35 R). – In einem Begleitbrief an Göhre motivierte Wenck sein Vorgehen: »... ob es zu einem Bruch mit Sohm kommen wird ..., ist im Augenblick nicht das Entscheidende, sondern dies, daß um deinetwillen und um der ganzen Bewegung willen ein Bruch vermieden werden muß, der einen persönlichen Beigeschmack hat. Die nationalsoziale Bewegung kann ... vielleicht eine endgültige Trennung von Sohm überstehen, wenn diese Trennung schiedlich-friedlich geschieht ..., aber wenn Sohm, wie jetzt, auch nur den Schein für sich hat, man habe ihn brüskieren und dadurch hinausdrängen wollen, so wird 1. voraussichtlich ein großer Krach erfolgen, bei welchem sich manche zu Sohm stellen, die sachlich auf Deiner Seite oder doch in der Mitte stehen, 2. jeder fernere Zuzug aus den gebildeten Kreisen, den wir auch bei einer proletarisch gerichteten Bewegung brauchen, wird so erschwert, daß wir wenigstens als politische Organisation zu Grunde gehen ...« (ebd., Bl. 36/36 R).

Göhre fand sich bereit, ein entsprechendes Schreiben an Sohm zu richten. Sohm seinerseits willigte in den Vorschlag nach einer klärenden Aussprache zwischen ihm und Göhre ein. Über das Ergebnis dieser Unterredung erstattete Göhre in einem Brief Naumann Bericht[65].

Sohm und Göhre waren sich darin einig, daß die Differenz der politischen Standpunkte zwischen ihnen absolut war und daß sie die Aktionsfähigkeit des Vereins hemmte. Sohm erklärte sich überraschend bereit, aus dem Vorstand auszuscheiden. Als Mitglied wolle er aber weiterhin dem Verein angehören. Er unterbreitete den Vorschlag, den Vorstandssitz, der sich bisher in Leipzig befand, nach Berlin zu verlegen. Da er als Universitätslehrer an Leipzig gebunden sei, werde sein Ausscheiden aus dem Vorstand keineswegs spektakulär erscheinen. Über Sohms »hochherziges Entgegenkommen«, wie es Wenck nannte[66], unterrichtete Naumann bei Anwesenheit Sohms den Vorstand am 20. August[67].

b) Der Austritt Göhres

Der Rückzug Sohms aus dem Vereinsvorstand wurde von Göhre nicht als persönlicher Sieg und als Triumph seiner politischen Richtung über die von Sohm interpretiert, denn die Auseinandersetzung mit Sohm in der »Hilfe« mußte Göhre erkennen lassen, daß er mit seiner akzentuiert »proletarischen« Grundhaltung unter den führenden Nationalsozialen nahezu alleine stand. Für ihn, den konsequenten Verfechter der proletarischen Interessen, war dieses Faktum – nach dem Erfurter Kompromiß und der Stichwahlentscheidung der Nationalsozialen im Reichstagswahlkampf 1898 zugunsten der bürgerlichen Parteien[68] – eine erneute Bestätigung für die Rechtsschwenkung des Vereins.

Ein innenpolitisches Ereignis war schließlich der Anlaß für Göhre, sich von der Arbeit im Verein schrittweise zurückzuziehen.

Der Kaiser hatte am 6. September in einer Rede in Oeynhausen eine Gesetzesvorlage angekündigt, durch welche die Aufforderung zum Streik mit Zuchthaus bestraft werden sollte. Göhre forderte nach Bekanntwerden dieser Rede eine Revision des nationalsozialen Standpunktes, soweit er monarchisch war.

Die Mehrheit der Nationalsozialen – einschließlich Naumann – widersprach diesem Verlangen. Die Folge war, daß eine Reihe von Arbeitern aus dem Verein austrat. Göhre zögerte noch mit einem förmlichen Austritt, schränkte aber seine Betätigung für den Verein auf ein Minimum ein.

Zu dem Darmstädter Delegiertentag im September 1898 erschien Göhre nicht mehr. Da der Vertreterversammlung satzungsgemäß die Aufgabe zufiel, die Vorstandsmitglieder zu wählen, verlor er durch sein Fernbleiben seine Stellung als zweiter Vorsitzender des Vereins. Die Entfremdung Göhres gegenüber der nationalsozialen Politik wurde im Herbst 1898 noch dadurch gefördert, daß sich die Nationalsozialen – infolge der Orientreise des Kaisers – immer mehr außenpoli-

[65] DZA Potsdam, Nachl. Naumann, Aktz. 237 (Göhre an Naumann vom 1. 8. 98), Bl. 27 ff.

[66] DZA Potsdam, Nachl. Naumann, Aktz. 237 (Wenck an Naumann vom 5. 8. 98), Bl. 33.

[67] DZA Potsdam, Nachl. Naumann, Aktz. 53, Bl. 46.

[68] Siehe hierzu S. 129 ff. dieser Arbeit.

tischen Fragen zuwandten. Die nationalistischen Töne in der nationalsozialen Publizistik dominierten gegenüber sozialpolitischen Themen. Göhres Beiträge in der »Hilfe« wurden immer spärlicher. Gegen Ende des Jahres 1898 wies er den Antrag des Vorstandes, ein Flugblatt abzufassen, das sich mit den Gegnern des Vereins beschäftigen sollte, zurück[69]. Ein Brief vom 29. 1. 1899 an Naumann läßt keinen Zweifel mehr darüber zu, daß er bereit ist, den Übertritt zur Sozialdemokratie zu vollziehen[70].

Am 16. April schließlich teilte Göhre Naumann mit, daß er »von einer Beteiligung an nationalsozialer Politik und von der Mitgliedschaft am nationalsozialen Verein zurückgetreten« sei, »und zwar 1. weil die gegenwärtige nationalsoziale Theorie und Praxis ... sich immer mehr von ihren ersten, mehr proletarisch-sozialistischen Ausgangspunkten entfernt« habe; »2. weil bei der gegenwärtigen, vermutlich noch lange Zeit andauernden allgemeinen politischen Lage ... eine erfolgreiche nationalsoziale Politik überhaupt nicht möglich erscheint«[71]. Göhre bat Naumann, seine Austrittserklärung in der »Hilfe« zu veröffentlichen. Naumann, der sich dieser Bitte verschloß[72], unterrichtete schließlich die »Hilfe«-Leser in der Ausgabe vom 30. April über Göhres Entschluß[73]. Der Austritt Göhres hatte noch ein publizistisches Nachspiel. In einer Maiausgabe der »Zukunft« motivierte Göhre seinen Austritt in einem ausführlichen Aufsatz. Er stellte ihn dar nicht als einen durch ein einmaliges Ereignis hervorgerufenen Willensakt, sondern als das Ergebnis eines langen inneren Kampfes, der in Ab-

[69] DZA Potsdam, Nachl. Naumann, Aktz. 53, Bl. 54 R.

[70] »... Auf Deinen Klassenkampfartikel bin ich gespannt. Du bist für Klassenkampf, aber ohne die sozialdemokratische Methode und Auffassung? Aber zieht es denn ohne diese? Ich fürchte, ohne sie ist es die Aufhebung seines Wesens. Ähnlich skeptisch stehe ich zu Deiner Bereitschaft, in die Sozialdemokratie einzutreten – wenn ›sie sich entschließt, positive vaterländische Politik zu treiben oder in sich zuzulassen‹. D. h., wenn sich ihre innere Umwandlung völlig vollzogen hat; dann aber ists keine Kunst mehr und auch zwecklos geworden. Der Witz ist einzuhaken, jetzt, aber bald, wo sie noch nicht so weit ist, um sie so weit zu bringen. Eben in dieser Arbeit sehe ich die Aufgabe der Nationalsozialen, die nun ungelöst bleibt« (DZA Potsdam, Nachl. Naumann, Aktz. 114, Göhre an Naumann vom 29. 1. 1899, Briefabschrift, Bl. 87).

[71] Hess. Landes- und Hochschulbibliothek Darmstadt, Nachlaß Wenck (Abschrift des Briefes von Göhre an Naumann vom 16. 4. 99).

[72] In einem Brief vom 17. 4. schrieb er an Göhre: »Es ist wohl besser, Deine Erklärung erscheint im ›Vorwärts‹. Der Inhalt ist für jeden, der lesen kann: Du bist Sozialdemokrat geworden. Das müßte ich auch in meiner Antwort schreiben. Besser aber ist dann, Du eröffnest die Auseinandersetzung in einem sozialdem. Blatt. Wenn Du nicht Sozialdemokrat sein willst, so hat es keinen Zweck, uns diesen Fußtritt zu geben. Einen solchen Abschied haben wir nach diesen Jahren gemeinsamer Arbeit keinesfalls verdient. Ich schicke Dir also diese Erklärung zurück mit der Bitte, sie im ›Vorwärts‹ zu veröffentlichen ... Nur wenn Du das nicht magst, drucke ich sie in der nächsten ›Hilfe‹ ab, dann natürlich mit scharfer Entgegnung. Es ist nicht wahr, was Du sagst ...« (Hess. Landes- und Hochschulbibliothek Darmstadt, Nachl. Wenck, Naumann an Göhre vom 17. 4. 99).

[73] »Hilfe«, V. Jg., Nr. 18, 30. 4. 1899, S. 11.
Man druckte jedoch nicht wörtlich die Erklärung ab, sondern teilte mit, daß Göhre sich von der Beteiligung an der nationalsozialen Politik und der Vereinsmitgliedschaft zurückgezogen habe. »Der Anlaß dazu«, so hieß es weiter, »liegt lediglich an der im Laufe der Zeit zwischen ihm (Göhre) und uns immer stärker gewordenen Verschiedenheit der politischen und sozialen Anschauungen«.

hängigkeit von der allmählichen Wandlung des Nationalsozialen Vereins von einer »proletarisch-sozialistischen« in eine »bürgerlich-nationalistische« Partei verlaufen sei[74].

Naumann antwortete mit einem »Gegen Göhre«-Aufsatz in der »Hilfe« vom 28. Mai 1899 auf die Darstellung seines ehemaligen Vereinsfreundes[75]. Anknüpfend an die Göhresche Forderung nach einer »Revision unserer nationalen Gesinnungen, soweit sie monarchisch sind«, unterstellte er Göhre, dieser sei von der nationalsozialen Zielsetzung abgewichen, nicht aber der Verein[76].

Mit diesem Argument vermochte Naumann aber nicht die zweifellos zutreffende Feststellung Göhres zu entkräften, der Verein habe seinen ursprünglichen, im ersten Jahr seines Bestehens verfolgten Kurs preisgegeben.

Mit dem Austritt Göhres war das Ende eines Entwicklungsabschnittes markiert, in dem der Verein seine anfängliche klassengebundene, konsequent für die Interessen des Proletariats eintretenden Politik aufgab und fortan eine in klassenpolitischer Hinsicht merkwürdige Zwitterstellung einnahm.

Da der Verein sich seit dem Herbst 1897 offiziell nicht mehr als integraler Bestandteil der Arbeiterbewegung verstand, verlor der soziale Reformwille ein gut Teil von seinem ursprünglichen Rigorismus, obwohl man auch in Zukunft keineswegs das sozialreformerische Anliegen und die Notwendigkeit einer sozialen Besserstellung der Arbeiterschaft leugnete[77].

Hinzu kam, daß der Verein nicht allein durch die Erfurter Beschlüsse von 1897, die ihm eine interessenpolitisch neutrale Stellung zwischen Arbeiterschaft und Bürgertum zuwiesen, von seinem zuerst verfolgten Kurs abgewichen war, sondern daß unter dem Einfluß von mehr national als sozial gesinnten Vertretern des Bildungsbürgertums auch diese klassenpolitisch nicht gebundene Politik des Vereins in Frage gestellt wurde.

Nicht nur Rudolf Sohm meinte, daß der Verein die Rolle einer parteipolitischen Repräsentanz des national gesinnten und sozialpolitisch aufgeklärten Bürgertums wahrzunehmen habe, auch der Jenaer Pädagoge Wilhelm Rein versuchte unentwegt auf brieflichem Wege Naumann davon zu überzeugen, daß sich der Verein als eine bürgerliche politische Organisation auszuweisen habe[78].

[74] »Hilfe«, V. Jg., Nr. 21, 21. 5. 1899, S. 6 (Teilabdruck des Göhreschen Aufsatzes aus der »Zukunft«).

[75] »Hilfe«, V. Jg., Nr. 22, 28. 5. 1899, S. 3 ff.

[76] ebd., S. 3.

[77] Man zögerte nicht, vor allem für die Gewerkschaftsbewegung einzutreten (Siehe hierzu S. 107 dieser Arbeit), da ihre sozialpraktische Arbeit den eigenen sozialreformerischen Vorstellungen entsprach.

[78] In einem Brief vom 22. 8. 98 an den Vereinsvorsitzenden heißt es: ». . . ich (habe) mir eingebildet, Sie strebten danach, eine große mächtige Partei heranzubilden, die an die Stelle der langsam verschwindenden national-liberalen Partei einrücken u. neue Aufgaben mit dem Nachdruck durchsetzen könnte, wie es einst jene Partei getan hat« (DZA Potsdam, Nachl. Naumann, Aktz. 134, Bl. 7/8). Rein sieht außerdem Naumann – bedingt durch dessen Persönlichkeitsstruktur – in einer tragischen Konfliktsituation: »Das ist ein tragisches Moment in Ihrem Leben, das mich tief ergreift, sobald ich es mir vor die Seele stelle: Sie wollen in der sich emporringenden Masse Ihre Stellung nehmen u. sind Ihrem ganzen Wesen, Ihrem Denken, Sprechen u. Schreiben nach an die Gebildeten gewiesen. Ihr Gefühl treibt Sie dorthin, das Mitleid mit

Drangen Sohm, Rein und ihnen Gleichgesinnte mit ihren Vorstößen auch nicht durch, so vermochte sich doch Naumann ihrem Einfluß nicht vollends zu entziehen. Auf die seit 1899 im politischen Denken Naumanns allmählich an Mächtigkeit gewinnende Vorstellung einer gesamtliberalen Bewegung[79] werden sie nicht ganz ohne Einfluß gewesen sein.

den Gedrückten ..., aber Ihre Gaben weisen Ihnen, wenn Sie wirken wollen, einen anderen Platz an, einen Platz, der Ihrem Gefühl nicht zusagt, auf dem Sie ein Fremder sind u. sein wollen« (ebd., Bl. 8).
In seiner Antwort vom 23. 8. 98 gibt Naumann zu, daß die Äußerung Reins über ihn persönlich »teilweis richtig« ist. In der Frage »Partei der Masse« oder »Partei der Gebildeten« widerspricht er Rein aber energisch: »... Was ich leugne ist..., daß es eine Partei der Gebildeten per se geben kann«. Nicht die Gebildeten, sondern die Massen entscheiden nach Meinung Naumanns bei Wahlen über Erfolg oder Mißerfolg. »Dieser Masse sollen die Gebildeten ihren Geist und ihre Ethik geben. Der ganze Gegensatz, als ob es eine Politik der Gebildeten geben könne, die etwas anderes ist als vaterländische Volkspolitik, ist in meinen Augen eine Konstruktion ohne Hintergrund. Natürlich werde ich um der Masse willen weiter an den Gebildeten arbeiten« (DZA Potsdam, Nachl. Naumann, Aktz. 134, Bl. 9/10). Die Meinung, welche Rein in einem Brief vom 8. 10. 1900 an Naumann zur Frage äußert, ob der Verein »Partei der Masse« oder »Partei der Bildung« sein solle, läßt an Klarheit nichts mehr zu wünschen übrig: »Die Arbeiter bekommen wir erst, wenn wir tot sind; aber Zuzug jetzt aus den gebildeten u. besitzenden Kreisen tut dringend not. Wer soll das Geld zu den nächsten Wahlen aufbringen, wenn unser leistungsfähiger Kreis immer kleiner wird?« (DZA Potsdam, Nachl. Naumann, Aktz. 134, Bl. 11/12).

[79] Siehe hierzu S. 155 ff. dieser Arbeit.

6. Die Stellung des Vereins zur Sozialdemokratie, zu den Gewerkschaften und zum Genossenschaftswesen

Das politische Selbstverständnis der »jüngeren« Christlichsozialen und der Nationalsozialen entwickelte sich – wie darzustellen versucht wurde – in einem permanenten Prozeß geistiger Auseinandersetzung mit der Sozialdemokratie. Wenn im folgenden noch einige Anmerkungen über das Verhältnis des Vereins zur Sozialdemokratie gemacht werden, so deshalb, um vor allem zu akzentuieren, welche Bedeutung die Nationalsozialen dem Meinungsstreit über einen revidierten Sozialismus-Begriff in der Sozialdemokratie zumaßen, der gegen Ende der 90er Jahre durch Publikationen Bernsteins voll entbrannt war.

Daß die Beurteilung der Sozialdemokratie durch die Nationalsozialen der Homogenität entbehrte, wurde bereits zu schildern versucht. Auffällig war, daß der aus dem konservativen Lager stammende Rudolf Sohm und der ehemalige Sozialdemokrat Max Lorenz sich bei ihrer kompromißlosen Kritik solidarisierten.

Rudolf Sohm, der dem bestehenden nationalen Staat eine absolute, normative Bedeutung zuerkannte, dem sich alle gesellschaftlichen Prozesse unterzuordnen hatten, mußte in der Sozialdemokratie, die den Staat als Klassenstaat, somit als eine Form gesellschaftlicher Herrschaftsausübung begriff, den Prototyp absoluter Negation erblicken[1].

Da Sohm aber andererseits die Berechtigung eines nach größeren sozialen und kulturellen Rechten strebenden Arbeiterstandes anzuerkennen bereit war, erschien ihm ein »Bündnis zwischen Sozialdemokratie und Arbeiterbewegung« als »naturwidrig«[2]. Er betrachtete den »deutschen Arbeiter« als »deutschen Volksangehörigen«, der nur durch die »sozialdemokratische Irrlehre« dem Staat entfremdet sei.

Max Lorenz hatte sich nach seinem Austritt aus der Sozialdemokratischen Partei unter dem Einfluß Sohms in eine extrem anti-sozialdemokratische Stimmung hineingesteigert. 1896 setzte er sich zum ersten Male in einer umfangreichen Publikation kritisch mit der Marxschen Lehre auseinander[3]. Was diese Schrift im Ton noch relativ gemäßigt, so wies die ein Jahr später veröffentlichte Broschüre »Der nationale Kampf gegen die Sozialdemokratie« Lorenz bereits als einen fanatischen Antisozialisten aus[4]. In blinder Verkennung der wirklichen Verfassung der Sozialdemokratie meinte er, die Partei rüste sich zur »revolutionären Aktion«, ja zum »Staatsstreich«[5].

Die pointiert antisozialdemokratische Haltung von Sohm und Lorenz vermochte sich innerhalb des Vereins nicht durchzusetzen. Auch wenn der Verein unter der Pression Sohms und seiner Anhänger seit dem 2. Delegiertentag eine

[1] Siehe hierzu Rudolf SOHM: Die sozialen Aufgaben des modernen Staates, Leipzig, S. 19.

[2] In einem von ihm verfaßten Flugblatt des Nationalsozialen Vereins, das den Titel »Die Nationalsozialen und die Sozialdemokratie« trägt, heißt es: »... das Bündnis zwischen Sozialdemokratie und Arbeiterbewegung ist ein naturwidriges. Es gilt, die Arbeiterbewegung von diesem Bündnis zu befreien; das ist es, was wir wollen...« (5. Flugblatt des Nationalsozialen Vereins, enthalten im Nachlaß Traub, BA).

[3] Max LORENZ: Die marxistische Sozialdemokratie, Leipzig 1896.

[4] Max LORENZ: Der nationale Kampf gegen die Sozialdemokratie, Leipzig 1897.

[5] ebd., S. 10 u. S. 33 ff.

interessenpolitisch neutrale Stellung zwischen Arbeiterschaft und Bürgertum einnahm und sich sowohl von der Sozialdemokratie als auch den bürgerlichen Parteien distanzierte, blieben jedoch die Versuche Sohms, den Verein zu einer stärkeren Anlehnung an die Konservativen zu bewegen und ihm seine betont intransigente Haltung zur Sozialdemokratie aufzuzwingen, ohne Erfolg. Ebenso fand die antisozialdemokratische Agitation von Max Lorenz im Verein kaum Resonanz. Er, der im ersten Vereinsjahr als hauptberuflicher Agitator für den Verein wirkte[6], stieß mit seiner haßerfüllten Bekämpfung der Sozialdemokratie, die noch von einer persönlichen Hybris begleitet war, im Verein auf allgemeine Ablehnung[7]. Schließlich zog sich Lorenz, nachdem der Vorstand ihm die Stellung als Agitator gekündigt hatte[8] und er eine provisorische Anstellung als Mitarbeiter bei den Preußischen Jahrbüchern fand[9], allmählich von der Vereinstätigkeit zurück[10].

[6] Die Anstellung als Agitator erfolgte laut Vorstandsbeschluß vom 26. 11. 96 (DZA Potsdam, Nachl. Naumann, Aktz. 53, Bl. 2 R/3). Lorenz erklärte sich nur bereit, Instruktionen von Naumann oder Sekretär Wendt entgegenzunehmen, nicht aber vom 2. Vorsitzenden Göhre, »weil er persönliche und sachliche Differenzen mit P. Göhre zu haben glaubt ...« (ebd., Vorstandssitzung vom 14. 5. 97, Bl. 10 R).

[7] Auf Vortragsreisen beschäftigte sich Lorenz vor allem mit Fragen des Marxismus und Sozialismus. Im Mai/Juni 1897 hielt er auf Einladung des »Nationalsozialen Vereins für Hamburg u. Umgegend« in Hamburg mehrere Vorträge über Fragen des Marxismus (Staatsarchiv Hamburg, Polit. Polizei, Acte Nat.-soz. Verein, Vers 666, a.a.O., Bl. 48–54, 66–75, 109 f., 123–130). In den anschließenden Dikussionen wurde aus Kreisen der Nationalsozialen Hamburgs an den überspitzten Thesen Lorenz' Kritik laut. Einer der profiliertesten Kritiker war Prof. Tönnies. Heftige Kritik wurde auch in der Vorstandssitzung des Vereins vom 10. 7. 97 an Lorenz geübt. Naumanns Mitteilung, daß der Frankfurter Ortsverein eine Kraft benötige, die am dortigen »Volksboten«, einer lokalen Beilage der »Hilfe«, mitarbeite, wurde von dem Hinweis begleitet, daß Lorenz von Frankfurt nicht gewünscht werde (DZA Potsdam, Nachl. Naumann, Aktz. 53, Bl. 18 R). Nur der rechtsgerichtete Göttinger Ortsverein schien gegen das Auftreten von Lorenz nichts einzuwenden zu haben. In der Vorstandssitzung des Vereins vom 11. Februar 1898 teilt Naumann das Ersuchen »der Göttinger Freunde mit, Lorenz daselbst kandidieren zu lassen« (Bl. 29).

[8] Laut Vorstandssitzung vom 19. 10. 97. Naumann berichtet, daß die Hamburger Nationalsozialen, »und zwar auch die politisch mehr rechts stehenden Herren, eine abermalige Verwendung des Herrn Lorenz, wie sie ähnlich der im Frühjahr geschehenen für den Herbst gedacht war, ablehnen, weil sie nichts Ersprießliches von der Tätigkeit des Herrn Lorenz erwarten. Es wird insbesondere die scharfe Art seiner Polemik... hervorgehoben« (DZA Potsdam, Nachl. Naumann, Aktz. 53, Bl. 24/24 R).

[9] Laut Mitteilung Naumanns in der Vorstandssitzung vom 4. 3. 98 (DZA Potsdam, Nachl. Naumann, Aktz. 53, Bl. 30 R).

[10] Ein Brief von Lorenz an Maximilian Harden vom 31. 10. 96 gibt Aufschluß darüber, warum Lorenz bei seinem Kampf gegen die Sozialdemokratie die »wissenschaftliche« Ebene wählte, indem er sich vor allem mit der marxistischen Theorie auseinandersetzte: »Die theoretischen Auseinandersetzungen« seien ihm »völlig gleichgültig als Theorie«. Er verfolge mit ihrer »Vorführung« »einen rein praktischen Zweck«; er könne »diese Dinge... nicht so primitiv vorführen, wie Eugen Richter, nur aus Bebels ›Frau‹ geschöpft«. Man müsse »mit Marx ... die Marxisten bekämpfen« und »die Gegner... vor die Alternative stellen, ihn völlig fallen zu lassen oder ihn ganz anzuerkennen«. »Der Marxismus ist zur Zeit« – so fügt Lorenz hinzu – »aus seiner brennenden Flammenglut ins Helldunkel gerückt, von den sogenannten Marxisten gerade. Dieser Taktik muß ein Ende gemacht und Marx darum politisch ausgeschaltet werden. Ob er wissenschaftlich, theoretisch ›fertig‹ ist, spielt dabei keine Rolle«. (BA, Nachl. Harden, Nr. 69, Lorenz an Harden vom 31. 10. 96, Bl. 23 f.). Daß das Be-

Obwohl jene Vertreter des intellektuellen Bürgertums im wachsenden Maße Einfluß auf die Leitung des Vereins gewannen, die mehr die nationale als die soziale Komponente nationalsozialer Programmatik in der Politik des Vereins betont wissen wollten, wurde die spezifisch nationalsoziale Haltung zur Sozialdemokratie durch Friedrich Naumann geprägt. Während man sich in Fragen des Arbeiterschutzes, des gewerkschaftlichen Zusammenschlusses, der Steuerreform und des Bildungsfortschritts als Verbündeter der Sozialdemokratie betrachtete[11], waren die Internationalität und die durch die Marxsche Konzentrationslehre bestimmte Vorstellung vom plötzlichen Umschlag der kapitalistischen in die sozialistische Gesellschaftsordnung – welche aus der Sicht Naumanns ein fatalistisches Verhalten der kapitalwirtschaftlichen Entwicklung gegenüber und eine tiefgreifende soziale Reformarbeit hemmende Wirkung zur Folge hatte – wesentliche Ansatzpunkte für die nationalsoziale Kritik an der Sozialdemokratie[12].

Ein erklärtes Ziel der Nationalsozialen, das aus dieser Kritik resultierte, war, die innere Entwicklung der Sozialdemokratie von außen, d. h. durch Propagierung der nationalsozialen Vorstellungen zu beeinflussen[13].

Bestärkt wurden die Nationalsozialen in der Hoffnung auf eine innere Metamorphose der Sozialdemokratie durch die von dem im Londoner Exil lebenden

mühen Lorenz', die marxistische Lehre zu widerlegen, nicht zuletzt von der bangen Frage diktiert wurde, ob Marx nicht etwa doch »recht« haben könnte, erhellt eine Äußerung Lorenz' im gleichen Brief: »Was übrigens und endlich noch meine ›theoretischen Auseinandersetzungen‹ mit dem Marxismus betrifft, die ich – nach Ihnen – ›ja natürlich selbst nicht für neu‹ halte: Nein, für so ganz neu und unerhört nicht, aber Sie wissen zweifellos, daß der Marxismus denn doch noch gar nicht kritisch so ganz geklärt und abgetan ist. Bürgerliche Ökonomen sind sich noch gar nicht darüber einig, ob der Marxsche Kommunismus nicht vielleicht doch, wie Marx selber erklärt, höchster Individualismus sei« (BA, Nachl. Harden, Nr. 69, Lorenz an Harden vom 31. 10. 96).

[11] »Hilfe«, IV. Jg., Nr. 19, 8. Mai 1898, S. 2.

[12] Siehe hierzu auch S. 63 ff. dieser Arbeit.

[13] Die Indifferenz, mit der die Sozialdemokratie ihrerseits den sozialpolitischen Bestrebungen der »jüngeren« Christlichsozialen begegnete, wich nach Gründung des Nationalsozialen Vereins einer kritischen Aufmerksamkeit. Franz Mehring nannte die Nationalsozialen die Epigonen des Nikodemus und ihre Parteigründung die Kopie des Versuches, zwischen den Rebellen Jesu und den satten Pharisäern die richtige Mitte zu treffen. »Bei solchen Programmen, die zugleich den Ansprüchen der Bourgeoisie und des Proletariats gerecht werden wollen, kommt es nicht viel auf die einzelnen Forderungen an. Die werden je nach Bedürfnis bald so und bald so aneinandergeschoben, wie die Dominosteine. Nur so viel ist allen diesen Programmen gemeinsam, daß sie kraft ihres inneren Widerspruchs an dem einen Ende umso unvernünftiger werden müssen, je vernünftiger sie am anderen Ende werden wollen ...« (»Neue Zeit«, 1896/97, XV, I., S. 292). Daß sich Mehrings kritisches Urteil – von der entgegengesetzten Position aus gesprochen – mit Max Webers kritischer Stellungnahme auf der Gründungsversammlung des Vereins inhaltlich deckt, braucht nicht sonderlich betont zu werden. Beide lehnten als Anhänger einer klassenbewußten Parteipolitik die klassenpolitische Zwitterstellung des Vereins ab. – Auch die sozialdemokratische Tagespresse ging mit dem Verein hart ins Gericht. Der »Vorwärts« stempelte den nationalen Sozialismus als den »demokratische[n] Cäsarismus à la Napoleon III.« ab; die »Leipziger Volkszeitung« nannte ihn die »phrygische Mütze der Sozialreform, die auf die preußische Pickelhaube gestülpt ist« (Nach Friedrich SPONSEL: Friedrich Naumann und die deutsche Sozialdemokratie, Diss. Erlangen 1952 (Ms), S. 44).

Sozialdemokraten Eduard Bernstein entwickelte Theorie eines revisionistischen Sozialismus.

Vor dem Erscheinen seines diese Theorie begründenden Hauptwerkes »Die Voraussetzungen des Sozialismus« im Jahre 1899 hatte Bernstein sich im Rahmen einer publizistischen Fehde mit dem orthodoxen Marxisten Karl Kautsky in einer Reihe von Aufsätzen mit der Marxschen Lehre kritisch auseinandergesetzt[14]. In der Schrift »Klassenkampf und Kompromiß« billigte Bernstein den »Kompromiß der Aktion« als Prinzip parteipolitischen Handelns[15]. Da jede proletarische Partei, die über das Stadium der Sektiererei hinausgelangt ist, den Erfolg für ihr politisches Handeln brauche, sei, wenn sie nicht die Mehrheit der Bevölkerung für sich zu gewinnen vermag, die Kooperation mit anderen Parteien notwendig. Bernstein betrachtete außerdem ein Verhalten, das darauf abziele, alle sozialen Lösungen auf den Tag des »endgültigen Sieges des Sozialismus« hinauszuschieben, als unrealistisch; es gewänne auch dann nicht an Überzeugungskraft, wenn »man es mit Schlagworten aus dem Arsenal der Schriften von Marx und Engels verbrämt«[16]. Bernstein sah vielmehr eine evolutionistische Tendenz des Sozialismus; er sprach von einem »Hineinwachsen der Gesellschaft in den Sozialismus«[17]. Auch den marxistischen Terminus des »als Klasse organisierten Proletariats« wies Bernstein mit dem Hinweis zurück, daß der Begriff des Proletariats nicht exakt zu begrenzen sei. Die »in gemeinsamer Auffassung agierende Klasse« war für Bernstein »in hohem Grade ein Gedankenbild«. In Wirklichkeit finde sich gerade in den am weitest fortgeschrittenen Fabrikindustrien nur ein mäßiges Solidaritätsgefühl zwischen den stark differenzierten Gruppen von Arbeitern[18].

In seinem Hauptwerk, in dem er u. a. die Konzentrationstheorie von Marx in Zweifel zog, die Vorstellung eines internationalen Sozialismus zugunsten eines nationalen zurückstellte und anstelle einer Diktatur des Proletariats die politische Demokratie, in der nicht die Klassen aufgehoben, aber die Klassenherrschaft beseitigt ist, als Zukunftsaufgabe des Sozialismus postulierte, unterzog er das Marxsche Werk einer grundsätzlichen Kritik, indem er in ihm einen Dualismus konstatierte, der darin bestehe, »daß das Werk wissenschaftliche Untersuchung sein und doch eine lange vor seiner Konzipierung fertige These beweisen will; daß ihm ein Schema zugrunde liegt, in dem das Resultat, zu dem hin die Entwicklung führen sollte, schon von vornherein feststand«[19].

[14] So z. B. in: »Klassenkampf und Kompromiß« (1896), »Utopismus und Eklektizismus« (1896), »Das realistische und das ideologische Moment im Sozialismus« (1898). Die genannten Aufsätze sind enthalten in: Eduard BERNSTEIN: Zur Geschichte und Theorie des Sozialismus, Gesammelte Abhandlungen, Berlin/Bern 1901.

[15] »Klassenkampf u. Kompromiß«, in: E. BERNSTEIN: Zur Gesch. u. Theorie d. Sozialismus, S. 158 f.

[16] »Utopismus und Eklektizismus«, in: E. BERNSTEIN, Zur Gesch. u. Theorie d. Sozialismus, S. 173.

[17] ebd., S. 174.

[18] »Das realistische und das ideologische Moment im Sozialismus«, in: E. BERNSTEIN, Zur Gesch. u. Theorie d. Sozialismus, S. 282.

[19] Eduard BERNSTEIN: Die Voraussetzungen des Sozialismus, Stuttgart 1899, S. 177.

Naumann reagierte auf das Buch Bernsteins mit der Feststellung, daß damit »die Zersetzung des Marxismus« innerhalb der Sozialdemokratie beginne[20]. Bernstein habe nicht viel anderes zur Kritik des Marxismus gesagt, als was in nationalsozialen Kreisen oft geäußert worden sei. Was er biete, sei »die beste Kritik des Marxismus, die vom sozialen Standpunkt aus heute möglich ist«[21]. In einem nationalsozialen Flugblatt mit dem Titel: »Was sagt Bernstein« reklamierte man den revisionistischen Sozialdemokraten als »klassische[n] Zeuge[n]« für die Politik der »jungen Nationalsozialen Partei«[22].

Trotz der Hoffnungen, die Naumann und die Mehrheit der Nationalsozialen auf Bernstein als den geistigen Schrittmacher für die Umwandlung der Sozialdemokratie in eine soziale Reformpartei setzten, übersah man nicht, welche Hindernisse sich der Durchsetzung der Theorien Bernsteins in der Sozialdemokratie entgegenstellen würden.

Den wichtigsten Hinderungsgrund für eine schnelle Durchdringung der Partei mit dem revisionistischen Gedankengut sah Naumann in dem Umstand, daß Bernstein ausschließlich Akademiker sei, während Bebel, der Antipode Bernsteins, »den Instinkt der Partei«, das »Massengefühl« so sehr verkörpere wie sonst kein anderer Führer der Partei[23]. Die Gedanken Bernsteins würden deshalb zunächst nur auf »Teile der Kerntruppen der Sozialdemokratie«, auf die Akademiker und die gelernten organisierten Arbeiter einwirken[24].

Welche Bedeutung man im nationalsozialen Führungskreis dem Hauptwerk Bernsteins zumaß, wird dadurch ersichtlich, daß Naumann unmittelbar nach seinem Erscheinen den Führer der bayerischen Sozialdemokraten, von Vollmar, aufsuchte. Die Nationalsozialen meinten, daß von Vollmar, der auf dem Erfurter Parteitag der Sozialdemokratie im Jahre 1891 eine Oppositionsrolle übernommen und zum ersten Male mit seinen Parteifreunden im bayerischen Landtag für das von der Regierung vorgelegte Budget gestimmt hatte, am ehesten imstande sei, eine Umwandlung der Sozialdemokratie in Richtung auf eine soziale Reformpartei in die Wege zu leiten. In einer Vorstandssitzung des Vereins am 15. April 1899 erstattete Naumann über seine Unterredung mit von Vollmar Bericht. Naumann erklärte, daß von Vollmar nicht für Bernstein eintreten werde, »einmal, weil dieser nicht so vorgegangen ist, wie Vollmar es wünschte, dann, weil er nicht die Natur ist, die ein solcher Kampf gegen Bebel und die Linke der Sozialdemokratie erfordern würde ... Aber er (Vollmar) hält es für möglich, daß die Zeit zur Schaffung einer großen liberalen Partei [der] ›nationale[n] Demokratie‹ kommen wird, die sich von ihm bis zum Freisinn erstreckt und die Nationalsozialen mitumfaßt«; er »glaubt aber an Staatsstreichversuche des Kaisers, der

20 »Hilfe«, V. Jg., Nr. 14, 2. April 1899, S. 1.

21 ebd., S. 3.

22 7. Flugblatt des Nationalsozialen Vereins, enthalten im Nachlaß Traub, BA.

23 Friedrich NAUMANN: Bebel und Bernstein, Berlin (1899) (Vortrag vom 6. April 1899), S. 7.

24 ebd., S. 13. Eine solche Feststellung Naumanns konnte dazu führen, daß man von nationalsozialer Seite einen etwas schematischen Gegensatz zwischen Proletariern und Akademikern in die Sozialdemokratie hineininterpretierte. So z. B. Otto Schaal, einer der wenigen führenden Nationalsozialen, der dem Arbeiterstand angehörte, in einem Referat vor dem Hamburger Nationalsozialen Verein vom 21. 4. 99 (Staatsarchiv Hamburg, Polit. Polizei, Acte Nat.-soz. Verein, Vers 700, Bl. 287).

sich nicht entschließen wird, mit einer solchen Linken zu gehen, trotz ihr[er] notwendigen Unterstützung bei den Handelsverträgen«. Im Vorstandsprotokoll wird nach dem Bericht Naumanns folgendes Resümee gezogen: »So ist auf Vollmar zunächst nicht zu rechnen. Es empfiehlt sich aber, trotzdem die Bernsteindebatte mit aller Wucht weiterzuführen«[25].

In ihrem Verhältnis zu den Gewerkschaften ließen sich die Nationalsozialen von dem gleichen Prinzip leiten, das auch für ihre Haltung zur Sozialdemokratie mit ausschlaggebend war. Ihre Vorstellung, daß nur mit Hilfe sozialer Reformen die materielle Not zu beheben sei, veranlaßte sie, für eine jeder ideologischen Verpflichtung entbundenen Gewerkschaftsbewegung zu plädieren. Eine Entideologisierung und Entpolitisierung der Gewerkschaften, d. h. eine klare Trennung von Parteipolitik und gewerkschaftlicher Tätigkeit, betrachtete man als eine Grundvoraussetzung für jeden gewerkschaftlichen Erfolg, da nur so alle Arbeiter eines Berufszweiges in einem gemeinsam geführten Arbeitskampf wirtschaftliche Verbesserungen durchzusetzen imstande seien[26].

Anfang des Jahres 1901 hielt Naumann vier Vorträge vor Gewerkschaftlern im Ruhrgebiet, in denen er für den Gedanken einer strikten parteipolitischen Neutralität der Gewerkschaften warb. Der Vorsitzende der Bergarbeitergewerkschaft, Otto Hué, selbst Sozialdemokrat, aber ebenfalls Anhänger der Idee einer parteipolitisch unbeeinflußten Gewerkschaftsbewegung, hatte Naumann bei der Vorbereitung und Veranstaltung der Vorträge wirksam unterstützt. Naumann bezeichnete es in seinen Vorträgen als eine unbedingte Notwendigkeit, daß sich auch die Mitglieder der evangelischen Arbeitervereine gewerkschaftlich organisierten.

Die Gewerkschaftsbewegung genoß Naumanns uneingeschränkte Hochachtung. In einem seiner Vorträge, der sich gegen die Zuchthausvorlage richtete, meinte er, daß »heute der Berufsstand der Gewerkschaftsführer in Deutschland an persönlicher Ehrenhaftigkeit, Ruhe und Tüchtigkeit von keinem anderen Stand übertroffen« werde[27].

Die Mehrheit der Nationalsozialen war auch bereit, das letzte Mittel gewerkschaftlichen Kampfes, den Streik, als legitim anzuerkennen. Das Recht zum Streik, so meinte Naumann, könne dem Arbeiter ebensowenig bestritten werden wie etwa den Börsenleuten das Recht, »sich der Börse zu entziehen, wenn ihnen die aufgelegten Bedingungen zu hart erscheinen«[28].

[25] DZA Potsdam, Nachl. Naumann, Aktz. 53, Bl. 70 R.

[26] In diesem Sinne äußerte sich z. B. Adolf Damaschke in einem Vortrag mit dem Titel »Der größte Feind der Gewerkschaften« vor dem Hamburger Ortsverein: Die Politik, namentlich die Parteipolitik, müsse in Zukunft aus der Gewerkschaftsbewegung verschwinden, wenn man nicht fortwährend mit Mißerfolgen rechnen wolle (Staatsarchiv Hamburg, Polit. Polizei, Acte Nat.-soz. Verein, Vers 700, Bd. 1, Bl. 124). – In einem Flugblatt des Vereins, betitelt: »Die Nationalsozialen und die Gewerkschaften«, heißt es, daß es zwei Wege für den Arbeiterstand gebe, um sich emporzuentwickeln, den politischen und den gewerkschaftlichen. »Beide Wege führen zum Ziel, aber sie laufen nebeneinander, sie dürfen nicht miteinander verquickt werden«. »Die Politik, namentlich aber die Parteipolitik, muß in den Gewerkschaften gänzlich aus dem Spiel bleiben, geradeso wie alle religiösen Bestrebungen« (4. Flugblatt des Nationalsozialen Vereins, enthalten im Nachlaß Traub, BA).

[27] Fr. NAUMANN: Die Zuchthausvorlage, S. 9.

[28] Fr. NAUMANN: Nationale Sozialpolitik, in: Fr. Naumann, Werke, V. Bd., S. 245.

Schließlich muß auch die Haltung der Nationalsozialen zum Genossenschaftswesen im Zusammenhang mit ihrer Auffassung gesehen werden, innerhalb des bestehenden Staates mit Hilfe sozialer Reformen für eine Verbesserung der materiellen Lage der gesellschaftlich unterprivilegierten Schichten zu sorgen. Auf dem Erfurter Vertretertag des Vereins im Jahre 1897 beschlossen die Delegierten – im Anschluß an ein eingehendes Referat Göhres über die Genossenschaftsfrage – sogar ein Genossenschaftsprogramm. In ihm wurde festgestellt, daß man »eine kräftige Genossenschaftsbildung für ein Hauptförderungsmittel der ... erstrebten schichtenweisen Emporentwicklung aller Volksgenossen und zugleich für eine ethisch bedeutsame Macht zur Pflege sozialer Gesinnung« halte[29]. »Wir unterstützen demgemäß« – so wurde weiter betont – »jede geschichtlich bewährte (alte) oder praktischen Erfolg verheißende (neue) Form der Genossenschaftsbildung in Stadt und Land und machen es unseren Gesinnungsgenossen zur Pflicht, sich auf den bereits vorhandenen Genossenschaftsgebieten eifrig zu betätigen«[30].

Nicht nur die ländlichen Genossenschaften, die man »für die aussichtsreichsten« hielt, gedachte man zu fördern, sondern auch – wie es im Programm hieß – die Arbeiter-, Konsum- und Baugenossenschaften sowie Erwerbs- und Wirtschaftsgenossenschaften (Kreditvereine, Rohstoff- und Werkzeuggenossenschaften)[31].

Ebenso wie die Gewerkschaftsbewegung sollte nach Meinung der Nationalsozialen auch das Genossenschaftswesen von parteipolitischen Einflüssen frei bleiben[32].

[29] Protokoll, Vertretertag Erfurt, 1897, S. 95.

[30] ebd., S. 95.

[31] ebd., S. 96.

[32] Im Programm hieß es: »Wir erstreben Fernhaltung parteipolitischer und religiöser Gesichtspunkte aus den Genossenschaften« (Protokoll, Vertretertag Erfurt, 1897, S. 95).

7. Das Verhältnis des Vereins zur Tagespolitik

a) Der Hamburger Hafenarbeiterstreik

Schon unmittelbar nach seiner Gründung gab es für den Verein aus einem konkreten Anlaß Gelegenheit, seine Stellung zum gewerkschaftlich organisierten Arbeitskampf zu manifestieren. Am 21. November 1896 traten die Hamburger Hafenarbeiter in einen Streik, der ein solches Ausmaß annahm, daß er der größte Arbeitskampf nach dem Bergarbeiterausstand des Jahres 1889 wurde. Der Hamburger Streik, der am 6. Februar 1897 mit einer Kapitulation der Hafenarbeiter endete, da diesen die finanziellen Mittel zur Fortführung des Ausstandes ausgingen, war das beherrschende Thema der deutschen Innenpolitik im Winter 1896/97.

Während die bürgerlichen Parteien und die gesamte bürgerliche Presse in diesem Ausstand, der von den Gewerkschaften und den Arbeitgebern nicht als ein bloßer Lohnkampf, sondern als eine Art Kraftprobe zwischen »Arbeit« und »Kapital« angesehen wurde[1], für die Arbeitgeber Partei ergriffen, unterstützten die Nationalsozialen publizistisch und finanziell die Hafenarbeiter[2]. Die Kriterien für die Parteinahme der Nationalsozialen waren nach den Worten Naumanns auf dem Vertretertag des Jahres 1897 einmal das Programm des Vereins, zum anderen die Stellungnahme der Gewerkschaften. Billigten diese einen Streik »im ordentlichen Verfahren (Gewerkschaftskartell, Zentralleitung)«, erklärte Naumann, »so lag für uns kein Grund zur Mißbilligung vor«[3]. Die Regulations- und Kontrollfunktion der Gewerkschaften bei Differenzen zwischen Arbeitgebern und Arbeitnehmern wurde damit von Naumann ausdrücklich anerkannt.

Die Solidarisierung der Nationalsozialen mit den Hafenarbeitern geschah auf publizistischer Ebene vor allem durch die eindeutige Parteinahme der Tageszeitung »Die Zeit«. Friedrich Weinhausen wurde als Redaktionsmitglied nach Hamburg entsandt, um sich aus eigener Anschauung ein Bild von der Streiksituation machen zu können. Auch Hellmut von Gerlach reiste nach Hamburg und berichtete in der »Zeit« über den Ausstand. Nachdem ein schiedsrichterliches Vermitt-

[1] In einem von der »Generalkommission der Gewerkschaften Deutschlands« stammenden Vorwort zu der 1897 herausgegebenen Schrift Carl Legiens (Legien war sozialdemokratischer Reichstagsabgeordneter und maßgeblicher Leiter des Arbeitskampfes der Hafenarbeiter) »Der Streik der Hafenarbeiter und Seeleute in Hamburg-Altona« heißt es: »Sie« (die Arbeiter) »rangen um das Prinzip, als gleichberechtigte Menschen anerkannt und bei dem Verkauf ihrer Arbeitskraft gehört zu werden« (Carl LEGIEN: Der Streik der Hafenarbeiter und Seeleute in Hamburg-Altona, Hamburg 1897, S. VIII).

[2] Die »Generalkommission der Gewerkschaften« bescheinigte auch jenen »bürgerliche[n] Stimmen«, die gegen die Unternehmer laut wurden – damit konnte man nur die Nationalsozialen meinen –, daß »sie nicht aus Mitleid, sondern um dieses Prinzipes willen für die Arbeiter« eingetreten seien (C. LEGIEN, Der Streik der Hafenarbeiter, S. VIII).

[3] Protokoll, Delegiertentag Erfurt, 1897, S. 48. – Im gleichen Sinne äußerte sich Naumann in einem Aufsatz in der »Zeit«, der auch in der »Hilfe« abgedruckt wurde. In ihm erklärt er, daß keine Zeitung in der Lage sei, die Berechtigung von Lohnkämpfen abzuschätzen, vielmehr sei dies ausschließlich eine Angelegenheit derer, »die mitten in den betreffenden Arbeitszweigen drin stehen« (»Hilfe«, III. Jg., Nr. 29, 18. Juli 97, S. 5).

lungsangebot des Präsidenten der Hamburger Bürgerschaft und des Präsidenten der Hamburger Polizeibehörde von den Unternehmern zurückgewiesen worden war, bezeichnete es die »Zeit« als »Ehrenpflicht aller Volksfreunde . . ., die Arbeiter in diesem gerechten Kampf zu unterstützen«[4]. Zugunsten des Streikfonds der Arbeiter hatte die »Zeit« eine Geldsammlung veranstaltet, die insgesamt 10 600 Mark einbrachte[5].

Diese von der »Zeit« unter den Nationalsozialen angeregte Geldsammlung ist nicht zu verwechseln mit einem Spendenaufruf, der von Friedrich Naumann, Prof. Baumgarten, Prof. Tönnies, Prof. Jastrow und Oberstleutnant Egydy erging[6]. In diesem am 19. Januar erschienenen Aufruf, der Unterstützungsgelder von etwa 40 000 Mark einbrachte[7], stellte man sich in einer inhaltlich überzeugenden und sprachlich wohlabgewogenen Argumentation auf die Seite der Streikenden. In der gegenwärtigen Streiksituation mache sich – so hieß es – »die Besorgnis geltend, daß die Verhandlungen über die Frage, ob verhandelt werden soll, sich so lange hinziehen, bis der Arbeiterschaft die Mittel zur Fortsetzung des Kampfes ausgehen und sie dann nicht nur zur Wiederaufnahme der Arbeit, sondern zu einer bedingungslosen Unterwerfung gezwungen ist«[8]. Die Reaktion der bürgerlichen Presse auf den »Professorenaufruf« war ein Gradmesser für seine Bedeutung und für die Resonanz, die er in der Öffentlichkeit gefunden hatte. Die »Hamburger Nachrichten« schrieben am 22. Januar, man wolle sich »die Namen dieser Herren merken, die, anstatt ihren Berufsgeschäften obzuliegen, sich um Dinge kümmern, von denen sie nichts verstehen und die sie nichts angehen . . .« »Wir rechnen bestimmt darauf«, so hieß es weiter, »daß die zuständigen Behörden in allen Bundesstaaten die Sammlungen, zu denen Naumann und ›Genossen‹ einladen, verbieten und die Urheber zur Verantwortung ziehen«[9].

[4] »Die Zeit«, I. Jg., Nr. 55, 4. Dez. 96, S. 3. – Auch die im nationalsozialen Sinne von Adolf Damaschke redigierten »Kieler Neuesten Nachrichten« ergriffen in dieser »›Herr-im-Haus‹-Affäre«, wie Lujo Brentano den Arbeitskampf wegen der intransigenten Haltung der Unternehmer nannte (Lujo BRENTANO: Mein Leben im Kampf um die soziale Entwicklung Deutschlands, Jena 1931, S. 201), für die Hafenarbeiter Partei (Siehe A. DAMASCHKE, Zeitenwende, II. Bd. a.a.O., S. 21).

[5] C. SCHNEIDER: Publizistik d. nat.-soz. Bewegung, S. 50.

[6] Wolfgang MOMMSEN vermutete, daß beide Spendenaufrufe identisch sind (W. Mommsen: M. Weber, S. 132, Anm. 4).

[7] Dieser Betrag wird von Ferdinand Tönnies in einem Brief vom 31. 1. 97 an Lujo Brentano erwähnt (BA, Nachlaß L. Brentano, Nr. 61, Tönnies an Brentano vom 31. 1. 97), während Brentano in seinen Lebenserinnerungen die Summe der Spenden auf nur 24 000 Mark veranschlagt (L. BRENTANO: Mein Leben, S. 201).

[8] »Die Zeit«, II. Jg., Nr. 18, 22. Jan. 97, S. 1.

[9] Nach C. LEGIEN: Der Streik d. Hafenarbeiter, S. 71. Abgedruckt wurde der Aufruf – wie Tönnies in seinem Brief an Brentano feststellt – nur durch einige »demokratische Zeitungen, Generalanzeiger und Lokalblätter«. »Die großen Zeitungen« hätten ihn »nur mit Hohn oder Schimpfworten erwähnt« (BA, Nachlaß L. Brentano, Nr. 61 Tönnies an Brentano vom 31. 1. 97). In einem Brief an Friedrich Paulsen meinte Tönnies, daß die mangelnde Bereitschaft bürgerlicher Zeitungen, Stellungnahmen gegen den Arbeitgeberverband aufzunehmen, nicht so sehr ins Gewicht falle, »wenn nicht die Macht solcher Blätter über die öffentliche Meinung darin beruhte, daß sie für unbefangen, sachlich, wissenschaftlich urteilend von den ›Gebildeten‹ als Amtsrichter, Post- und Gymnasialdirektoren, auch Pastoren und allerlei Volk gehalten werden, weil sie sich sehr geschickt diesen Schein zu bewahren wissen«. (Tönnies an

Als der Streik Anfang Februar 1897 nach 11-wöchiger Dauer mit einer vollständigen Niederlage der Arbeiter endete, sprach die »Zeit« von einem »Pyrrhussieg«: »Das Kapital mit seiner herzlosen Macht« habe »die Arbeit mit ihren berechtigten Lebensforderungen vergewaltigt«; »die Hauptschuld« trage »der hartherzige, unbeugsame Trotz, die herrische, unmenschliche Feindseligkeit der Arbeitgeber«[10]. Wenn der »Vorwärts« meinte, daß man aus dieser Niederlage gestärkt hervorgehe und »die Gewißheit des Sieges« schöpfe[11], so hieß es in der »Zeit« ähnlich: »Noch ein paar derartige Pyrrhussiege, und der Sozialismus ist Gemeingut unseres deutschen Volkes«[12].

Der Parteinahme der Nationalsozialen zugunsten der Hamburger Hafenarbeiter kam ein um so größeres Gewicht zu, als man sich mit ihr im Widerspruch zur Haltung des Kaisers befand, der die Reeder zu einem engen Zusammenschluß und zum Widerstand gegen die Forderungen der Arbeiter aufgefordert hatte. Die Nationalsozialen standen vor dem Dilemma, welchem Element nationalsozialer Programmatik, dem sozialpolitischen oder dem monarchischen, sie in dieser aktuellen Frage die Priorität einräumen sollten. Naumann versuchte das Problem auf dem Vertretertag des Vereins im Jahre 1897 mit einem Hinweis auf die Februarerlasse Wilhelms II. aus dem Jahre 1890 zu lösen: »Wir mußten klarzustellen suchen«, erläuterte er, »daß das Kaiserwort uns nicht binden kann, unserer staatswirtschaftlichen Einsicht und unserem Gewissen zu folgen, und daß wir dennoch unseren Kaiser hochhalten konnten. Daraus erwuchsen längere Erörterungen über das Kaisertum, die alle den Gedanken aussprachen, daß hierin das Kaisertum noch nicht sein letztes Wort gesprochen habe und daß es wieder einmal sprechen wird wie 1890, wo die Bergarbeiter im Berliner Schloß gewesen sind«[13].

b) Die Flottenfrage

Wie ernst es den Nationalsozialen mit ihrer weltmachtpolitischen Konzeption war, vermochten sie bei Einbringung der Flottenvorlagen durch die Regierung in den Jahren 1898 und 1900 unter Beweis zu stellen[14].

Fr. Paulsen vom 31. 12. 1896 in: Ferdinand Tönnies/Friedrich Paulsen, Briefwechsel 1876–1908, Kiel 1961, S. 320).

[10] »Die Zeit«, I. Jg., Nr. 33, 9. Febr. 1897, S. 1.

[11] »Vorwärts«, 14. Jg., Nr. 33, 9. Febr. 1897, S. 1.

[12] »Die Zeit«, I. Jg., Nr. 33, 9. Febr. 1897, S. 1.

[13] Protokoll, Vertretertag Erfurt, 1897, S. 49.

[14] Zur Flottenpolitik siehe Eckart Kehr: Schlachtflottenbau und Parteipolitik 1894–1901, Hist. Studien, Berlin 1930. Ders.: Soziale und finanzielle Grundlagen der Tirpitzschen Flottenpropaganda, in Eckart Kehr: Der Primat der Innenpolitik, Gesammelte Aufsätze zur preußisch-deutschen Sozialgeschichte, im 19. und 20. Jahrhundert, Veröffentlichungen der Historischen Kommission zu Berlin, Bd. 19, hrsg. u. eingeleitet von Hans-Ulrich Wehler, Berlin 1970, 2. durchgesehene Aufl., S. 130 ff. Neuerdings hierzu Konrad Schilling: Beiträge zu einer Geschichte des radikalen Nationalismus in der Wilhelminischen Ära 1890–1909. Die Entstehung des radikalen Nationalismus, seine Einflußnahme auf die innere und äußere Politik des Deutschen Reiches und die Stellung von Regierung und Reichstag zu seiner politischen und publizistischen Aktivität, Diss. Köln 1968, S. 179 ff. Volker R. Berghahn: Zu den Zielen des deutschen Flottenbaus unter Wilhelm II., in: HZ, Bd. 210, 1970, S. 34 ff.

Der Nationalsoziale Verein entfachte sofort nach Einbringung der ersten Flottenvorlage vom 30. Nov. 1897 eine Propagandaaktion in großem Stil. Man rechnete es sich in der »Hilfe«-Redaktion hoch an, daß man »fast das einzige deutsche Blatt gewesen ist, dessen gesamte Mitarbeiter vom ersten Augenblick an in der Flottenfrage den Regierungsforderungen im vollsten Umfange zugestimmt haben«[15]. Der nationalsoziale Experte für Flottenfragen war Hermann Rassow, ein Elberfelder Gymnasiallehrer, der in der »Göttinger Arbeiterbibliothek« eine Schrift veröffentlichte, in der er – untermauert durch ein umfangreiches Zahlenmaterial – die Notwendigkeit einer deutschen Flottenvermehrung nachzuweisen bestrebt war[16].

Von Anfang an verbanden die Nationalsozialen mit der Forderung nach einer Vergrößerung der Flotte die Vorstellung, eine Kriegsflotte zu schaffen, welche nicht nur die deutschen Küsten, sondern auch die überseeischen Besitzungen schützen sollte[17].

Die Existenz einer starken Kriegsflotte lag aus nationalsozialer Sicht im unmittelbaren Interesse der Arbeiter; denn wenn ein Staat, der Abnehmer deutscher Industrieprodukte ist – so wurde argumentiert –, sich durch eine Schutzzollmauer abkapsle, so habe eine derartige Maßnahme eine unmittelbare Rückwirkung auf die Produktion im Inland und damit auf die Arbeitsplätze in der Industrie. Zur Sicherung der Arbeitsplätze seien deshalb Absatzgebiete in weniger kultivierten Ländern vonnöten, die man mit Hilfe von Kriegsschiffen »in Respekt . . . halten« könne[18]. Nicht »um der Regierung irgendwelchen Gefallen zu erweisen«, müßten »die denkenden Arbeiter für die Vermehrung der Flotte eintreten, sondern rein aus Selbsterhaltungstrieb«[19].

Die Nationalsozialen versuchten also mit ihrer Flottenagitation in erster Linie die Arbeiterschaft anzusprechen[20]. Daß man dabei natürlich nicht ausschließlich das Erwerbsinteresse der Arbeiter zu wecken beabsichtigte, sondern auch gleichzeitig

Ders.: Flottenrüstung und Machtgefüge, in: Das kaiserliche Deutschland, Politik und Gesellschaft 1870–1918, hrsg. von Michael Stürmer, Düsseldorf 1970, S. 378 ff. Ders.: Der Tirpitz-Plan. Genesis und Verfall einer innenpolitischen Krisenstrategie unter Wilhelm II., Düsseldorf 1971.

15 »Hilfe«, V. Jg., Nr. 14, 3. April 1898, S. 3.

16 Hermann Rassow: Die deutsche Flotte und das deutsche Volk, Göttingen 1897.

17 Siehe hierzu »Hilfe«, III. Jg., 10. Jan. 1897, Nr. 2, S. 3.

18 Rassow: Die deutsche Flotte, S. 121.

19 ebd., S. 121.

20 So z. B. auch in dem Flugblatt »Unsere Gegner«. In ihm heißt es: ». . . wir sind der Ansicht, daß eine Kanone, die im Auslande einem deutschen Kaufmanne Schutz und Recht sichert, der deutschen Arbeiterschaft mehr nützt als tausend der schönsten Verbrüderungsreden. . . Auch wir wollen keine Flotte, die hinausgeht, um Händel zu suchen in der Welt; aber eine solche, die stark genug ist, um uns gegen fremde Anmaßung zu schützen« (6. Flugblatt des Nationalsozialen Vereins, enthalten im Nachlaß Traub, BA). Mit dem Flugblatt »Der deutsche Arbeiter und die Flotte« versuchte man in Arbeiterkreisen Stimmung für die Flottenpolitik zu machen. »Nur wenn wir genug schwimmende Kanonen haben«, so wurde in ihm inhaltlich analog argumentiert, »kann unsere Industrie und unser Handel sich ungestört entwickeln und so die Voraussetzungen schaffen, auf denen sich die verbesserte Lebenshaltung der Arbeiter aufbaut« (8. Flugblatt des Nationalsozialen Vereins, enthalten im Nachlaß Traub, BA).

nationale Gefühle in der Arbeiterschaft zu evozieren gedachte, versteht sich angesichts der Bedeutung, welche die Nationalsozialen einer nationalen Machtpolitik zumaßen, von selbst[21].

Die Annahme der ersten Flottenvorlage durch den Reichstag am 28. 3. 1898 kommentierte die »Hilfe« mit überschwenglichen Worten. Man maß dem Flottengesetz die gleiche Bedeutung zu wie der Schaffung des Bürgerlichen Gesetzbuches. Beide würden »das deutsche Leben im nächsten Jahrhundert nach innen und außen stark bestimmen . . .«[22].

In besonderer Weise gestaltete sich das Verhältnis des Nationalsozialen Vereins zum Deutschen Flottenverein, der einen Monat nach Verabschiedung des Gesetzes am 30. April 1898 von Victor Schweinburg gegründet wurde. Schweinburg war mit dem Centralverband der Deutschen Industrie und insonderheit mit Krupp liiert[23]. Die großindustrielle Ausrichtung des Flottenvereins war der Grund dafür, warum zunächst Professoren der Berliner Universität, vor allem Delbrück, Wagner und Schmoller, das Ersuchen Schweinburgs, dem Verein beizutreten, ablehnten. Sie motivierten ihre Ablehnung damit, daß der Verein von vornherein eine »Interessenvertretung von Konservativen, Großindustriellen und Finanziers« sei[24]. Auch der Nationalsoziale Verein lehnte aus dem gleichen Grunde zunächst eine Kooperation mit dem Flottenverein ab. Erst im Januar 1900 änderte man seine Haltung, nachdem Delbrück, Wagner und Schmoller aufgrund von vorangegangenen Umbesetzungen im Präsidium des Flottenvereins dem Verein beigetreten waren. In einer Stellungnahme der »Hilfe« vom 21. Januar 1900 hieß es, daß nunmehr im Flottenverein »die alleinige Führung der Großindustrie . . . durchbrochen« sei. In der Wahl zwischen Besitz und Bildung habe man sich schließlich für ein Zusammengehen mit der Bildung entschieden. »Das Unvolkstümliche, Arbeiterfeindliche, das dem Flottenverein bisher anhaftete, scheint damit endgültig beseitigt zu sein. Damit dürfen auch wir«, so hieß es abschließend, ». . . die ablehnende Stellung nun aufgeben, die wir bisher diesem Verein gegenüber eingenommen haben«[25].

[21] Dieses Bemühen war aber, wie z. B. Martin Wenck in einem Brief vom 30. Nov. 1897 an Friedrich Naumann gesteht, nicht von Erfolg gekrönt. Im Anschluß an einen Besuch in Kiel schrieb er, daß »für die Gruppe der Werftarbeiter, welche sich von dem Gros der sozialdemokratischen Arbeiter zu trennen anfängt . . ., lediglich Erwerbsinteressen ausschlaggebend (sind) . . . Wirklich nationale Motive sind nicht vorhanden« (DZA Potsdam, Nachl. Naumann, Aktz. 237, Bl. 7).

[22] »Hilfe«, IV. Jg., Nr. 14, 3. April 1898, S. 1.

[23] Nach E. Kehr: Schlachtflottenbau, S. 169 f. Am 15. November 1899 sprach Naumann in Berlin zum Thema »Flotte und Reaktion«. In der Rede bezeichnete er es als »Aufgabe« des im Dienste der Industrie stehenden Schweinburg, »den Riß zwischen dem deutschen Unternehmertum und den deutschen Arbeitern immer größer zu machen« (Fr. Naumann: Flotte und Reaktion, Berlin 1899, S. 4).

[24] ebd., S. 171.

[25] »Hilfe«, VI. Jg., Nr. 3, 21. Januar 1900, S. 2.

c) Die Zuchthausvorlage

Der auf Initiative des Kaisers vom Staatssekretär Graf Posadowsky-Wehner am 26. Mai 1899 dem Reichstag vorgelegte »Gesetzentwurf zum Schutze des gewerblichen Arbeitsverhältnisses«, für den sich im Sprachgebrauch rasch die Bezeichnung »Zuchthausvorlage« einbürgerte, war ein weiterer Meilenstein in der Repressivpolitik gegenüber der Arbeiterbewegung, die seit dem Abgang Caprivis im Jahre 1894 und der Ernennung des Fürsten Hohenlohe zum Reichskanzler begonnen hatte.

Nachdem die Regierung im Dezember 1894 mit der Umsturzvorlage, die eine Verschärfung der Strafen für politische »Vergehen« intendierte, im Reichstag nicht durchgedrungen war und im preußischen Abgeordnetenhaus eine Vorlage der preußischen Regierung, die eine Ausdehnung der polizeilichen Befugnisse gegenüber Vereinen und Versammlungen vorsah, abgelehnt wurde, versuchte man mit der Zuchthausvorlage das Streikrecht der Arbeiter weitgehend einzuschränken.

Naumann hatte schon bei der Ankündigung der Vorlage durch Wilhelm II. im September 1898 – ohne den guten Willen des Kaisers in Zweifel zu ziehen[26] – festgestellt, daß die Annahme des angekündigten Gesetzentwurfes »ein Zurückwerfen der praktischen, guten Arbeiterbewegung um mindestens 10 Jahre« bedeuten werde[27].

Unmittelbar nach Veröffentlichung der Zuchthausvorlage trat auf Erwirken Naumanns der nationalsoziale Vorstand zu einer außerordentlichen Sitzung zusammen, auf der ausschließlich über die Agitation des Vereins gegen die Vorlage beraten wurde[28].

Man beschloß, sofort eine Erklärung des Vorstandes in der »Hilfe« zu veröffentlichen, die Vorbereitung eines Flugblattes gegen die Vorlage zu veranlassen und eine Reihe von Vorträgen, die sich mit dem Inhalt der Vorlage beschäftigen sollten, in mehreren Städten durchzuführen.

Daß die Zuchthausvorlage von den Nationalsozialen vor allem als ein Schlag gegen ihre praktische, auf Kompromisse mit dem Unternehmertum abzielende Sozial- und Wirtschaftspolitik empfunden wurde, klang nicht nur in der Erklärung des Vorstandes an[29], sondern wurde auch in einem Aufsatz Naumanns in der »Hilfe« betont. Er verwies darauf, daß man mit der Vorlage »die Gewerkschaftsbewegung, den gesundesten, besten Teil der Arbeiterbewegung . . ., treffen« wolle. Der vorliegende Gesetzentwurf sei »ein tödlicher Hammer für die ruhigen nützlichen Arbeiten der organisierten besseren Arbeiter«. Hierin liege seine gewaltige Gefahr für das Gemeinwohl. Eine kluge Regierung müsse mit allen Mitteln die Freiheit der gewerkschaftlichen Bewegung stärken[30].

[26] Er meinte, Wilhelm II. würde die Rede – durch welche dieser die Öffentlichkeit über die geplante Vorlage unterrichtet hatte – nicht gehalten haben, »wenn er nicht fest von ihrer segensvollen Wirkung überzeugt wäre« (»Hilfe«, IV. Jg., Nr. 38, 18. Sept. 1898, S. 1).

[27] ebd., S. 2.

[28] DZA Potsdam, Nachl. Naumann, Aktz. 53 (Sitzung vom 2. Juni 1899), Bl. 74 R.

[29] »Hilfe«, V. Jg., Nr. 24, 11. Juni 1899, S. 1.

[30] »Hilfe«, V. Jg., Nr. 24, 11. Juni 1899, S. 4.

Bis zur Ablehnung der Zuchthausvorlage am 20. November durch den Reichstag war die Regierungsvorlage Zielpunkt nationalsozialer Agitation. Ihr Gipfelpunkt war zweifellos das Referat des liberalen Kathedersozialisten Lujo Brentano über den Gesetzentwurf auf dem Vertretertag des Vereins im Oktober 1899. Dieses Faktum war insofern für die sich allmählich abzeichnende politische Ausrichtung des Vereins von einiger Bedeutung, als mit Brentano der zweite exponierte Anhänger eines sozialreformerischen Liberalismus vor dem nationalsozialen Delegiertentag das Wort ergriffen hatte[31].

Die Verbindung zwischen Brentano und dem Nationalsozialen Verein war durch Rudolf Sohm vorbereitet worden, der mit Brentano befreundet war[32]. Gleichzeitig bemühte sich aber auch Naumann – unabhängig von Sohm –, mit Brentano in Kontakt zu kommen. Am 2. Juni wandte sich Naumann zum ersten Male brieflich an den bekannten liberalen Kathedersozialisten. An die Bemerkung, daß er »schon längere Zeit . . . nach einer passenden Gelegenheit (suchte)«, ihm seine »dankbare Verehrung auszusprechen«, knüpfte er – bei Erwähnung der Zuchthausvorlage – die Bitte »um freundliche baldige Hilfe«[33]. Seinen Wunsch nach einem Beitrag Brentanos für die nationalsoziale Wochenschrift unterstrich Naumann mit der Feststellung, daß »autoritativ der deutschen Bildung gesagt werden« müsse, »was auch für sie auf dem Spiele steht«. »Die Arbeiter allein können die Reaktion nicht besiegen. *Ihr* Wort ist in dieser Sache das hervorragendste«[34].

Die schnelle Antwort Brentanos gab Naumann Veranlassung, weiter intensiv um Brentanos publizistische Mitarbeit zu werben. Mögliche Reserven Brentanos gegenüber dem nationalsozialen Standpunkt versuchte er durch freundliches Entgegenkommen zu überwinden. In einem Brief vom 6. Juni hieß es prophylaktisch: »Wenn Ihnen nicht alles gefällt, was auf unseren Parteitagen gesprochen worden ist, so wundert mich das gar nicht. Das Umgekehrte wäre wunderbar. Vielleicht gibt es in Zukunft eine Situation, in der es Ihnen möglich ist, Unfertiges überwinden zu helfen«[35].

Eine solche Situation sollte sich bald ergeben. Nachdem man auf einer Sitzung des engeren Vorstandes des Vereins am 3. Juli darüber eine Verständigung erzielt hatte, die Behandlung des Koalitionsrechtes auf die Tagesordnung des Delegiertentages zu setzen[36], richtete Naumann die schriftliche Bitte an Brentano, auf dem Göttinger Delegiertentag »ein Referat über den Schutz des gewerblichen Ar-

[31] Auf dem Delegiertentag des Vereins im Jahre 1898 hatte bereits Prof. v. Schulze-Gävernitz, der nicht formelles Mitglied des Vereins war, einen Vortrag über »Die Handelsverträge« gehalten.

[32] Nach Lujo Brentano: Mein Leben, S. 208 f. Im Nachlaß Brentanos befindet sich eine große Anzahl von Briefen Sohms. Der älteste im Nachlaß Brentanos enthaltene Brief Sohms an Brentano datiert vom 20. 12. 87, der jüngste vom 17. 9. 16. Am 22. 7. 99 wandte sich Sohm mit der »große[n] Bitte« an Brentano, »diesmal Anfang October auf unserem Delegiertentag in Göttingen einen Vortrag über die Zuchthausvorlage zu halten« (BA, Nachlaß Brentano, Nr. 53, Sohm an Brentano vom 22. 7. 99).

[33] DZA Potsdam, Nachl. Naumann, Aktz. 108, Bl. 2, Briefabschrift.

[34] ebd., Bl. 2.

[35] DZA Potsdam, Nachl. Naumann, Aktz. 108, Bl. 3, Briefabschrift.

[36] DZA Potsdam, Nachl. Naumann, Aktz. 53, Bl. 75.

beitsverhältnisses zu halten«[37]. Naumann konnte diese Bitte um so eher aussprechen, als ihm bekannt war, daß Brentano jegliche Einschränkung des Koalitionsrechtes für Arbeiter ablehnte.

Obwohl es Brentano »ausgeschlossen« erschien – wie er rückblickend in seinen Lebenserinnerungen feststellt –, dem Nationalsozialen Verein als Mitglied beizutreten, sah er es doch als »erwünscht« an, für das, was er zu sagen hatte, »eine so auserlesene Schar als Gefolgschaft zu gewinnen«[38].

Brentano ging in seinem Referat vor dem Vertretertag der Nationalsozialen von dem bestehenden Arbeitsrecht aus, das er als eine Ausnahmegesetzgebung gegen die Arbeiterschaft klassifizierte. Besonders der Paragraph 153 der Gewerbeordnung, nach welchem »derjenige, der einen andern durch Ehrverletzung zu bestimmen versucht, an Lohnverabredungen teilzunehmen . . ., unter allen Umständen mit Gefängnis bis zu drei Monaten bestraft« wird[39], sei eine eindeutige Ausnahmeregelung gegen die Arbeiter, da nach dem Strafgesetzbuch keine Strafe gegen Ehrverletzung vorgesehen sei, sofern sie keine Beleidigung enthalte.

Durch die Vorlage endlich werde – wie Brentano meinte – »den Arbeitern . . . die Möglichkeit, welche das Koalitionsrecht ihnen gibt, das Angebot der Arbeit entsprechend der Marktlage zu regeln, unter formaler Aufrechterhaltung des Koalitionsrechts . . . wieder entrissen«[40].

Nicht nur den Paragraphen 4 der Vorlage, der für das Streikpostenstehen eine Gefängnisstrafe bis zu einem Jahr vorsah, betrachtete Brentano für eine freie Arbeiterbewegung als verderblich, sondern vor allem auch den »äußerst elastischen« Paragraphen 8 der Vorlage, durch den der ganze Gesetzentwurf überhaupt erst seinen Namen erhalten hatte. In ihm hieß es: »Ist in Folge eines Arbeiterausstandes oder der Arbeiteraussperrung eine Gefährdung der Sicherheit des Reichs oder eines Bundesstaats eingetreten oder eine gemeine Gefahr für Menschenleben oder das Eigentum herbeigeführt worden, so ist auf Zuchthaus bis zu 3 Jahren, gegen die Rädelsführer auf Zuchthaus bis zu 5 Jahren zu erkennen«[41]. Brentano sah in dem großen Auslegungsspielraum, den dieser Paragraph bot, die Hauptgefahr der Vorlage. »Damit würden wir«, stellte er in einer akzentuiert scharfen Formulierung fest, »denn glücklich wieder bei dem wesentlichen Zuge der Sklaverei angelangt sein, der darin besteht, daß man Arbeiter, weil sie sich zu arbeiten weigern, bestraft . . .«[42].

[37] DZA Potsdam, Nachl. Naumann, Aktz. 108 (Naumann an Brentano vom 22. Juli 1899), Bl. 4. – Naumann wies in dem Schreiben darauf hin, daß v. Schulze-Gävernitz ein Referat vor dem letzten Delegiertentag gehalten habe, »obgleich auch er nicht eingeschriebenes Mitglied bei uns ist. Dieses Verhältnis ist bei einer Gruppe, die wie die unserige noch in den Vorbereitungsstadien politischer Wirksamkeit ist, leichter möglich als bei älteren abgeschlossenen Parteien. Indem Sie das Referat freundlich übernehmen würden, stärken Sie den Einfluß, den das Auftreten des Herrn Prof. v. Schulze-Gävernitz merkbar gehabt hat, in sehr bestimmter Weise. Ich meinesteils gestehe, daß mir diese Seite der Sache sehr erwünscht und wichtig erscheint. Wir müssen als nichtkonservativ-national festgelegt werden. . .« (ebd., Bl. 4).

[38] L. BRENTANO: Mein Leben, S. 209 f.

[39] Protokoll, Vertretertag Göttingen, 1899, S. 65.

[40] ebd., S. 70.

[41] ebd., S. 70 f. Siehe auch Lujo BRENTANO: Reaktion oder Reform. Gegen die Zuchthausvorlage, o. O. 1899, S. 39.

[42] Protokoll, Vertretertag Göttingen, 1899, S. 71.

In einer Resolution, die Brentano dem Vertretertag zur Verabschiedung unterbreitete, faßte er seine Zielvorstellungen zur Verbesserung des gewerblichen Arbeitsverhältnisses zusammen: Er forderte nicht nur die Aufhebung des Verbindungsverbots in den einzelnen deutschen Staaten und ein Gesetz zur Einrichtung von Schiedsgerichten, sondern auch Vereinbarungen zwischen Arbeitgebern und Arbeitnehmern, die auf freier Übereinkunft beruhen. Schließlich enthielt die Resolution die entscheidend wichtige Forderung, »daß alle Vergehen und Verbrechen, begangen von Arbeitgebern oder Arbeitern«, ausschließlich nach den Bestimmungen des deutschen Strafgesetzbuches geahndet werden sollten.

Die Resolution Brentanos wurde mit wenigen Ergänzungen vom nationalsozialen Vertretertag angenommen.

Naumann war bemüht, die einmal gewonnene Verbindung zu Brentano nicht abreißen zu lassen. Am 30. Oktober teilte er ihm mit, es müsse »versucht werden, über die Zuchthausgesetzvorlage zusammenzubleiben«[43]. Als nächste Aufgabe schlug er gemeinsame Protestversammlungen in mehreren Großstädten vor. Als mögliche Redner nannte Naumann u. a. Brentano, Sohm, Barth, Legien, Bassermann und sich selbst. »Dieser Plan«, so fährt Naumann fort, »kann nur von Ihnen ausgehen, wenn er gelingen soll. Sie allein haben Zutrauen auf dieser ganzen Linie ... Ich bin bereit, in Ihrem Auftrag, falls Sie es wollen, mit Auer, Barth u. anderen Berliner Herren zu sprechen ... Ohne Ihren Auftrag kann ich aber nichts zustande bringen, da ich sonst nur als Nationalsozialer im engeren Sinne angesehen werde«[44]. Nach Ablehnung der Zuchthausvorlage durch die Mehrheit des Reichstages stand Naumann nicht an, Brentano dafür »das Hauptverdienst« zuzusprechen[45]. Auch von Schulze-Gävernitz, der – wie bereits erwähnt – auf dem 3. Vertretertag des Nationalsozialen Vereins ein Referat über Handelsvertragspolitik gehalten hatte, gratulierte Brentano zur Ablehnung der Gesetzesvorlage, da dieses Ergebnis nicht zuletzt auf seine Bemühungen zurückzuführen sei. »Speziell auch bei den Nationalsozialen« habe er, Brentano, »einen sehr dankbaren und aufnahmefähigen Boden gefunden«[46].

[43] BA, Nachl. Brentano, Nr. 45, Bl. 229.

[44] ebd., Bl. 230.

[45] Am 23. 2. 99 schrieb er an Brentano: »... Inzwischen ist ja nun das Zuchthausgesetz in den Orkus gefahren. Gott sei dank! Sie haben das Hauptverdienst, besonders wohl auch in der Beeinflussung Dr. Liebers. Mit diesem »Armenbegräbnis« ist die Koalitionsfrage vorläufig beruhigt, wenigstens glaube ich nicht, daß gerade jetzt weitere Schritte möglich sind...« (BA, Nachl. Brentano, Nr. 45, Naumann an Brentano vom 23. 2. 99, S. 228).

[46] BA, Nachl. Brentano, Nr. 56 (v. Schulze-Gävernitz an Brentano vom 23. Nov. 1899).

8. *Publizistik und Agitation des Vereins*

Da der Nationalsoziale Verein sich nur nominell als politischer *Verein* auswies, faktisch aber eine politische Partei ohne parlamentarische Repräsentanz war, konnte die wesentliche Aufgabe der nationalsozialen Publizistik und Agitation nicht darin bestehen, die Vereinsziele auf indirektem Wege, d. h. durch ein Einwirken auf die bestehenden politischen Parteien durchzusetzen[1], vielmehr mußte ihre eigentliche Intention die Mobilisierung von Wählern bei den Reichstagswahlen sein. Schon vor Gründung des Vereins meinte man im Naumannschen Kreis, daß für eine erfolgreiche Öffentlichkeitsarbeit eine täglich erscheinende Parteizeitung eine besondere Notwendigkeit sei. Am 6. August 1896 kam es deshalb in Heidelberg zu dem Doppelbeschluß des »Ausschusses der bisherigen jüngeren Christlichsozialen«, eine Versammlung zur Gründung des Vereins einzuberufen und eine Tageszeitung, »Die Zeit«, ab 1. Oktober 1896 erscheinen zu lassen, nachdem man schon im Februar auf einer Versammlung in Erfurt ein Komitee gebildet hatte, das die Herausgabe einer Zeitung vorbereiten sollte[2]. Beide Pläne wurden verwirklicht[3]; während jedoch der Verein sieben Jahre existierte, mußte »Die Zeit«, die einzige Tageszeitung des Vereins, die ihr Verbreitungsgebiet in ganz Deutschland hatte, aus finanziellen Gründen ihr Erscheinen schon am 30. September 1897 einstellen.

Der Nationalsoziale Verein besaß also nur in den ersten 10 Monaten seines Bestehens ein überregionales, für ganz Deutschland bestimmtes, täglich erscheinendes Publikationsorgan.

Ein Grundkapital von rund 100 000 Mark stand zur Verfügung, als »Die Zeit« im Oktober 1896 im Verlag Hermann Boussets in Berlin erschien[4].

[1] Der Nationalsoziale Verein hob sich durch den Umstand, daß er faktisch eine politische Partei war, von politischen Interessenvereinen, wie z. B. dem Deutschen Flottenverein, und den wirtschaftlichen Interessenverbänden deutlich ab. Verfolgte der Flottenverein ein politisch eng begrenztes, nämlich militärpolitisches Ziel, wofür primär wirtschaftliche Interessen, aber auch politische Motive ausschlaggebend waren, so waren die wirtschaftlichen Interessenverbände – die Thomas Nipperdey als »sekundäres System gesellschaftlicher Mächte« definiert (Thomas NIPPERDEY: Interessenverbände und Parteien in Deutschland vor dem ersten Weltkrieg, in: Politische Vierteljahrsschrift, Jg. II, 1961, S. 268), da sie sich an der wirtschaftlichen Gesellschaftsgliederung konstituieren, die politisch-ideelle Volksgliederung dagegen unberücksichtigt lassen – ausschließlich an der Durchsetzung der wirtschaftlichen Interessen ihrer Mitglieder interessiert. Zu den Interessenverbänden im Kaiserreich siehe auch Hans-Jürgen PUHLE: Parlament, Parteien und Interessenverbände 1890–1914, in: Das kaiserliche Deutschland, Politik und Gesellschaft, 1870–1918, S. 340 ff. Hartmut KAELBLE. Industrielle Interessenverbände vor 1914, in: Walter Rüegg/Otto Neuloh: Zur soziologischen Theorie und Analyse des 19. Jahrhunderts, Studien zum Wandel von Gesellschaft und Bildung im Neunzehnten Jahrhundert, Bd. I, Göttingen 1971, S. 180 ff. Heinrich August WINKLER: Der rückversicherte Mittelstand: Die Interessenverbände von Handwerk und Kleinhandel im deutschen Kaiserreich, in: Walter Rüegg/Otto Neuloh: Zur soziologischen Theorie und Analyse des 19. Jahrhunderts, S. 163 ff.

[2] Siehe S. 43 f. dieser Arbeit.

[3] Die ersten Probenummern der »Zeit« erschienen am 24. und 26. Sept. 96.

[4] Zur wirtschaftlichen Seite des Unternehmens siehe C. SCHNEIDER: Publizistik d. nat.-soz. Bewegung. – Die Arbeit Schneiders beschränkt sich auf eine Darstellung der beiden Hauptpublikationsorgane des Vereins, der Tageszeitung »Die Zeit« und der »Hilfe«. Die Wochenschrift »Die Zeit«, die vom Oktober 1901 bis November 1903

Ende Mai hatte sich die wirtschaftliche Lage der »Zeit« aber schon in einem solchen Maße verschlechtert[5], daß Naumann dem Vereinsvorstand ankündigen mußte, das Defizit betrüge 23 000 Mark. Diese Summe müßte gedeckt werden, um einen Konkurs zu vermeiden[6]. Man beschloß daraufhin, sich mit einer öffentlichen Bitte an die Freunde und Leser der »Zeit« um Bereitstellung von Geldmitteln zu wenden[7].

Auf der Vorstandssitzung vom 12. Juni 1897, auf welcher die »Lage der ›Zeit‹« einziger Tagesordnungspunkt war, wurde die Finanzlage nach dem Spendenaufruf diskutiert[8]. Insgesamt waren 50 000 Mark beim Sekretariat oder direkt bei Naumann eingegangen. Davon ließ sich das Defizit von 23 000 Mark decken, aber andererseits war der Betrag zu niedrig, um das Erscheinen der »Zeit« für ein weiteres Jahr sicherzustellen, weil dazu 80 000 Mark benötigt wurden.

Die Vorstandssitzungen des Vereins legen Zeugnis davon ab, wie sehr man bemüht war, den Fortbestand der »Zeit« zu sichern. U. a. versuchte man einen neuen Verleger zu finden; aber niemand war bereit, das finanziell nicht gesicherte Projekt zu übernehmen. Auf einer Sitzung des Vorstandes vom 11. September verlas Göhre ein Schreiben Naumanns, woraus hervorging, daß auch das Vereinsmitglied Buchhändler Haupt, der sich mit dem Gedanken an eine Übernahme der »Zeit« getragen hatte, definitiv Abstand genommen habe: »In Folge davon sei keine Aussicht vorhanden, die ›Zeit‹ zu erhalten. Man müsse sie darum am 1. Oktober eingehen lassen. An ihre Stelle werde . . . die ›Hilfe‹ in erweiterter

erschien, und die regional und lokal begrenzte Presse des Vereins finden in der Untersuchung Schneiders keine Berücksichtigung. – Schneider nennt als Betrag, der beim Erscheinen der Tageszeitung »Die Zeit« zur Verfügung stand, 40 000 Mark. Er stützt sich dabei auf eine Mitteilung des Verlegers Bousset (ebd., S. 33). Der Betrag scheint jedoch zu niedrig veranschlagt. Paul Göhre nennt in einer Vorstandssitzung vom 12. Juni als Anfangskapital 100 000 Mark (DZA Potsdam, Nachl. Naumann, Aktz. 53, Bl. 14 R). In diesem Zusammenhang ist es erwähnenswert, daß – laut Vorstandsprotokoll vom 30. Mai 97 – Bousset den Vereinsvorsitzenden »durch Vorenthaltung der Bücher« längere Zeit über die »finanzielle Lage der Zeit« im Unklaren ließ (DZA Potsdam, Nachl. Naumann, Aktz. 53, Bl. 12). Im selben Protokoll wird vermerkt, daß »die Buchführung Boussets vom handelsgesetzlichen Standpunkt aus nicht unanfechtbar ist« (ebd.).

[5] Dem Redakteur Heinrich Oberwinder, in den man anfangs hohe Erwartungen setzte, hatte man wegen seiner mangelnden journalistischen Leistungsfähigkeit gekündigt und eine Abfindungssumme von 10 000 Mark zahlen müssen (DZA Potsdam, Nachl. Naumann, Aktz. 53, Vorstandssitzung vom 30. 5. 97, Bl. 11 R).

[6] DZA Potsdam, Nachl. Naumann, Aktz. 53, Bl. 12. – Zum gleichen Zeitpunkt schrieb Naumann an Traub: »Die ›Zeit‹ ist leider in sehr trauriger Lage. Von den kontraktlich versprochenen Geldern fehlen leider ca. 25 000, da H. Bousset seinen Verpflichtungen nicht nachzukommen in der Lage ist. Aber selbst wenn er dieses Geld hätte, würde es nicht viel über dieses Quartal hinausziehen. Nur durch sehr bedeutende Mittel ist es möglich, die ›Zeit‹ über den 1. Juli hinaus zu halten. Ob sie aufgebracht werden können, das ist jetzt die Frage . . .« (BA, Nachl. Traub, Nr. 66, Naumann an Traub vom 28. Mai 1897).

[7] Der Spendenaufruf erschien in der »Zeit« vom 1. Juni 1897. In ihm wurde um Geldzeichnungen gebeten, die »verbindlich« seien, »sobald ihre Gesamtsumme groß genug ist, um die Fortführung auf mindestens 1 Jahr zu garantieren« (»Die Zeit«, II. Jg., Nr. 126, 1. Juni 1897, S. 1).

[8] DZA Potsdam, Nachl. Naumann, Aktz. 53, Bl. 13 R–16 R.

Gestalt ... treten ...«[9]. In der »Zeit« vom 14. Sept. 1897 wurden die Leser von der Aufgabe der »Zeit« in Kenntnis gesetzt[10].

Die Liquidation der »Zeit« wurde von den Nationalsozialen als ein schwerer Rückschlag für die Propagierung der nationalsozialen Idee empfunden. Die Schaffung eines täglich erscheinenden Presseorgans blieb deshalb für den nationalsozialen Vorstand auf der Tagesordnung. Alle in Erwägung gezogenen Projekte mußte man aber wegen der knappen finanziellen Mittel des Vereins von vornherein fallen lassen.

Nach dem Verlust der »Zeit« konzentrierten sich die publizistischen Anstrengungen des Vereins auf die »Hilfe«, die man, obwohl ihre Auflagenziffer doppelt so hoch war wie die der »Zeit«[11], seit dem Erscheinen der Tageszeitung redaktionell vernachlässigt hatte, da man der Meinung war, daß der Tageszeitung die Präferenz gebühre.

Ebenso wie die »Hilfe« ein Volksblatt sein sollte[12], wandte sich auch die »Zeit« an die einfachen Volksschichten, was natürlich zu Interferenzen der Leserkreise beider Blätter führen mußte. Hätte man mit einer der beiden Zeitungen vor allem die »Gebildeten« angesprochen, um diese für eine soziale Politik zu gewinnen, so wäre es vielleicht möglich gewesen, für beide Blätter einen festen Leserstamm zu sichern und sie beide lebensfähig zu erhalten.

Naumann betrachtete jedoch die »Hilfe« als Wochenausgabe der »Zeit«, was dazu führte, daß man häufig Artikel aus der »Zeit« in die »Hilfe« übernahm. Durch diese Einbuße journalistischer Selbständigkeit war die Abonnentenzahl der Wochenzeitung etwas gesunken, und es bedurfte nach dem Eingehen der »Zeit« der Entfaltung neuer Initiativen, um die »Hilfe« für die Leser wieder attraktiv zu machen.

Die »Hilfe« stand als einziges Presseorgan dem Nationalsozialen Verein von seiner Gründung bis zu seiner Auflösung für die Öffentlichkeitsarbeit zur Verfügung. Nach der Liquidation der »Zeit« war die »Hilfe« ausschließlich nationalsoziales Vereinsorgan[13]. Seit dem Oktober 1901 bestätigte auch der Untertitel des Blattes seinen offiziellen Charakter. Während es bis dahin den noch aus christlichsozialer Zeit herrührenden Untertitel »Gotteshilfe, Selbsthilfe, Staatshilfe, Bruderhilfe« trug, wurde es jetzt als »Nationalsoziales Volksblatt« ausgewiesen. Diese Umbenennung ging zurück auf eine entsprechende Anregung Adolf Damaschkes in der Vorstandssitzung vom 24. Juni 1901. In der gleichen Sitzung

[9] ebd., Bl. 22.

[10] »Die Zeit«, II. Jg., Nr. 215, 14. Sept. 1897, S. 1.

[11] Die höchste Auflagenziffer der »Zeit« betrug 6000, die der »Hilfe« 12 000.

[12] Naumann hatte in einem Schreiben »An die evangelischen Arbeitervereine des deutschen Vaterlandes« im Nov. 1894 jenen Bevölkerungskreis umrissen, den das Blatt ansprechen sollte: »Als Leser werden gedacht in erster Linie Arbeiter, Handwerker, Landleute, ... in zweiter Linie Gebildete, die sich für eine volkstümliche Behandlung der sozialen Fragen interessieren. Oberster Grundsatz ist: Das Volk darf und muß die Wahrheit hören, so gut wie [wir] sie nur selber wissen« (DZA Potsdam, Nachl. Naumann, Aktz. 60, Bl. 163).

[13] Im § 6 des Organisationsstatuts, das auf der Gründungsversammlung in Erfurt beschlossen wurde, hieß es, daß die »Vereinsorgane« bis auf weiteres die »Zeit« und die »Hilfe« seien. Nach Liquidation der »Zeit« wurde der Wortlaut des § 6 geändert. »Bis auf weiteres«, so hieß es nun, solle die »Hilfe« allein Vereinsorgan sein.

hatte Naumann dem Vorstand einen Plan unterbreitet, wonach ab 1. Oktober »anstatt eines nun zwei Wochenblätter im Verlag der ›Hilfe‹ erscheinen sollen«, eine »Revue« und ein »Volksblatt«[14]. Die Gründung der zweiten, von Naumann als »Revue« bezeichneten Wochenzeitung war durch die Geldspende einer nicht genannten »Persönlichkeit« ermöglicht worden[15]. Die neue Wochenschrift, der man den Namen der früheren Tageszeitung, »Die Zeit«, gab, erhielt eine mehr »ästhetisch-kunsterzieherische Aufgabe«[16] zugewiesen[17]. Unter den Mitarbeitern der neuen Wochenzeitung, deren Schriftleiter Paul Rohrbach wurde, waren namhafte Professoren. Auch Hjalmar Schacht lieferte Beiträge für »Die Zeit«, die zwei Jahre – bis zur Auflösung des Vereins – erschien[18].

Die lokale und regionale Tagespresse des Vereins vermochte die publizistische Lücke, die durch die Liquidation der Tageszeitung »Die Zeit« entstanden war, nicht voll auszufüllen.

Die erste im nationalsozialen Sinne redigierte Tageszeitung auf regionaler Ebene waren die »Kieler Neuesten Nachrichten«. Ihr Chefredakteur war seit dem Jahre 1896 Adolf Damaschke. Anfang des Jahres 1897 bot sich die Gelegenheit, die Zeitung für eine geringe Summe zu erwerben. Damaschke versuchte den Vorstand des Vereins zu einem Kauf des Verlages der Kieler Zeitung zu bewegen[19]. Dieser sah sich aber angesichts der bestehenden finanziellen Schwierigkeiten »nicht im Stande . . ., eine Geldverantwortlichkeit zu übernehmen«[20]. Damaschke verließ daraufhin die Kieler Zeitung und trat für den scheidenden Oberwinder in die Redaktion der »Zeit« ein.

Gegen Ende des Jahres 1898 gelang es von Gerlach, die für den Marburger Wahlkreis wichtige »Hessische Landeszeitung« zu erwerben. Während er noch auf der Vorstandssitzung vom 7. November berichtete, daß von den 16 000 Mark, die für den Erwerb der Zeitung benötigt würden, 10 000 Mark aufgebracht seien und noch ein Verleger für das Blatt fehle – er selbst aber nicht als solcher eintreten könne, weil er ohne Vermögen sei[21] –, teilte er auf der Sitzung vom 29. November mit, daß die »Hessische Landeszeitung« vom 1. Januar an in

[14] DZA Potsdam, Nachl. Naumann a.a.O., Bl. 153.

[15] ebd., Bl. 106.

[16] Th. Heuss: Friedrich Naumann, S. 153.

[17] Die »Zeit« wurde auf Antrag Naumanns nicht zum Vereinsorgan erklärt.

[18] Welche Auflagenziffer die »Zeit« bis zum Jahre 1903 erreichte, ist nicht zu sagen. In einem Brief vom 18. Okt. 1901 an Marianne Weber bezifferte Naumann die Abonnentenzahl mit 2700 (DZA Potsdam, Nachl. Naumann, Aktz. 106, Bl. 100). – Auch die finanzielle Lage der Wochenzeitung »Die Zeit« war nicht so, daß sie ihrem Verleger keine Sorgen bereitet hätte: Am 2. Aug. 1902 fragte Naumann bei Traub brieflich an, ob er es wagen könne – falls er nicht mehr im Stande sein sollte, das nötige Geld aufzubringen –, den Stuttgarter Verleger Haupt zur Übernahme der »ganzen Geschäftslast zu bewegen« (BA, Nachl. Traub, Nr. 66, Naumann an Traub vom 2. Aug. 1902). »Natürlich denke ich an so etwas überhaupt nur im Notfall«, erläuterte Naumann, »aber der Notfall kann bald da sein. Ich brauche für ›die Zeit‹, damit sie schwimmen lernt, unter Umständen noch 15 000 bis 20 000 Mark. An sich ist das Unternehmen gut, nur noch nicht auf der Höhe u. zu gering finanziert. . .« (ebd.).

[19] A. Damaschke: Zeitenwende, 2. Bd., S. 26.

[20] DZA Potsdam, Nachl. Naumann, Aktz. 53, (Vorstandskonferenz vom 27. Jan. 1897), Bl. 4 R.

[21] ebd., Bl. 52 R.

seinem Verlag erscheinen werde, »nachdem die nötigen Gelder gefunden« seien »und sich der Vertrag günstig gestaltet« habe[22]. Als Martin Wenck im Frühjahr 1901 seine Stellung als Vereinssekretär aufgab, wurde er Chefredakteur der »Hessischen Landeszeitung«.

Zur gleichen Zeit, in der es von Gerlach gelang, die »Hessische Landeszeitung« aufzukaufen, erwarben andere Nationalsoziale für 25 000 Mark die »Schüttorfer Zeitung« in der Provinz Hannover[23]. Von dem nationalsozialen Kaufmann Pohlmann war in Itzehoe der »Nordische Kurier« gegründet worden[24], der unter der Leitung des Redakteurs Speer einen erstaunlich großen Leserkreis gewann[25]. Schließlich konnten die Nationalsozialen auch die »Schwäbische Rundschau« in Eßlingen aufkaufen.

Der Erwerb der lokalen und regionalen Blätter veranlaßte den Vorstand des Vereins, sein Verhältnis zur nationalsozialen Presse zu präzisieren. Die Feststellung im § 6 des Organisationsstatuts, daß »zur Vereinspresse ... alle diejenigen Zeitungen zu rechnen (sind), in denen das Programm des Vereins als für die Gesinnung des Blattes maßgebend vertreten wird und deren Redakteure Mitglieder des Vereins sind«[26], wurde inhaltlich als zu pauschal und verschwommen betrachtet.

In einer Vorstandssitzung am 3. Januar 1899 stellte man nach einer längeren Diskussion, in der von Gerlach für eine möglichst große Unabhängigkeit der neu erworbenen Blätter plädierte, folgende Gesichtspunkte heraus, die den Redakteuren und Verlegern der nationalsozialen Zeitungen mitgeteilt wurden: »1. Die Schriftleitungen der Blätter, welche als nationalsozial gelten wollen, anerkennen, daß sie in ihrer politischen Haltung an die Grundlinien des nationalsozialen Vereins und an die Beschlüsse der Delegiertentage gebunden sind. 2. Sie erklären sich bereit, in schwierigen taktischen Fragen vom Vorsitzenden bzw. Vorstand Anweisungen über ihre Stellungnahme anzunehmen, ohne daß ein Redakteur gezwungen wird, gegen seine Überzeugung zu schreiben. 3. Sie verpflichten sich, offizielle Erklärungen des Vorstandes abzudrucken. 4. Die ›Hilfe‹ hat als Organ des Vereins das Recht, einzelne Äußerungen der betreffenden Blätter zurückzuweisen, wenn sie von den Gegnern ausgenutzt werden. Außerdem soll der Vorstand über die Pläne zur Gründung neuer Blätter stets informiert werden«[27].

Neben den genannten nationalsozialen Zeitungen gab es noch einige wenige, die mit dem Nationalsozialen Verein sympathisierten; so die »Straßburger Zeitung«, die »Thüringer Rundschau« in Jena, der »Leipziger Generalanzeiger« und die »Deutsche Volksstimme«, das von Adolf Damaschke herausgegebene, halbmonatlich erscheinende Organ der Bodenreformer.

[22] DZA Potsdam, Nachl. Naumann, Aktz. 53, Bl. 54.

[23] ebd., Bl. 50.

[24] Nach A. DAMASCHKE: Zeitenwende, 2. Bd., S. 409 und M. WENCK: Geschichte, S. 103.

[25] Am 26. Aug. 1902 gab Speer in einem Brief an Naumann bezüglich der Abonnentenzahl seiner Zeitung eine optimistische Prognose: »... Wenn wir so weiter Glück haben wie bisher, halte ich es nicht für ausgeschlossen, daß wir im März mit 8000 Abonnenten abschließen« (Stadtarchiv Mannheim, Nachlaß Dr. J. M. Wolfhard, Bl. 18).

[26] Protokoll, Vertreterversammlung Erfurt, 1896, S. 2.

[27] DZA Potsdam, Nachl. Naumann, Aktz. 53, Bl. 56 R.

In Relation zu der imposanten Zahl sozialdemokratischer Zeitungen – die Sozialdemokratie verfügte im Jahre 1896 über 78 Publikationsorgane, davon über 40 täglich und 30 wöchentlich erscheinende Zeitungen[28] – nahm sich die nationalsoziale Publizistik mehr als bescheiden aus, und man ist geneigt, die mangelnde Resonanz nationalsozialer Zielsetzungen bei den Wählern auf das Fehlen eines für den politischen Tageskampf notwendigen großen Presseapparates zurückzuführen. Zweifellos darf die Funktion der Presse im politischen Leben der Jahrhundertwende als relevanter Faktor für den Erfolg oder Mißerfolg einer politischen Partei nicht unterschätzt werden; dennoch – oder gerade deshalb – ist es wichtig festzustellen, daß nicht das relativ bescheidene Pressewesen des Nationalsozialen Vereins Ursache für dessen politische Erfolglosigkeit gewesen ist.

Als Äquivalent für das Fehlen einer überregionalen nationalsozialen Tageszeitung publizierte der Verein in großer Auflagenhöhe eine Vielzahl von Propagandaschriften. Außerdem entfaltete man eine äußerst umfangreiche agitatorische Tätigkeit. Vortragsreisen der führenden Nationalsozialen wurden in den Vorstandssitzungen minutiös vorbereitet. Viele der gehaltenen Vorträge erschienen in dem von Naumann gegründeten »Buchverlag der Hilfe« als Agitationsschriften. Als besonders wirkungsvoll erwiesen sich Vortragszyklen Naumanns. Anstelle von einzelnen Vorträgen hielt Naumann in kurzen Zeitabständen mehrere in einer Stadt. Auf diese Weise wurde die lokale Presse gezwungen, sich eingehender mit dem Redner zu beschäftigen. Der Vorstand veranlaßte auch den Druck einer Reihe von Flugblättern, in denen man in präziser Kürze zu aktuellen und prinzipiellen politischen Fragen aus nationalsozialer Sicht Stellung nahm.

Resümierend läßt sich zu dem publizistischen und agitatorischen Wirken der Nationalsozialen konstatieren, daß angesichts der nicht sonderlich großen Finanzkraft des Vereins Außerordentliches geleistet worden ist. Da die Nationalsozialen ihre agitatorischen Anstrengungen vor allem auf jene Wahlkreise konzentrierten, in denen sie Kandidatennominierungen für die Reichstagswahlen ins Auge gefaßt hatten, konnte das Fehlen einer überregionalen nationalsozialen Tagespresse das »Abschneiden« der Nationalsozialen bei den Wahlen nicht sonderlich beeinflussen.

[28] Fr. Sponsel: Fr. Naumann u. d. deutsche Sozialdemokratie, S. 45.

9. Die Beteiligung des Vereins an den Reichstagswahlen des Jahres 1898

Seit dem März 1897 fanden innerhalb des Vereinsvorstandes regelmäßig Beratungen darüber statt, in welchen Wahlkreisen die Nominierung eines nationalsozialen Kandidaten zu den bevorstehenden Reichstagswahlen erfolgen sollte. Da die Aufstellung von Wahlkreiskandidaten wegen der damit notwendig werdenden Finanzierung des Wahlkampfes eine erhebliche Belastung der Vereinskasse mit sich bringen mußte, war es nur allzu natürlich, daß man eine exakte und detaillierte wählersoziologische Analyse und eine eingehende Untersuchung der Parteienstärke und Parteienkonstellation in den betreffenden Wahlkreisen vornahm.

Allein man war nicht gewillt, sich auf statistisches Zahlenmaterial zu verlassen, man wollte vielmehr auch die politische »Stimmung« innerhalb eines Wahlkreises testen, um damit politische Imponderabilien, über die keine Statistik Auskunft gibt, in die Entscheidung über die endgültigen Nominierungen mit einzubeziehen. Mit einer Vielzahl von Wahlversammlungen in denjenigen Wahlkreisen, in denen man eine Kandidatur für möglich, aber noch nicht für sicher hielt, begann man deshalb schon viele Monate vor dem Wahlkampf im Jahre 1898.

Verursacht durch ein regelrechtes organisatorisches Mißgeschick bei einer dieser »Testversammlungen« wurde der Nationalsoziale Verein – noch vor der allgemeinen Reichstagswahl im Sommer 1898 – gleichsam in einen Wahlkampf hineingezogen, in den ersten seiner kurzlebigen Geschichte.

Im Oktober 1897 hatten Naumann und Damaschke eine Wahlversammlung im 7. Reichstagswahlkreis, der Kiel und Umgebung umfaßte, geplant. Damaschke galt für diesen Wahlkreis als potentieller nationalsozialer Kandidat bei den Reichstagswahlen, da er als ehemaliger Redakteur der »Kieler Neuesten Nachrichten«, mit den lokalpolitischen Verhältnissen besonders vertraut war. Einen jungen ortsunkundigen Nationalsozialen, einen Studenten aus Süddeutschland, hatte man mit der Vorbereitung der Versammlung, die in Preetz, einem Orte bei Kiel, stattfinden sollte, beauftragt[1].

Da in Preetz kein Versammlungslokal zur Verfügung stand, wählte der vom Vorstand beauftragte Organisator das benachbarte Plön als Versammlungsort. Bei der Ankunft Naumanns und Damaschkes in Plön stellte sich heraus, daß der Ort nicht dem Reichstagswahlkreis Kiel, sondern dem 9. Reichstagswahlkreis Plön-Oldenburg-Segeberg zugehörte, in dem – 9 Monate vor der Reichstagswahl – durch den Tod des in diesem Wahlkreis gewählten konservativen Reichstagsabgeordneten eine Neuwahl notwendig geworden war.

Naumann machte Damaschke unvermittelt den Vorschlag, sich als nationalsozialer Kandidat für die Nachwahl aufstellen zu lassen[2]. Am 14. Oktober fand auf Wunsch Naumanns in Berlin eine Besprechung zwischen ihm, Göhre, Wenck und von Gerlach statt, die alle für eine Kandidatur Damaschkes eintraten[3]. Es wurde – wie es in der Protokollniederschrift heißt – »ein genauer Kriegsplan entworfen,

[1] Siehe hierzu A. DAMASCHKE: Zeitenwende, 2. Bd., S. 107 f.

[2] Siehe hierzu A. Damaschke: Zeitenwende, 2. Bd., S. 108.

[3] Laut Vorstandssitzung vom 19. Okt. 1897 (DZA Potsdam, Nachl. Naumann, Aktz. 53, Bl. 24).

nach welchem sich die Herren von Gerlach, Naumann, Göhre, Wenck, Schaal, Tischendörfer eventuell an der Agitation beteiligen und Damaschke begleiten sollen«. Man war der Ansicht, »daß, wie immer auch der Erfolg sei, die Plöner Wahl eine gute Vorschule für die Agitation bei den Reichstagswahlen« bedeute[4]. In dem gleichen Maße wie der agrarisch strukturierte Wahlkreis für die Nationalsozialen eine terra incognita war, galt umgekehrt, daß auch den 22 000 Wahlberechtigten des Wahlkreises der Nationalsoziale Verein dem Namen nach fast kaum bekannt war, geschweige denn, daß man auch nur vage Vorstellungen von dessen politischen Zielen besaß.

Die parteipolitische Konstellation des Wahlkreises war geprägt durch die Hegemonie der Konservativen, die – infolge der Dominanz des Großgrundbesitzes – sich die wirtschaftlich abhängigen Landarbeiter politisch gefügig machten[5] und darüber hinaus im preußischen Beamtenapparat eine politische Stütze besaßen. Die Sozialdemokratie, die in dem Wahlkreis ebenfalls einen nicht unerheblichen Wählerstamm hinter sich wußte, entsandte zum Zwecke der Agitation Redner aus dem nahegelegenen Kiel. Die Freisinnigen griffen nach der Spaltung im Jahre 1893 mit zwei Gruppierungen in den Wahlkampf ein, wobei die Auseinandersetzung unter den freisinnigen Parteien eine besondere Schärfe dadurch erhielt, daß die Mehrheit der Mitglieder der ehemaligen Deutsch-Freisinnigen Partei in Schleswig-Holstein zur Freisinnigen Vereinigung übergewechselt war und ihrer Landesorganisation den Namen »Freisinnige Partei« gegeben hatte, wodurch man den Eindruck erweckte, einzige legitime Nachfolgeorganisation der Deutsch-Freisinnigen Partei zu sein. Daß man sich durch diese Namengebung die besondere Animosität Eugen Richters und seiner Freisinnigen Volkspartei zuzog, ist nur allzu erklärlich. Beide freisinnigen Lager waren sich aber in der energischen Bekämpfung der Nationalsozialen einig. Die Auseinandersetzung mit den Freisinnigen war, wie Damaschke rückschauend urteilte, am erbittertsten[6].

Besonders muß vermerkt werden, daß auch Barth und Rickert, die persönlich in den Wahlkampf eingriffen, eine klare Frontstellung gegenüber den Nationalsozialen einnahmen.

Das Ergebnis der Wahlen war für die Nationalsozialen, die 84 Versammlungen abhielten, damit aber nur ein Zehntel der 400 Orte des Kreises erfaßten[7], ein großer Achtungserfolg. Immerhin gelang es ihnen auf Anhieb, von den 16 210 gültig abgegebenen Stimmen 2148 für sich zu gewinnen.

Sie waren damit in diesem Wahlreis nach den Konservativen, die 8177 Stimmen errangen, um den Sozialdemokraten, deren Kandidat 2695 Stimmen erhielt, die drittstärkste politische Gruppierung.

Der Elan, mit dem die Nationalsozialen die Vorbereitungen für die allgemeinen Wahlen zum Reichstag im Jahre 1898 trafen – man hatte in 11 Wahlkreisen Kandidaten aufgestellt –, war nicht unwesentlich beeinflußt durch den relativen Wahlerfolg des Vorjahres im Wahlkreis Plön-Oldenburg. Die Hoffnungen der Nationalsozialen auf einen für den Verein besonders günstigen Ausgang der

[4] ebd., Bl. 24.

[5] Nach M. Wenck: Wandlungen und Wanderungen, Ein Sechziger sieht sein Leben zurück, S. 114 f. (Hess. Landes- u. Hochschulbibliothek Darmstadt, Nachlaß Wenck).

[6] A. Damaschke: Zeitenwende, 2. Bd., S. 128.

[7] ebd., S. 128.

Wahlen waren aber zu weit gespannt. Man übersah nur allzu leicht, daß es ungleich schwerer war, zur gleichen Zeit in 11 Wahlkreisen mit Erfolg zu agitieren als in einem einzigen, für dessen agitatorische Bearbeitung alle momentan vorhandenen finanziellen Mittel und alle rhetorischen Talente des Vereins eingesetzt werden konnten.

Nachdem der Vorstand des Vereins in einer Sitzung im Juli 1897 die Versendung von Fragebogen an die nationalsozialen Vertrauensmänner in den einzelnen Wahlkreisen beschlossen hatte, um durch deren Beantwortung Aufschluß darüber zu gewinnen, in welchen Wahlkreisen die Aufstellung von nationalsozialen Kandidaten opportun erschien[8], waren die Vorstandssitzungen ständig von Diskussionen über Kandidatennominierungen ausgefüllt. Den Abschluß dieser Wahlkampfvorbereitungen bildete eine »Wahlkonferenz«, deren Einberufung vom Vorstand beschlossen wurde. Zu der Konferenz, die am 14. und 15. April in Leipzig stattfand, lud der Vorstand die potentiellen nationalsozialen Reichstagskandidaten und »die bei der Wahl vorzugsweise mitbeschäftigten und interessierten Herren« ein[9]. Naumann faßte in der Vorstandssitzung vom 17. April die wichtigsten Ergebnisse der Leipziger Konferenz zusammen[10].

Für die Wahlkreise Frankfurt a. M. und Jena war eine Doppelkandidatur Naumanns vorgesehen. Naumann hatte auf die Frankfurter Kandidatur besonderen Wert gelegt, da er sie als Abschluß seiner Frankfurter Zeit, in welcher er dort das Amt des Vereinsgeistlichen der Inneren Mission ausgeübt hatte, betrachtete[11].

Der Wunsch nach einer Kandidatur des Vereinsvorsitzenden im Jenaer Wahlkreis war schon früh von nationalsozialen Freunden in Jena an Naumann herangetragen worden[12]. Bereits zur Zeit der Gründung des Vereins dachte man an eine Reichstagskandidatur Naumannns in dem thüringischen Wahlkreis. Wilhelm Rein war in diesem Zusammenhang bestrebt, Naumann in persönliche Verbindung mit Ernst Abbé, dem Begründer der Zeiß-Stiftung, zu bringen[13].

Auch wenn sich dieses Vorhaben zerschlug, suchte Naumann den Wahlkreis noch vor dem Wahlkampf des Jahres 1898 zu einer Reihe von Vorträgen auf[14].

[8] DZA Potsdam, Nachl. Naumann, Aktz. 53 (Vorstandssitzung vom 26. Juli 1897), Bl. 20.

[9] ebd. (Vorstandssitzung vom 4. März 1898), Bl. 31 R.

[10] ebd., Bl. 35–37.

[11] So äußerte sich Naumann auf der Vorstandssitzung vom 8. März 1897 (DZA Potsdam, Nachl. Naumann, Aktz. 53, Bl. 5 R).

[12] ebd., Bl. 5 R.

[13] Am 5. Dez. 1896 schrieb Rein an Naumann: »... Wenn Sie den Gedanken festhalten, daß wir Sie hier bei der nächsten Reichstagswahl aufstellen dürfen, so müssen Sie mit Prof. Abbé nähere Fühlung u. Verbindung erhalten. Ihm folgen über 800 Arbeiter u. ein gut Teil andrer Leute. Er hat mir gegenüber geäußert, es schiene ihm, als ob Sie sich geflissentl. von ihm zurückgehalten hätten. Ich habe es ihm auszureden versucht, aber semper aliquid haeret. Sie allein können ihn vom Gegenteil überzeugen ...« (DZA Potsdam, Nachl. Naumann, Aktz. 308, Bl. 94 R f.). Prof. Abbé war im übrigen Mitglied des »Bundes deutscher Bodenreformer« (Nach »Deutsche Volksstimme«, XI. Jg., Nr. 8, 20. April 1900, S. 253) und war deshalb auch mit Adolf Damaschke bekannt (Vgl. den Brief Ernst Abbés vom 31.1.01 an Damaschke; BA, Nachlaß A. Damaschke, Nr. 1, S. 2 ff.).

[14] Siehe hierzu den Brief Reins vom 8. 2. 98, in dem er Naumann über die Modalitäten eines Vortrags in Weimar Empfehlungen gibt (DZA Potsdam, Nachl. Naumann, Aktz. 205, Bl. 9/9 R).

Außerdem wurde er durch die Nationalsozialen Jenas über den Stand der Agitation im Wahlkreis auf dem laufenden gehalten, wobei allerdings durch manche Situationsschilderung Naumann ein allzu günstiges Bild von der nationalsozialen Position in Jena vermittelt wurde[15].

Ein Wahlerfolg Naumanns in Jena mußte bereits in dem Augenblick als unwahrscheinlich betrachtet werden, als der Vorsitzende der Nationalliberalen Partei, Ernst Bassermann, sich entschloß, in Jena zu kandidieren. Bassermann war einer der wenigen sozialpolitisch aufgeschlossenen nationalliberalen Politiker.

In dem oberhessischen Wahlkreis Friedberg-Büdingen war Vereinssekretär Wenck zum Kandidaten nominiert worden. Da bei der Stärke der gegnerischen Parteien nicht an einen Wahlsieg zu denken war, hatte die Kandidatur den Zweck, zu verhindern, daß der antisemitische Kandidat in die Stichwahl kam[16]. Wegen seiner früheren Tätigkeit als Vereinsgeistlicher der Inneren Mission in Oberhessen schien Wenck für den Wahlkreis der geeignete Kandidat zu sein. Damaschke ließ sich erneut im Wahlkreis Plön-Oldenburg aufstellen, und von Gerlach wurde Kandidat in Marburg. In Göttingen kandidierte Verlagsbuchhändler Ruprecht und in Berlin I Lithograph Tischendörfer. Weitere Kandidaten stellte man in den Wahlkreisen Dithmarschen, in Leipzig/Stadt und Leipzig/Land und in Sangerhausen auf. Zur finanziellen Unterstützung der Kandidaten durch die Vereinskasse wurde ein Plan entworfen, in dem die Unterstützungsbeträge für die einzelnen Kandidaten zwischen 1300 und 3000 Mark schwankten[17]. Die Gesamtsumme der für Wahlzwecke aufzuwendenden Geldbeträge wurde auf rund 16 000 Mark veranschlagt[18].

Während der Wahlkampfvorbereitungen bahnten sich erste Kontakte zur Freisinnigen Vereinigung an, was insofern überraschend war, als sich Nationalsozialer Verein und Freisinnige Vereinigung noch während des Wahlkampfes in Plön-Oldenburg mit großer Schärfe bekämpft hatten[19]. Es blieb jedoch bei unverbindlichen Gesprächen, die nicht zu konkreten Wahlabsprachen führten.

Das Ergebnis der Reichstagswahlen vom 16. Juni 1898 war für die Nationalsozialen eine herbe Enttäuschung. Bei insgesamt 27 000 Stimmen, die für den Nationalsozialen Verein abgegeben wurden, gelang es keinem Kandidaten, zu siegen oder zumindest in die Stichwahl zu kommen. Die meisten Stimmen – nämlich 4218 – erhielt Naumann in Jena; Damaschke vermochte seine Stimmenzahl gegenüber November 1897 um 1833 auf 3981 zu steigern.

[15] So z. B. in dem Brief Oskar Matthes vom 7. März 1898: »Unser Wahlkreis ist bei gründlicher Arbeit für uns zu gewinnen. Wie aus dem Ergebnis der letzten Wahl hervorgeht, müssen wir ca. 5000 Stimmen aufbringen, um in die Stichwahl zu kommen. Wir können die Sozialdemokratie überflügeln, wenn wir auf den Dörfern Stimmen bekommen ... Die Sozialdemokraten sind draußen bei der Arbeit. Am Sonnabend haben sie aber in Rothenstein eine kräftige Niederlage erlitten; über Rothenstein weht das ›nationalsoziale‹ Banner« (DZA Potsdam, Nachl. Naumann, Aktz. 205, Bl. 14/15).

[16] Nach Wenck: Wandlungen und Wanderungen, Ein Sechziger sieht sein Leben zurück, S. 116 f. (Hess. Landes- und Hochschulbibliothek Darmstadt, Nachlaß Wenck).

[17] Einige der Kandidaten wurden nicht bezuschußt.

[18] DZA Potsdam, Nachl. Naumann, Aktz. 53, Bl. 36 f.

[19] Naumann berichtete in der Vorstandssitzung vom 11. Febr. 1898, daß in einer Unterredung zwischen Barth, Rickert und ihm von den beiden freisinnigen Politikern die

Nicht agitatorische, publizistische oder organisatorische Mängel waren die eigentliche Ursache für die Niederlage des Vereins – wie Martin Wenck andeutet[20]. Der als politische Partei agierende Nationalsoziale Verein hatte in diesem Wahlkampf eine erste Bestätigung dafür erhalten, daß eine nicht einer ausgesprochenen Interessenpolitik verpflichtete politische Partei in dem wählersoziologisch und ideologisch erstarrten Parteiensystem kaum Chancen hatte, breite Wählerschichten für sich zu gewinnen. Die 27 000 nationalsozialen Wähler waren sicherlich ein Beweis dafür, daß es gleichsam eine Hohlraumnische in dem festgefügten und parteipolitisch klar konturierten Wählerblock gab; dennoch war es mehr als fraglich, ob dieser Hohlraum Ansatzpunkt für das Auseinanderbrechen des bestehenden Parteiengefüges sein konnte.

Friedrich Naumann, der in einem Schreiben an Max Weber die Mühe des Wahlkampfes als »nicht vergeblich« bezeichnete – die für den Nationalsozialen Verein abgegebenen Stimmen seien »immerhin ein Anfang«[21] –, mußte in einem Aufsatz der »Hilfe« nach der Wahl bekennen, daß man von der Sozialdemokratie

Anregung ausgegangen sei, in Schleswig-Holstein »eine Art von Kompromiß« bei den anstehenden Wahlen zu schließen (DZA Potsdam, Nachl. Naumann, Aktz. 53, Bl. 28 R f.). Hierbei sähe die Freisinnige Vereinigung von Kandidaturen in Plön und Lauenburg ab, wenn die Nationalsozialen im Wahlkreis Dithmarschen nicht kandidieren würden. Der Vorstand lehnte dieses freisinnige Angebot ab (ebd., Bl. 28 R f.). Theodor Barth unternahm nach dieser Zurückweisung durch die Nationalsozialen noch einen zweiten Versuch, sich bei einer Wahlkreiskandidatur mit den Nationalsozialen zu arrangieren. In einem vertraulichen Schreiben vom 28. 3. 1898 unterbreitete er Naumann die Offerte, den parteilosen, aber sowohl der Freisinnigen Vereinigung als auch den Nationalsozialen nahestehenden von Schulze-Gävernitz gemeinsam bei einer Reichstagskandidatur zu unterstützen (DZA Potsdam, Nachl. Naumann, Aktz. 205, Bl. 17 ff.). Dieses Angebot Barths ging auf einen entsprechenden Vorschlag Brentanos zurück. Barth hatte am 9. 8. 97 sich mit der Anfrage an Brentano gewandt, ob er nicht geneigt wäre, bei den nächsten Reichstagswahlen zu kandidieren. »Ich schicke voraus«, so versicherte Barth, »daß Sie bei einer etwaigen Kandidatur die Unterstützung meiner politischen Freunde haben würden, auch wenn Sie sich unserer Fraktion nicht anschließen und vielleicht lieber als ›Wilder‹ in den R. T. eintreten wollen« (BA, Nachl. Brentano Nr. 4, Barth an Brentano vom 9. 8. 97). Brentano, der umgehend antwortete, lehnte das Angebot ab – wie aus einem Brief Barths vom 13. 8. 97 an Brentano hervorgeht. In dem Brief Barths heißt es: »Ich bedauere Ihre Ablehnung, wenngleich ich die Erwägungen, welche Sie dazu veranlaßt haben, wohl zu würdigen vermag. Es ist schrecklich, wie unser Reichstag allmählich qualitativ herunterkommt, und ich fürchte, der nächste Reichstag wird in dieser Beziehung noch schlechter werden. Es ist ein wirkliches Opfer, in dieser Galeere zu arbeiten. Ihrer Anregung, Schulze-Gävernitz ein Mandat anzubieten, würde ich gerne folgen, wenn man ihn als Kandidaten nur so leicht unterbringen könnte wie Sie. Ich will die Sache jedoch im Auge behalten (BA, Nachl. Brentano, Nr. 4, Barth an Brentano vom 13. 8. 97). – Die schließlich von Barth den Nationalsozialen angetragene Kompromißkandidatur v. Schulze-Gävernitz' für den Wahlkreis Dithmarschen wurde von Naumann abgelehnt. Der Vorschlag Naumanns, die Kandidatur v. Schulze-Gävernitz' für Lauenburg vorzusehen, wurde dagegen von den Freisinnigen zurückgewiesen. Auch wenn man sich vorübergehend auf den Wahlkreis Schaumburg-Lippe einigte (DZA Potsdam, Nachl. Naumann, Aktz. 53, Bl. 34 R), zerschlug sich die Kandidatur v. Schulze-Gävernitz'.

[20] M. Wenck: Geschichte, S. 93 f.

[21] DZA Potsdam, Nachl. Naumann, Aktz. 106 (Naumann an Weber vom 23. 6. 98), Bl. 104 R.

nur wenige Stimmen gewonnen habe[22]. Dieses Eingeständnis bedeutete immerhin soviel, daß Göhre und Naumann ihrem ursprünglichen Ziel, eine »Partei der Arbeit« zu schaffen, nach nahezu zweijähriger Existenz des Vereins keinen Schritt näher gekommen waren. Die Kompromißentscheidung des Vereins auf dem Delegiertentag des Jahres 1897, sich in gleicher Weise von der Arbeiterbewegung und von den bürgerlichen Parteien zu distanzieren, und die gleichzeitig einsetzende nationalistische Propaganda hatten die Bindung einer nennenswerten Zahl von Arbeitern an den Verein verhindert.

Auf der anderen Seite überwand das städtische Bürgertum, wie Naumann feststellte, »nur teilweis das Grauen« vor dem »Bruder der Sozialdemokratie«[23].

Die klassenpolitische Zwitterstellung und das gleichzeitige Eintreten für eine soziale Politik im Inneren und eine imperialistische Außenpolitik mußte nach diesen Wahlen als ein der Vereinspolitik immanentes Dilemma sichtbar werden.

Naumann zögerte nicht, seine politischen Freunde darauf hinzuweisen, daß »von baldigen, leichten, schnellen Erfolgen« in Zukunft keiner mehr träumen dürfe, »aber« – so schloß er seinen Artikel mit betontem Optimismus – »den schließlichen Erfolg« lasse keiner aus den Augen: »Es gilt Jahre lang zu ringen, lange Jahre zu arbeiten und zu warten; doch das mögen Freund und Feind wissen: wir bleiben auf dem Posten«[24].

Anzumerken ist, daß die Nationalsozialen – wie die Wahlergebnisse aus den ländlichen Wahlkreisen erkennen lassen – in den bäuerlichen Schichten eine gewisse Zahl von Anhängern gefunden hatten. Durch die seit dem Herbst des Jahres 1898 vom Verein verfolgte konsequente »industrielle«, gegen das Großagrariertum gerichtete Politik haben die Nationalsozialen diesen Anhang nahezu vollständig eingebüßt; denn das agrarische Interessendenken war in einem Maße ausgeprägt, daß auch das kleine und mittlere Bauerntum einer politischen Gruppe, deren Politik in ihrer Grundtendenz »industriell« war, mit Reserve begegnete.

Der Ausgang der Hauptwahl im Jahre 1898 zwang die Nationalsozialen schließlich zu einer Entscheidung, die mehr als alle Deklamationen Auskunft über den Standort des Vereins innerhalb des bestehenden Parteiensystems gab.

Für den Vorstand des Vereins stellte sich die Frage, ob man in denjenigen der elf Wahlkreise, in welchen man kandidiert hatte und in denen eine Stichwahl notwendig wurde, eine Stichwahlparole ausgeben sollte. Am 18. Juni, zwei Tage nach der Hauptwahl, trafen sich der Vorstand und die nicht gewählten Reichstagskandidaten des Vereins, um ausschließlich über die Haltung bei den Stichwahlen zu beraten. Da in sechs von den acht Wahlkreisen, in denen eine Stichwahl stattfand, bürgerliche Kandidaten den Kandidaten der Sozialdemokratie gegenüberstanden, spitzte sich die Beratung schließlich auf die Frage zu, ob man die bürgerlichen oder die sozialdemokratischen Kandidaten unterstützen sollte.

Göhre wünschte eine Erklärung mit folgendem Inhalt: der Nationalsoziale Verein stehe, entsprechend den letzten Erfurter Beschlüssen, gleich weit entfernt von den größeren politischen Parteien. Man habe deshalb keine Veranlassung,

[22] »Hilfe«, IV. Jg., 26. Juni 1898, Nr. 26, S. 2.
[23] ebd., S. 2.
[24] ebd., S. 1.

von vornherein für eine dieser Parteien einzutreten und überlasse den nationalsozialen Wählern in den Stichwahlen die persönliche Entscheidung[25].

Die Meinung von Gerlachs differierte insofern von dem Vorschlag Göhres, als er die Entscheidung nicht den einzelnen Wählern überlassen, sondern den Vereinsgremien in den betreffenden Wahlkreisen übertragen wollte[26].

Naumann hielt ebenfalls eine Vorstandserklärung zur Stichwahl nicht für opportun, da es sich um keine prinzipielle Frage handle.

Während die Stellungnahmen Göhres, von Gerlachs und Naumanns mit dem Erfurter Kompromiß in Einklang standen, verlangten die dem rechten Vereinsflügel zugehörigen Konferenzteilnehmer eine eindeutige Stellungnahme zugunsten der »nationalen Parteien«. Rein betonte, daß man jetzt die nationale Gesinnung hervorkehren müsse, weil in den national gesinnten Kreisen die Stärke für die Zukunft liege. Sohm stellte nicht ohne Arroganz fest, daß es jetzt gelte, wo man noch einmal auf »hoher Tribüne« stehe, »das Tischtuch mit der Sozialdemokratie zu zerschneiden«, und Rechtsanwalt Martin, der im Wahlkreis Leipzig/Land kandidiert hatte, erklärte, daß die Sozialdemokratie für ihn noch immer die »vaterlandslose ... Partei« sei[27].

Da man sich zu keiner grundsätzlichen Einigung durchringen konnte, verlegte man sich auf eine Beratung über die Verhältnisse in den einzelnen Wahlkreisen. Aber auch bei diesen Erörterungen ergab sich die gleiche Gegensätzlichkeit der Meinungen. Als Weinhausen über die Situation im Wahlkreis Berlin I referierte und die Stimmung seiner Freunde in Berlin dahin kennzeichnete, daß diese geneigt seien, den sozialdemokratischen Kandidaten Poetzsch, der dem rechten Flügel der Partei angehörte, gegenüber dem »unsozialen« freisinnigen Kandidaten Langerhans zu unterstützen, stieß er auf den heftigen Widerspruch Sohms. Es entstand, wie es in der Protokollniederschrift heißt, »eine längere erregte Debatte, deren Wiedergabe im Einzelnen im Protokoll unmöglich ist«[28].

Nur mit großer Mühe gelang es endlich Naumann, einen Kompromiß herbeizuführen, wonach der rechte Flügel konzedierte, »daß es keinen Anstoß geben werde, wenn Tischendörfer in Berlin gegen Dr. Langerhans schwere Bedenken äußert; nur dürfen diese Bedenken keine Empfehlung für Poetzsch sein. Ebenso aber dürfe kein scharfes Eintreten für Bassermann in Jena ... erfolgen«[29]. Das Vorstandsmitglied Gregory stellte den Antrag, der die Zustimmung der Konferenz fand, keine Vorstandserklärung abzugeben, sondern die Entscheidung den Vereinsgremien der Wahlkreise zu überlassen.

Dieser Kompromiß gestaltete sich in den Tagen darauf zu einem Sieg des rechten Vereinsflügels. In keinem Wahlkreis, auch nicht in Berlin I, erfolgte eine Wahlparole für den sozialdemokratischen Kandidaten. In Jena, Leipzig-Stadt und Dithmarschen unterstützte man den nationalliberalen Kandidaten, während man sich in Berlin I, Sangershausen und Friedberg-Büdingen einer Parteinahme enthielt.

[25] DZA Potsdam, Nachl. Naumann, Aktz. 53, Bl. 39.
[26] ebd., Bl. 39.
[27] ebd., Bl. 39 R.
[28] ebd., Bl. 40 R.
[29] ebd., Bl. 40 R.

Obwohl der Verein offiziell auf eine neutrale Stellung zwischen Sozialdemokratie und bürgerlichen Parteien festgelegt war und sich in der Vereinspolitik auch keineswegs die betont antisozialdemokratische Haltung Sohms und anderer »konservativer« Nationalsozialer durchzusetzen vermochte, hatte die Option zugunsten der bürgerlichen Kandidaten doch schlaglichtartig zu erkennen gegeben, daß sich die Majorität der Nationalsozialen mehr den bürgerlichen Parteien als der Sozialdemokratie verbunden fühlte.

Selbst Martin Wenck enthielt sich als nationalsozialer Kandidat in Friedberg-Büdingen, wo in der Stichwahl dem sozialdemokratischen Kandidaten der nationalliberale und dem Bund der Landwirte angehörende Graf Oriola gegenüberstand, einer Stichwahlparole, obwohl er in der »Hilfe« offen eingestand, daß die Sozialdemokratie in seinem Wahlkreis »weit anständiger zu kämpfen wußte, als die ›Herren von Bildung und Besitz‹«[30].

[30] »Hilfe«, IV. Jg., 3. Juli 1898, Nr. 27, S. 11.

10. *Die Organisation des Vereins und ihre Wandlungen*

Die Organisationsform des Nationalsozialen Vereins wurde durch drei wesentliche Faktoren geprägt. Sie erhielt zum ersten – wie auch die Organisationsformen der übrigen politischen Parteien im Kaiserreich – ein besonderes Merkmal durch die geltende Vereinsgesetzgebung Preußens und der anderen Staaten; sie war zum zweiten, trotz ihrer Wandlungsfähigkeit, entscheidend vorgezeichnet durch das Organisationsstatut des Vereins aus dem Jahre 1896, und sie wurde nicht zuletzt durch die politische Intention führender Nationalsozialer, eine Massenpartei auszubilden, beeinflußt.

Das preußische Vereinsgesetz aus dem Jahre 1850 verbot den politischen Vereinen im Paragraphen 8 – ähnlich wie die Vereinsgesetzgebung in den übrigen Staaten des Reiches –, miteinander in Verbindung zu treten, »was zwar nach § 21 einer Ausführungsverordnung vom 11. März 1850 für Wahlvereine nicht gelten sollte, aber als Wahlverein wurde nur der betrachtet, der allein für konkret anstehende Wahlen wirkte«[1].

Nur bei Respektierung dieser gesetzlichen Bestimmung konnte sich die organisatorische Formierung einer politischen Gruppe vollziehen. Das Organisationsstatut des Nationalsozialen Vereins, das von der Erfurter Gründungsversammlung im November 1896 als verbindlich angenommen wurde, war deshalb auch von Paul Göhre unter peinlicher Berücksichtigung des Vereinsgesetzes konzipiert worden[2]. Die Beobachtung der vereinsrechtlichen Bestimmungen einerseits und die Beachtung der Tatsache, daß die Bildung lokaler oder provinzieller Vereinsorganisationen angesichts der erst im Anfangsstadium befindlichen örtlichen Zusammenschlüsse nationalsozial Gesinnter unzweckmäßig war, bewog deshalb auch den Verfasser des Organisationsstatuts, den Nationalsozialen Verein zum zentralen Wahlverein zu erklären, der – wie es im Paragraph 1 des Statuts heißt – »sich über ganz Deutschland (erstreckt)«[3] und der nach dem geltenden Vereinsrecht nur Einzelmitglieder haben durfte[4]. »An der Spitze des Vereins« stand – laut Organisationsstatut – ein »Vorstand von 7 Personen, der durch die jährliche Delegiertenversammlung mittels Stimmzettel gewählt« wurde[5]. Die durch das Organisationsstatut dem Vorstand übertragenen Kompetenzen waren ziemlich umfassend. Er »verfügt«, wie es hieß, »nach freiem Ermessen über die eingekommenen Gelder, leitet die Agitation, kontrolliert die prinzipielle Haltung der Vereinspresse, beruft die Delegiertenversammlungen und erstattet auf denselben über seine Tätigkeit Bericht«[6].

In der Vereinspraxis erwies sich, daß der Vorstand seine ihm kraft Organisationsstatut verliehenen Rechte in bestimmten Bereichen der Vereinsarbeit voll

[1] Thomas NIPPERDEY: Die Organisation der deutschen Parteien vor 1918, Düsseldorf 1961, S. 84.
[2] Siehe die entsprechende Äußerung Göhres auf dem Delegiertentag, in: Protokoll, Vertreterversammlung Erfurt, 1896, S. 76.
[3] ebd., S. 1.
[4] Eine nach den Vereinsgesetzen statthafte Alternative zu dieser zentralen Organisationsform wäre die Gründung von nationalsozialen Ortsvereinen gewesen, denen eine Verbindung untereinander aber nicht gestattet war.
[5] Protokoll, Vertreterversammlung Erfurt, 1896, S. 1.
[6] ebd., S. 1.

wahrzunehmen wußte, während er auf anderen Gebieten seiner Funktion als Führungsorgan des Vereins alles andere als gerecht wurde.

Der Vorstand fungierte ohne Zweifel als Agitationszentrale des Vereins. Von ihm wurde durch Agitationsreisen seiner Mitglieder und durch Veröffentlichung von Druckschriften und Flugblättern der Wahlkampf geleitet. Der Vorstand usurpierte bei dem Bemühen, den Wahlbetrieb in Gang zu setzen, stillschweigend für sich die Entscheidungsbefugnis über die Kandidatennominierungen. Zwar war er gegenüber Anregungen und Wünschen aus den Wahlkreisen nicht abgeneigt; er behielt sich aber die endgültige Entscheidung vor.

Das Recht der Nominierung schien dem Vorstand aber auch am ehesten zuzustehen, da ihm die Verwaltung der Finanzen oblag. Bei der nicht übermäßig günstigen Finanzlage des Vereins war es deshalb billig, daß der Vorstand über die Kandidaturen wachte, da die finanzielle Unterstützung eines Kandidaten, dessen Wahl völlig aussichtslos war, nur eine zusätzliche Belastung für die Vereinskasse bedeutet hätte.

Der ihm durch das Statut übertragenen Aufgabe, die prinzipielle Haltung der Vereinspresse zu überwachen, vermochte der Vorstand nicht nachzukommen. Nach den Reichstagswahlen des Jahres 1898 waren es gerade die prominentesten Vorstandsmitglieder, die im Vereinsorgan die prinzipielle Kontroverse über die Frage, ob der Verein eine »Massen«- oder »Volkspartei« werden solle, entfachten.

Dem Vorstand gelang es nicht, die in ihm offenbar werdenden Differenzen in sich auszutragen; diese drängten vielmehr nach außen und fanden entweder in der Vereinspresse ihren Niederschlag oder wurden auf den Delegiertentagen bloßgelegt. Dies trifft nicht nur für jene Zeit zu, in der Göhre und Sohm dem Vorstand angehörten. So versuchte man z. B. im Jahre 1900 nach der im Verein umstrittenen Stellungnahme Naumanns zur Bremerhavener Kaiserrede[7] gar nicht erst im Vorstand der Erklärung des Vorsitzenden, die immerhin zum Austritt mehrerer Theologen geführt hatte, ihre Gewichtigkeit zu nehmen, indem man sie etwa als persönliche Meinungsäußerung Naumanns deklariert hätte. Der 2. Vereinsvorsitzende, Adolf Damaschke, machte vielmehr den Vertretertag zum Forum der Auseinandersetzung, indem er eine Resolution einbrachte, die sich verbal gegen die »Hilfe«-Redaktion richtete, faktisch aber ein Affront gegen Naumann war[8].

Der Vorstand, der die Führungsrolle in der Vereinsagitation und in allen Fragen, die mit dem Wahlbetrieb in Zusammenhang standen, wahrzunehmen wußte, vermochte für die kontroversen Meinungs- und Willensäußerungen der Vereinsmitglieder kein Korrektiv oder Regulativ zu sein; dies deshalb nicht, weil die Heterogenität der Standpunkte zu wichtigen politischen Fragen im Vorstand seine höchste Zuspitzung fand.

Vom Vorstand gewählt und angestellt wurde der Vereinssekretär. Diese Funktion hatte vom März 1897 bis zum April 1901 Martin Wenck inne. Sein Nachfolger war Max Maurenbrecher, der das besoldete Parteiamt bis zur Auflösung des Vereins ausübte.

[7] Siehe hierzu S. 73 f. dieser Arbeit.
[8] Siehe hierzu S. 74 f. dieser Arbeit.

Der Aufgabenbereich des Sekretärs wurde von Wenck anläßlich seines Ausscheidens aus dem Sekretariat auf einer Vorstandssitzung folgendermaßen umrissen: Neben den reinen Bürogeschäften, die in der Einziehung und Verwaltung der Mitgliederbeiträge, der Führung der Mitgliederlisten, der Korrespondenz mit den Vertrauensleuten und den Vorständen der Ortsvereine und der Vorbereitung von Vortragsreisen bestehen, falle dem Sekretär »die Leitung der ganzen Organisation« und »die Anregung ... der Arbeit in den einzelnen Wahlkreisen zu, womit der Besuch von Parteikonferenzen und Veranstaltung von Vertrauensmännerversammlungen verbunden« sei[9]. Zugleich stelle der Sekretär »eine Art von Vertrauensperson aller Mitglieder« dar, welche die oft schwierige Aufgabe habe, entstandene Mißverständnisse und Unzufriedenheiten, die sich gegen die politische Leitung des Vereins und die »Hilfe« richten, zu schlichten[10]. Er müsse »darum stets eine vermittelnde Stellung einnehmen«, dürfe »nicht Parteimann einer der bestehenden Richtungen innerhalb der Bewegung sein«. »Auch eine schriftstellerische Tätigkeit« komme ihm »zur Unterstützung der nat[ional]soz[ialen] Provinzialpresse zu, eine Tätigkeit, die mehr und mehr wachsen wird, je mehr sich diese Presse erweitert ...«[11].

Zweifellos war der weitgefächerte Aufgabenbereich und die nur mäßige Besoldung der Grund dafür, warum Wenck das Vereinsamt gegen die Stellung des Chefredakteurs bei der »Hessischen Landeszeitung« eintauschte.

Dem Vereinsvorstand stand – laut Statut – eine fünfköpfige Kommission zur Seite, die – wie der Vorstand – von der Delegiertenversammlung gewählt wurde, und der es oblag, »alle Beschwerden über Vorstand, Vereinspresse und Vereinsangelegenheiten anzunehmen und möglichst zu begleichen«[12]. Auch eine jährliche Überprüfung der Vereinskasse gehörte zum Aufgabenbereich der Kommission. In der Vereinspraxis führte die Kommission ein ausgesprochenes Schattendasein. Beschwerden ergingen so gut wie überhaupt nicht an die Kommission [13]. Sie trat nur einmal im Jahr, nach Ablauf eines Geschäftsjahres[14], anläßlich des Delegiertentages zusammen, um die Vereinskasse einer Revision zu unterziehen. Unkorrektheiten wurden dabei von ihr in keinem Falle festgestellt.

Die subordinierte Stellung der Kontrollkomission in der Vereinspraxis wurde besonders durch den Umstand augenscheinlich, daß die Kommission – in Ermangelung eines gegenseitigen Kontaktes ihrer Mitglieder – regelrecht durch den Vorstand aufgefordert werden mußte, zu einer Sitzung zusammenzutreten, um ihrer satzungsgemäß vorgeschriebenen Aufgabe einer Kassenrevision nachzukommen[15].

[9] DZA Potsdam, Nachl. Naumann, Aktz. 53, Bl. 104.
[10] ebd., Bl. 104.
[11] ebd., Bl. 104.
[12] Protokoll, Vertreterversammlung Erfurt, 1896, S. 1.
[13] Dieser Umstand führte dazu, daß sich für die offizielle, im Organisationsstatut verwendete Bezeichnung »Beschwerdekommission« im Sprachgebrauch der Vereinsmitglieder sehr rasch der Terminus »Kontrollkommission« durchsetzte.
[14] Das Geschäftsjahr des Vereins wurde vom 1. Okt. bis zum 30. Sept. gerechnet.
[15] Nach Vorstandssitzung vom 3. Sept. 1897 (DZA Potsdam, Nachl. Naumann, Aktz. 53, Bl. 20 R f.).

Als stimmberechtigte Teilnehmer des alljährlich vom Vorstand einberufenen *Vertretertages* (Delegiertentages) nannte das Organisationsstatut »die Mitglieder des Vereinsvorstandes, der Beschwerdekommission, der Vereinspresse sowie je fünf in öffentlicher Mitgliederversammlung zu wählende Delegierte aus jedem Reichstagswahlkreise«[16].

Der Vertretertag hatte satzungsgemäß nicht nur die Aufgabe, die Wahlen zum Vorstand und zur Kontrollkommission vorzunehmen, sondern auch das Recht, »über die Vereinsorganisation und alle das Vereinsleben berührende Fragen sowie über die eingegangenen Anträge zu beschließen«[17].

Die Diskussionen und Beratungen der Vertretertage hatten den Charakter großer Offenheit und Freimütigkeit. Zu einer kritischen Beurteilung der Arbeit des Vorstandes in seiner *Gesamtheit* durch den Vertretertag ist es nie gekommen, was natürlich an dem Umstand lag, daß der Vorstand dem Vertretertag nicht als ein in sich politisch-ideell homogenes Gremium gegenübertrat.

Das uneingeschränkte Vertrauen, das die Delegierten Naumann entgegenbrachten – ein Vertrauen, das sich auf dessen menschliche Integrität, seine rhetorische Überlegenheit und geistigen Fähigkeiten gründete –, vermochte nicht ihren ausgeprägten Meinungsindividualismus einzudämmen. Man war durchaus bereit, einer Meinung Ausdruck zu verleihen, die nicht mit der Naumannschen konform ging.

Wenn Paul Göhre in seinen Erläuterungen zum Organisationsentwurf auf der Erfurter Gründungsversammlung betonte, daß er sich in manchen Teilen das sozialdemokratische Organisationsstatut als Muster gewählt habe, so galt diese Feststellung nicht nur für die Empfehlung, die Delegierten in den Wahlkreisen zu wählen, sondern auch für das empfohlene Vertrauensmännersystem, durch das die Verbindung zwischen Vorstand und den Mitgliedern in den Wahlkreisen gesichert werden sollte. »Die Vereinsmitglieder in den einzelnen Reichstagswahlkreisen sind berechtigt«, so hieß es im Organisationsstatut, »alljährlich im Anschluß an die stattgehabte Delegiertenversammlung in öffentlicher Mitgliederversammlung eine Vertrauensperson zu wählen«[18].

Den Vertrauensmännern kam eine Mittlerfunktion zwischen der Zentrale des Vereins – dem Vorstand – und den Vereinsmitgliedern in den Wahlkreisen zu. Der Vertrauensmann vermittelte dem Vorstand Informationen über seinen Wahlkreis und nahm Instruktionen des Vorstandes für die Mitglieder seines Wahlkreises entgegen[19].

Naumann und Wenck betrachteten den raschen und möglichst umfassenden Ausbau des Vertrauensmännersystems als unbedingt notwendig für eine erfolgreiche Agitationsarbeit des Vereins[20]. Wenck meinte nach den Wahlen des Jahres

[16] Protokoll, Vertreterversammlung Erfurt, 1896, S. 2.
[17] Protokoll, Vertreterversammlung Erfurt, 1896, S. 2.
[18] ebd., S. 1.
[19] Ein anläßlich des neuen Vereinsjahres von Sekretär Wenck abgefaßtes Schreiben vom 5. Okt. 1897 »An die Vertrauensmänner des nat.-soz. Vereins« befindet sich im Nachlaß Titius. In ihm wird um »Festigung und Ausgestaltung« der Organisation und um die Einsendung des Jahresbeitrages der Mitglieder gebeten (Geh. Staatsarchiv d. Stiftung Preuß. Kulturbesitz, Nachl. Titius).
[20] Naumann äußerte sich in diesem Sinne auf einer nationalsozialen Versammlung in Frankfurt am 10. 5. 1897 und verwies dabei auf das sozialdemokratische Vorbild

1898, daß das »Gelingen des Kampfes« in Zukunft von der »Masse« der Vertrauensmänner abhängig sei. Die Existenz nur eines Vertrauensmannes in jedem Wahlkreis hielt er für unzureichend. Die Gründung von lokalen Wahlvereinen, die jeweils einen Vertrauensmann stellen sollten, war nach seiner Meinung unumgänglich. »Unsere Aufgabe wird ... sein«, so faßte er zusammen, »Ausgestaltung des Vertrauensmännersystems innerhalb der einzelnen Wahlkreise und die Gründung von Wahlvereinen; natürlich alles unter strengster Beobachtung der vereinsgesetzlichen Bestimmungen, so daß tatsächlich kein Verkehr stattfindet zwischen den einzelnen Wahlvereinen und zwischen diesen Wahlvereinen und der Hauptorganisation«[21].

Da die Nationalsozialen schon auf der Gründungsversammlung ihres Vereins von der Voraussetzung ausgegangen waren, daß eine wirksame Arbeit des Vereinsvorstandes nur dann gewährleistet sei, wenn dessen Mitglieder in einem ständigen engen Kontakt zueinander stehen, hatte man Leipzig als Sitz des Vorstandes gewählt; denn nicht nur die Leipziger Universitätsprofessoren Sohm und Gregory waren dort ansässig, auch die anderen Vorstandsmitglieder, mit Ausnahme von Naumann, der noch als Geistlicher der Inneren Mission in Frankfurt lebte, hatten ihren Wohnsitz in Leipzig oder waren gewillt, ihn dorthin zu verlegen.

Die räumliche Trennung Naumanns vom Sitz des Vorstandes war für die Vorstandsarbeit von Nachteil, da der Vereinsvorsitzende nur jeden Monat einmal an einer Sitzung teilnehmen konnte. Auf diesen Mißstand machte Göhre in einem Brief vom 5.1.97 Naumann nachdrücklich aufmerksam[22]. Naumann verlegte daraufhin im Frühjahr 1897 seinen Wohnsitz nach Berlin, so daß er – infolge der geringeren räumlichen Entfernung – in der Lage war, die Vorstandssitzungen regelmäßig zu leiten. Auch der Verlagsort der »Hilfe«, die seit ihrer Gründung in Frankfurt erschien, wurde nach der Übersiedlung Naumanns in die Reichshauptstadt nach Berlin verlegt.

Im Jahre 1898 wurde auf dem Darmstädter Delegiertentag eine Verlegung des Vorstandssitzes und eine Veränderung in der Struktur des Vorstandes beschlossen. Da sich Sohm im Zusammenhang seiner Auseinandersetzungen mit Göhre bereit erklärt hatte, aus dem Vorstand auszuscheiden, verdichteten sich in diesem die Überlegungen – die von Sohm unterstützt wurden –, den Sitz des Vorstandes und des Sekretariats aus Gründen einer Koordination von politischer, geschäftlicher und publizistischer Arbeit nach Berlin zu verlegen. Ein Beschluß des Vorstandes in diesem Sinne sollte durch den Delegiertentag, dem man einen

(Staatsarchiv Wiesbaden, Abt. 407, Nr. 159[1], Acta des königlichen Polizei-Präsidiums, Frankfurt a. M. betr. Nat.-soz. Wahlverein f. Frankfurt u. U., Bl. 220 R).

[21] »Hilfe«, IV. Jg., Nr. 31, 31. Juli 1898, S. 4 (Wenck: »Aus der Praxis für die Praxis«). Im gleichen Artikel meinte Wenck, daß es »das Beste« wäre, den Verein in einen »Verband der nationalsozialen Wahlvereine« umzugestalten, was aber nach dem bestehenden Vereinsgesetz nicht rechtens sei.

[22] DZA Potsdam, Nachl. Naumann, Aktz. 114, Bl. 61: ». . . Übrigens, auch das wird mir immer klarer, daß Du nach Leipzig mußt. Es geht nicht so, wie es jetzt geht ... Die heiß gewordenen Eisen von Erfurt sind schon jetzt im Erkalten. Es ist keine Führung da ... Wie sollen die Leipziger anders die Fäden in die Hand bekommen, als wenn Du Dich mitten unter sie setzt und sie vor ihren Augen weiterspinnst ... Du mußt nach Leipzig . . .«.

entsprechenden Antrag vorlegte, gebilligt werden. Wenck begründete vor dem Darmstädter Vertretertag die geplante Verlegung des Vorstandssitzes und des Sekretariats deshalb auch mit dem Hinweis auf die bisherige unrationelle Arbeitsweise, die durch die räumliche Trennung von Vorstandssitz und Sekretariat einerseits und Wohnsitz des Vorsitzenden und Redaktion der »Hilfe« andererseits gegeben sei[23].

Die Zusammenlegung von Vorstand, Sekretariat und Redaktion der »Hilfe« in der Reichshauptstadt wurde von den Delegierten begrüßt. Allerdings meldete sich Widerspruch gegen die bisherige Gepflogenheit, nur solche Vereinsmitglieder in den Vorstand zu delegieren, die an dem Orte ansässig waren, an dem der Vorstand seinen Sitz hatte. Der Widerstand gegen dieses Verfahren artikulierte sich in getrennten Resolutionen der Delegierten aus Schleswig-Holstein, der Vertreter aus Frankfurt und der Leipziger Delegierten. Während die Delegierten Schleswig-Holsteins neben dem Vorstand einen Beirat wünschten, der die Funktion eines den Vorstand beratenden Gremiums haben und sich aus Vereinsmitgliedern zusammensetzen sollte, »deren Wohnsitze möglichst gleichmäßig im Deutschen Reiche verteilt« waren[24], forderten die Leipziger Delegierten einen prozentual festgelegten Anteil von Vorstandsmitgliedern, die ihren Wohnsitz nicht in Berlin haben sollten. Der Antrag der Frankfurter Delegierten war derjenige, der am radikalsten mit der bisherigen Gepflogenheit brechen wollte. Die Mitglieder des Vorstandes sollten danach »fortan aus ganz Deutschland gewählt werden«[25].

Der Delegiertentag akzeptierte schließlich nach geringen Abänderungen einen Antrag des Göttinger Theologieprofessors Bousset. Danach wurde zum Sitz des Vorstandes und des Sekretariats Berlin bestimmt. Der neue Vorstand des Vereins (*Erweiterter* Vorstand) setzte sich aus 7 Mitgliedern, die in Berlin ansässig sein mußten, und 5 Mitgliedern, die »aus ganz Deutschland« gewählt wurden, zusammen. Die 7 in Berlin wohnenden Vorstandsmitglieder bildeten den *engeren* Vorstand. Der erweiterte Vorstand trat nur dann zu einer Sitzung zusammen, wenn dies ausdrücklich von mindestens 5 seiner Mitglieder gewünscht wurde. Der engere Vorstand war beschlußfähig, solange nicht die Einberufung des erweiterten Vorstandes gefordert wurde[26].

[23] Protokoll, Vertretertag Darmstadt, 1898, S. 32.

[24] ebd., S. 18.

[25] ebd., S. 19. – Die Frankfurter Resolution war maßgeblich durch die Haltung des Frankfurter Nationalsozialen Prof. Trommershausen beeinflußt. Dieser hatte sich auf einer Versammlung des Nationalsozialen Wahlvereins in Frankfurt am energischsten gegen einen Vorstand gewehrt, der sich nur aus Berliner Vereinsfreunden zusammensetzte (Staatsarchiv Wiesbaden, Abt. 407, Nr. 159[2], Acta des königl. Polizei-Präsidii i. Frankfurt a. M. betr. Nat.-soz. Wahlverein f. Frankfurt u. U., Bl. 46 R f.).

[26] Protokoll, Vertretertag Darmstadt, 1898, S. 7 f. In der ersten Sitzung des erw. Vorstandes nach dem Darmstädter Delegiertentag wurde das Verhältnis des erweiterten zum engeren Vorstand noch präziser fixiert (DZA Potsdam, Nachl. Naumann, Aktz. 53, Bl. 49):

»1. Vor jeder Sitzung erhalten möglichst 8–10 Tage vorher die Mitglieder des engeren und des erweiterten Vorstandes die Tagesordnung mitgeteilt, so daß die Einberufung des erweiterten Vorstandes zu dieser Sitzung auf Antrag von 5 Herren noch geschehen kann. Der betreffende Antragsteller beauftragt entweder den Sekretär damit, diesen Antrag an die Vorstandsmitglieder zu richten, oder tut dies selbst.

Sitzungen des erweiterten Vorstandes fanden nur relativ selten statt. Zwischen dem Darmstädter Delegiertentag (1898) und dem Vertretertag im darauffolgenden Jahr wurden nur 3 Sitzungen des erweiterten Vorstandes abgehalten. Der engere Vorstand trat im gleichen Zeitraum zu 15 Sitzungen zusammen. Bis zur Auflösung des Vereins im Jahre 1903 fanden insgesamt 18 Sitzungen des erweiterten Vorstandes statt, während der engere Vorstand 108mal tagte. Diese Relation macht deutlich, daß die kontinuierliche Vorstandsarbeit auch weiterhin vom engeren Vorstand verrichtet wurde. Dennoch wäre es falsch, dem erweiterten Vorstand nur eine Scheinfunktion zuerkennen zu wollen. Entscheidungen über besonders gewichtige vereinspolitische Fragen wurden vom erweiterten Vorstand getroffen.

Die zentralistische Organisationsform des Vereins wurde durch einen Prozeß der Dezentralisation bis zu einem gewissen Grade ausgehöhlt, ohne daß diese Wandlung der organisatorischen Struktur zunächst durch entsprechende Änderungen im Organisationsstatut ihre Legitimation gefunden hätte.

Da es der Konzeption führender Nationalsozialer, eine Partei der »Massen« zu schaffen, entsprach, breite Bevölkerungskreise für eine Mitarbeit im Verein zu gewinnen, förderte der Vorstand in besonderer Weise die Gründung lokaler Vereinsorganisationen, da sich nur in ihnen ein aktives Vereinsleben entwickeln konnte. Solange das Gesetz eines Verbindungsverbotes politischer Vereine bestand, mußte man aber am Organisationsstatut festhalten. In der Vereinspraxis war man deshalb bemüht, jeden offiziellen Kontakt zwischen dem Hauptverein und den sich bildenden lokalen nationalsozialen Vereinen zu vermeiden. Man hielt weiterhin am Vertrauensmännersystem als dem Bindeglied zwischen Zentralverein und den in steigendem Maße in lokalen Vereinen korporierten Mitgliedern fest. Daneben gab es natürlich eine Vielzahl von Kontakten zwischen Vorstandsmitgliedern und Mitgliedern des Vereins in den Wahlkreisen.

Die Formen der entstehenden lokalen nationalsozialen Vereinsorganisationen waren stark differenziert; sie reichten von losen Zirkeln über mehr oder weniger lose nationalsoziale »Ortsgruppen« oder »freie nationalsoziale Vereinigungen« bis zu rechtskräftigen Vereinen mit Organisationsstatut. Die Zahl der losen Gesinnungszirkel überwog bei weitem, aber die Vereinigungen und Vereine nahmen von Jahr zu Jahr zu. Die Hauptverbreitungsgebiete nationalsozialer Vereinigungen und Vereine waren Norddeutschland, d. h. Schleswig-Holstein, das Großherzogtum Oldenburg und die Provinz Hannover; Südwest- und Süddeutschland, nämlich Hessen, Baden und Württemberg; schließlich Mitteldeutschland, d. h. Thüringen und Sachsen. Im Gebiet östlich der Elbe gab es – ausgenommen ist Berlin – keinen lokalen nationalsozialen Verein. Im

2. Nach jeder Sitzung erhalten alle Mitglieder des engeren und weiteren Vorstandes eine Abschrift des Protokolls auf dem Wege der Zirkulation – bei wichtigen Protokollen in eingeschriebenem Brief.
3. Sobald der weitere Vorstand einberufen ist, haben seine Mitglieder mit denen des engeren Vorstandes in der Sitzung gleiche Rechte ...« Die Frage, ob jene nicht in Berlin ansässigen Vorstandsmitglieder bei Vorstandssitzungen Stimmrecht haben sollten, wenn sie sich zufällig in der Reichshauptstadt aufhielten (ohne daß formell der erweiterte Vorstand einberufen worden war), entschied die Mehrheit der Vorstandsmitglieder in zustimmendem Sinne (ebd., Bl. 51).

überwiegend katholischen Rheinland versuchte der Verein vergebens Fuß zu fassen, obwohl er mehrmals dazu einen Anlauf unternahm. Nur an der Peripherie des Rheinlandes, in Elberfeld und in Dortmund, gelang es, eine nationalsoziale Vereinigung und einen Verein zu gründen[27].

Der bereits am 8. Februar 1897 unter dem Einfluß Naumanns gegründete »Nationalsoziale (Wahl-) Verein für Frankfurt und Umgegend« war aus dem »Christlich-Sozialen Verein für Frankfurt und Umgegend« hervorgegangen[28].

[27] Diese Angaben sind möglich aufgrund der in der »Hilfe« enthaltenen Mitteilungen über das Vereinsleben in den lokalen Organisationen. Danach lassen sich folgende wichtigsten Gründungen von nationalsozialen Ortsgruppen, Vereinigungen und Vereinen in chronologischer Reihenfolge nennen. In den Klammern ist jeweils die entsprechende Nummer des vorher genannten Jahrgangs der »Hilfe« angegeben, in welcher die Gründung des lokalen Zusammenschlusses erwähnt bzw. auf die Existenz des Vereins hingewiesen wird. Für die Vereine in Göttingen, Frankfurt, Hamburg, Marburg und Dortmund konnte das genaue Datum der Gründung den vorhandenen Akten entnommen werden. – *1897:* »Freie nationalsoziale Vereinigung« in Göttingen; Gründung am 29. Januar (Stadtarchiv Göttingen, Politische Polizei XXVII, Fach 161, Nr. 9, Acta betreffend National-Sozialer Verein (1895–1904), Polizeibericht vom 30. Jan. 97). »Nationalsoziale Vereinigung für Hannover und Umgegend« (Nr. 7). »Nationalsozialer (Wahl-) Verein für Frankfurt u. Umgegend«; Gründung am 8. Februar (Staatsarchiv Wiesbaden, Abt. 407, Nr. 159[1], Acta des königl. Polizei-Präsidii, a.a.O., Bl. 207). »Ortsgruppe« der Nationalsozialen in Heilbronn (Nr. 10). *1898:* »Nationalsozialer Wahlverein Hamburg-Altona und Umgegend«; Gründung am 17. März (Staatsarchiv Hamburg, Polit. Polizei, Vers 700, Bd. 1, Acte, Nat.-soz. Verein, a.a.O., Anlage (Organisationsstatut)). »Nationalsozialer Verein für Berlin u. Umgegend« (Nr. 29). *1899:* »Nationalsozialer Verein Marburg und Umgegend«; Gründung am 22. Februar (Staatsarchiv Marburg, Königl. Reg. z. Cassel, Präsidialabt., Registratur A II, Spezial-Akt. betreffend National-soziale Vereinigung, Bl. 3 R). »Ortsverein« in Reutlingen (Nr. 49). *1900:* »Nationalsozialer Verein für Dresden und Umgebung« (Nr. 10). Am 20 Juni 1901 wurde Gustav Stresemann zum stellv. Vorsitzenden des Dresdner Vereins gewählt. »Ortsverein« Oldenburg (Nr. 11). »Ortsgruppe« Gießen (Nr. 11). »Ortsgruppe« Breslau (Nr. 12 u. Nr. 20). »National-sozialer Verein für Leipzig und Umgegend« (Nr. 20). Schon vorher gab es eine Ortsgruppe in Leipzig (Nr. 5). »Nationalsoziale Vereinigung von Zwickau und Umgegend« (Nr. 20). »Ortsgruppe« in Stuttgart (Nr. 26). »Nationalsozialer Verein für Darmstadt und Umgegend« (Nr. 33). Schon vorher gab es einen »Ortsverein« in Darmstadt (Nr. 9). »Nationalsozialer Kreisverein« in Bentheim-Lingen (Nr. 46); er umfaßte die Orte Schüttorf, Gildehaus, Nordhorn und Lingen. »Nationalsoziale Vereinigung« in Elberfeld (Nr. 48 u. Nr. 49). *1901:* »Nationalsozialer Verein von Bremen und Umgegend« (Nr. 4). »Nationalsozialer Verein für Mannheim und Umgebung« (Nr. 14). Nationalsoziale »Ortsgruppe« in Karlsruhe (Nr. 50). *1902:* Umwandlung der »freien nationalsozialen Vereinigung« in Heidelberg in einen »Nationalsozialen Verein« (Nr. 46). »Nationalsozialer Verein« in München (Nr. 46). *1903:* »Nationalsozialer Verein für Dortmund und Umgegend«; hervorgegangen aus der »Sozialwissenschaftlichen Vereinigung«, Gründung am 16. Sept. (Stadtarchiv Dortmund, Titel VI. Sect. 1, Nr. 134, Spezialakte der Polizeiverwaltung zu Dortmund betr. den Nat.-soz. bzw. Soz.-lib. Verein, Do n 235, Bl. 8). – U. a. bestanden weitere nationalsoziale Vereinigungen, deren Gründungsjahr nicht zu ermitteln war, in: Kiel, Lübeck, Itzehoe, Eutin, Oldenburg, Kassel, Sangerhausen, Eisenach, Jena, Leipzig, Plauen, Stuttgart und Reutlingen.

[28] Laut Schreiben der Vereinsleitung vom 13. Febr. 1897 an das königl. Polizeipräsidium in Frankfurt. In ihm wird mitgeteilt, daß »in der Hauptversammlung des Christlich-Sozialen Vereins für Frankfurt a. M. u. Umgegend am 8. d. Mts. der Beschluß gefaßt wurde, anstatt des bisherigen Namens für diesen Verein in Zukunft den Namen ›National-sozialer Wahlverein für Frankfurt a. M. u. Umgegend‹ zu führen«

Der nationalsoziale Wahlverein Frankfurts verdankte seine Entstehung also nicht einer Vereinsgründung, wozu die Willensbereitschaft mehrerer Gleichgesinnter zum organisatorischen Zusammenschluß notwendig gewesen wäre. Dem Verein stand vielmehr eine bereits durchgebildete Organisation zur Verfügung; ja, die Frankfurter »Vereinsgründung« kam faktisch einer Namensänderung eines schon bestehenden Vereins gleich. Ausdrücklich wurde in dem Schreiben, durch welches die Polizeibehörde von der Namensänderung in Kenntnis gesetzt wurde, betont, »daß die bisherigen Satzungen des Christlich-Sozialen Vereins für Frankfurt a. M. und Umgegend in Kraft (bleiben)«[29]. In diesen Satzungen wurde dem christlichen Glaubensbekenntnis eine vorrangige Rolle eingeräumt, indem das Festhalten am Christentum an der Spitze der Aufgaben stand, deren Pflege der Verein sich insonderheit widmen wollte[30].

Im Gegensatz zur »Gründung« des Frankfurter Vereins war die nationalsoziale Vereinsgründung am 17. März 1898 in Hamburg ein regelrechter organisatorischer Zusammenschluß politisch gleichgesinnter Menschen.

Der eigentlichen Vereinsgründung waren aber eine große Zahl von Veranstaltungen der Hamburger Nationalsozialen vorausgegangen, die alle der Polizeibehörde gemeldet wurden. Schon am 17. Dezember 1896 fand eine Versammlung von »Freunden der national-sozialen Vereinigung« statt[31].

Der im März 1898 gegründete Verein erhielt ein ausführliches Organisationsstatut, in dem es als Zweck des Vereins, der »auf dem Boden des national-sozialen Programms« stehe, bezeichnet wurde, den »Zusammenschluß der Nationalsozialen in Hamburg-Altona und Umgegend zur gemeinsamen politischen Arbeit« herbeizuführen, worunter man eine »Schulung der Mitglieder auf politischem Gebiet durch Veranstaltung von Vorträgen und Diskussionsabenden«, eine »Verbreitung nationalsozialer Schriften« und die »Vorbereitung nationalsozialer Wahlen« verstand[32].

Die Organe des Hamburger Vereins waren der Vorstand, der mindestens monatlich einmal zusammentrat, die Mitgliederversammlung, die allmonatlich eine Zusammenkunft abhielt, und die Generalversammlung, die jedes Jahr einmal einberufen wurde und u. a. den Vorstand zu wählen hatte.

Der Verein gliederte sich in Bezirksgruppen, die sich der Einteilung der Stadtbezirke anpaßten. An der Spitze jeder Bezirksgruppe stand ein Bezirksvorsteher[33].

(Staatsarchiv Wiesbaden, Abt. 407, Nr. 159, Acta des königl. Polizei-Präsidii, Bl. 207).

[29] ebd., Bl. 207.

[30] Im Paragraphen 1 der »Satzungen« des Frankfurter Vereins heißt es: »Der National-soziale Wahlverein für Frankfurt a. M. und Umgegend stellt sich die Aufgabe, in treuem Festhalten an Christentum, Vaterland und konstitutioneller Monarchie für die Besserung der Lage der arbeitenden Bevölkerung aller Stände in Stadt und Land einzutreten. Er sucht dies Ziel zu erreichen durch Verbreitung von Volksbildung in religiösen, politischen und sozialen Angelegenheiten sowie durch Teilnahme an kommunaler und staatlicher Politik« (ebd., Bl. 209).

[31] Angezeigt in einem Schreiben »An die hochlöbl. Polizei-Behörde« in Hamburg (Staatsarchiv Hamburg, Polit. Polizei, Vers 666, Acte, Bl. 1).

[32] Organisationsstatut als Anlage in: Vers 700, Bd. 1, Acte, § 2.

[33] ebd., §§ 3, 6, 9, 10 und 11.

Der nationalsoziale Verein Hamburgs wurde aufgrund seiner nahezu perfekten Organisation und der regen Anteilnahme seiner Mitglieder am Vereinsgeschehen zu einem der größten nationalsozialen Lokalvereine[34].

In einem sehr bescheidenen Rahmen vollzog sich die Gründung des »Nationalsozialen Vereins für Marburg und Umgegend« im Februar 1899. Der Verein zählte bei seiner Gründung 12 Mitglieder[35]. Schon am 19. 12. 1900 mußte aber der Marburger Landrat an den Polizeipräsidenten in Kassel melden, daß »ein nicht ganz kleiner Teil der Landwirtschaft im Kreise der Gerlachschen Richtung zu(neigt), ebenso ein Teil der Pfarrer«; für diese Parteinahme mußte nach Ansicht des Landrats das Beispiel der »Universitätsprofessoren, die ganz offen zu den Nationalsozialen halten, . . . aufmunternd gewirkt haben«[36].

In Göttingen wurde bereits für den 9. 12. 1896 durch den Verlagsbuchhändler Ruprecht eine öffentliche Versammlung einberufen, auf welcher der Professor der Theologie, Bousset, über die Erfurter Gründungsversammlung referierte[37]. Die Göttinger Zusammenkunft zählte etwa 80–90 Teilnehmer, »darunter einige Professoren«, einen großen Teil »Privatdozenten, Assistenten, Bibliothekare und anderer jüngerer Universitätsangehörige, ferner einige Pastoren, Ärzte, Lehrer, Kandidaten aus Göttingen und Umgegend, leider nur erst wenige Arbeiter und Gewerbetreibende«[38]. Auf der zweiten Versammlung der Göttinger Nationalsozialen am 29. 1. 1897 wurde darüber Beschluß gefaßt, ob man einen Lokalverein oder eine »freie Vereinigung von Mitgliedern« gründen sollte. Mit Stimmenmehrheit beschloß man die Gründung einer freien Vereinigung, zu deren Vorsitzenden Dr. Ruprecht gewählt wurde[39].

Ein Sonderfall, wegen ihres Zeitpunktes, war die Gründung des »Nationalsozialen Vereins für Dortmund und Umgegend«. Schon 1897 begann in Dortmund eine »Sozialwissenschaftliche Vereinigung« rege zu werden[40], die für nationalsoziale Ziele warb. Aber erst im September 1903 entschloß man sich in Dortmund, einen nationalsozialen Verein ins Leben zu rufen[41], dem als organisatorische Basis die »Sozialwissenschaftliche Vereinigung« zur Verfügung stand.

[34] Der Hamburger Verein zählte im Februar des Jahres 1900 100 Mitglieder. Die Mitgliederzahl nahm in den darauffolgenden Jahren kontinuierlich zu. Mit 350 Mitgliedern im Dezember 1902 hatte der Verein seinen höchsten Mitgliederbestand erreicht (Vers 700, Bd. 1, Acte, Bl. 10).

[35] Nach einem Bericht des Landrats in Marburg vom 14. 4. 1899 an die »Königl. Regierung zu Kassel« (Staatsarchiv Marburg, Königl. Reg. z. Cassel, Präsidialabteilung, Registratur A II, Spezial-Akte, Bl. 3 R).

[36] ebd., Bl. 6 R.

[37] Nach einem Schreiben Dr. W. Ruprechts vom 7. Dez. 1896 an die Göttinger Polizeidirektion (Stadtarchiv Göttingen, Polit. Polizei, Act. betr. Nat.-Soz. Verein, a.a.O.).

[38] »Die Zeit«, I. Jg., Nr. 64, 15. Dez. 96, S. 7.

[39] Nach einem Polizeibericht vom 30. Jan. 97 in Act. betr. Nat.-Soz. Verein.

[40] »Hilfe«, III. Jg., Nr. 47, 21. November 1897, S. 11.

[41] In einem Schreiben vom 17. Sept. 1903 an die Polizeiverwaltung der Stadt Dortmund heißt es: »In der Versammlung am 16. September 1903 ist das beiliegende Statut betreffend die Gründung eines national-sozialen Vereins für Dortmund und Umgegend angenommen worden . . .« (Stadtarchiv Dortmund, Do. n 235, Spezialakte, Bl. 8). Organe des Vereins waren ein fünfköpfiger Vorstand und eine jährlich zusammentretende Generalversammlung (ebd., Bl. 9/9 R).

Die Gründung nationalsozialer Lokalvereine hatte zur Folge, daß Nationalsoziale in den Orten, in denen sich ein Verein gebildet hatte, sowohl Mitglieder des nationalsozialen Ortsvereins als auch Mitglieder des nationalsozialen Zentralvereins waren. Diese doppelte Mitgliedschaft war unumgänglich, da – wie schon betont – das Vereinsrecht es nicht erlaubte, die lokalen Vereine zu Unterorganisationen des Zentralvereins zu erklären.

Wenn sich der Vereinsvorstand zunächst nur bei strenger Beobachtung der vereinsgesetzlichen Vorschriften imstande sah, den Prozeß der Dezentralisierung zu fördern, so war man seit der überraschend erfolgten *Aufhebung des Verbindungsverbotes* für Vereine am 6. Dezember 1899 durch keine gesetzliche Fesseln mehr gehindert, den Wandel in der Vereinsorganisation in aller Offenheit voranzutreiben.

Schon in der Ausgabe der »Hilfe« vom 17. Dezember 1899 wurde der Wegfall des Verbots als »von hervorragender Bedeutung« für die nationalsoziale Organisation bezeichnet[42]. Man stehe jetzt vor der Frage, ob nicht die Organisation, deren Form in dem Statut von 1896 fixiert sei, »eine völlige Umgestaltung zu erfahren« habe. Diese Frage könne aber nur der nächste Vertretertag beantworten[43].

Auf dem Leipziger Delegiertentag im Oktober 1900 wurde zwar nicht die bestehende zentralistische Organisationsform aufgegeben, aber die von der nationalsozialen Zentralorganisation unabhängigen Ortsvereine wurden in den Hauptverein in corpore integriert. In dem geänderten Paragraphen 1 des Organisationsstatuts hieß es, daß »nationalsoziale Ortsvereine ... dem Hauptverein angehören (müssen)« und daß »Mitglieder des Hauptvereins . . . in den Orten, in welchen Ortsvereine bestehen, auch als Mitglieder dieser Ortsvereine angesehen (werden)«[44]. Bei der Wahl der Delegierten für die Vertretertage in den Reichstagswahlen konnten nun auch die Ortsvereine eingeschaltet werden. »Wo in einem Wahlkreis Ortsvereine bestehen«, sollten diese »an der Wahl der Vertreter nach freier Vereinbarung mit dem Vertrauensmann des Wahlkreises teil(nehmen)«[45].

Die Anmerkung Sponsels, daß »die zentrale Organisation« des Nationalsozialen Vereins, »die 1896 mit dem Sitz in Leipzig errichtet wurde, ... unter dem Eindruck der Wahlniederlage von 1898 zugunsten der Bildung von lokalen Organisationen wieder aufgelöst (wurde)«[46], ist unzutreffend. Richtig ist, daß man nach den Wahlen bemüht war, die Zahl der örtlichen Organisationen zu vergrößern, da nur so die Bereitschaft von Vereinsmitgliedern zur aktiven Mitarbeit für den Verein fruchtbar gemacht werden konnte. Von einer »Auflösung« der zentralen Organisation im Jahre 1898 kann aber keine Rede sein. Man hielt auch weiterhin am organisatorischen Zentralismus fest, war aber bestrebt, diesen durch die Form lokaler, vom Zentralverein unabhängiger Organisationen zu *ergänzen*. Selbst im Jahre 1900, nachdem durch die Aufhebung des Verbindungsverbots anstelle des Zentralvereins ein Verband von untereinander liierten Ortsvereinen hätte treten können, ließ man den Zentralverein bestehen, war aber

[42] »Hilfe«, V. Jg., Nr. 51, 17. Dez. 1899, S. 12.
[43] ebd., S. 12.
[44] Protokoll, Vertretertag Leipzig, 1900, S. 36.
[45] ebd., S. 21.
[46] Fr. Sponsel: Fr. Naumann u. d. deutsche Sozialdemokratie, S. 85.

nunmehr bemüht, in diesen eine Vielzahl von Ortsvereinen einzubeziehen. Man versuchte aber nicht nur ein Netz von Ortsvereinen zu schaffen, sondern ebenso Vereinsorganisationen auf »mittlerer Ebene« durch Gründung von Provinzial- und Landesvereinen.

Schon 1899 hatte der Vorstand die Bildung von *Landesausschüssen* angeregt, die einem Meinungs- und Erfahrungsaustausch zwischen Nationalsozialen einer Provinz oder eines Landes dienen sollten. Es war daraufhin noch im selben Jahr zur Gründung von Ausschüssen im Königreich Sachsen, in Thüringen, in der Provinz und im Großherzogtum Hessen sowie im Königreich Württemberg gekommen[47].

Im Februar 1900 fand ein nationalsozialer »Parteitag« für Schleswig-Holstein statt[48]. Das Ziel dieser Veranstaltung war die Bildung einer Landesorganisation, die Schleswig-Holstein, Lübeck und Hamburg umfassen sollte. Man kam überein, die Leitung der Landesorganisation dem Hamburger Verein zu übertragen, dem ein Vertrauensmännerausschuß, der sich aus Vertrauensmännern der Wahlkreise und Lokalvereine zusammensetzte, zur Seite gestellt wurde. Außerdem gelang es, einen hauptberuflichen Sekretär für die Landesorganisation zu gewinnen. Die schleswig-holsteinische Landesorganisation war noch kein Landes*verein*, vielmehr eine Art föderativer Zusammenschluß von Lokalvereinen; sie stellte eine ephemere Sonderform der nationalsozialen Landesorganisationen dar.

Die meisten der 1899 gebildeten Landesausschüsse waren organisatorische Vorstufen für die Gründung von Landes*vereinen*.

Der erste nationalsoziale Landesverein, der aus einem Landesausschuß hervorging, entstand in Hessen. Auf einer »Nationalsozialen Parteikonferenz« für die Provinz Hessen-Nassau und das Großherzogtum Hessen am 10. Juni 1900 in Frankfurt, an der Vereinssekretär Wenck und der 2. Vorsitzende des Vereins, Damaschke, teilnahmen, wurde die Gründung eines »nationalsozialen Landesvereins für die Provinz Hessen-Nassau, das Großherzogtum Hessen und das Fürstentum Waldeck« beschlossen[49]. Der Vorschlag zur Gründung des Landesvereins war der »Parteikonferenz« von Erdmannsdörfer, dem leitenden Redakteur der »Hessischen Landeszeitung«, unterbreitet worden. Erdmannsdörfer ging aus von einer Kritik an der Institution des Landesausschusses, der nichts weiter als »eine Korporation von einzelnen Vertrauensmännern« sei[50]. Die Bildung von Landesvereinen garantiere, daß »alle Parteigenossen, insbesondere auch solche, die keiner Lokalorganisation angehörten«, die Möglichkeit zum Beitritt hätten[51]. Erdmannsdörfer legte der Versammlung den Entwurf eines Vereinsstatuts vor[52], das durch Abstimmung von den Teilnehmern der Konferenz angenommen wurde.

[47] Nach Angaben Wencks in seinem »Geschäftlichen Jahresbericht« auf dem Göttinger Vertretertag (Protokoll, Vertretertag Göttingen, 1899, S. 27).

[48] Nach »Hilfe«, VI. Jg., Nr. 8, 25. Febr. 1900, S. 13.

[49] Einen Polizeibericht über die Versammlung enthält die Polizeiakte des »königl. Polizei-Präsidii in Frankfurt a. M. betreffend Nationalsozialer Wahlverein für Frankfurt u. Umgegend« (Staatsarchiv Wiesbaden, Abt. 407, Nr. 159[2]), Bl. 164–165 R. – Das folgende ist dem Polizeibericht entnommen.

[50] ebd., Bl. 165.

[51] ebd., Bl. 165.

[52] Das Statut ist in der oben genannten Akte enthalten (Bl. 171/171 R).

Das Verhältnis von Lokalvereinen, Landesverein und Zentralverein wurde dahin bestimmt, »daß in einzelnen Orten (Wahlkreisen) bestehende oder noch zu begründende national-soziale Vereine (Vereinigungen, Ortsgruppen) grundsätzlich mit ihrer gesamten Mitgliederzahl auch Mitglieder des Landesvereins sein (sollen)«; »jedes Mitglied des Landesvereins soll gleichzeitig Mitglied des nationalsozialen Hauptvereins in Berlin sein«[53].

Die Gründung des Landesvereins auf der »Parteikonferenz« am 10. Juni wurde bis zur Einberufung einer »Hauptversammlung« als provisorisch erklärt, da aus der Versammlung heraus Bedenken hinsichtlich der Kompetenz der Versammelten, einen derartigen für die Vereinsmitglieder verbindlichen Beschluß zu fassen, laut wurden[54].

Auf einer Versammlung am 18. November 1900 in Frankfurt nahm man die definitive Konstituierung des Landesvereins vor, dessen Vorsitzender Erdmannsdörfer und dessen Sitz Marburg wurde[55].

Am 7. Juli 1901 entschloß man sich, auch in Württemberg die Gründung eines nationalsozialen Landesvereins vorzunehmen[56]. Im selben Jahr wurde eine wichtige Veränderung in der schleswig-holsteinischen Landesorganisation vorgenommen. Anstelle von Hamburg wurde Itzehoe Vorort des Vereins, was bedeutete, daß in Zukunft die Leitung der Landesorganisation nicht mehr der Hamburger Verein wahrzunehmen hatte, sondern ein Vorstand, »dem die Leiter der einzelnen Ortsvereine« angehörten[57]. Die Neuorganisation entsprang der Absicht – wie es hieß –, »von nun ab ein größeres Gewicht der Arbeit dorthin zu verlegen, wo Aussicht besteht, in absehbarer Frist Reichstagsmandate zu erringen«[58].

Im Oktober 1902 erhielt das Königreich Sachsen einen nationalsozialen Landesverein[59]. Schließlich wurde im Dezember desselben Jahres auch in Baden ein Landesverein ins Leben gerufen[60].

Die Vielzahl der nationalsozialen Organisationen war ohne Zweifel eine imponierende Leistung des Vereins, vor allem seiner führenden Mitglieder. Die Bemühungen Wencks, Naumanns und anderer Nationalsozialer um den Ausbau der Organisation waren von der Einsicht getragen, daß *eine* Voraussetzung für den parteipolitischen Erfolg das Vorhandensein einer umfassenden und durchgebildeten Vereinsorganisation ist[61]. Die Schaffung eines Netzes von lokalen Orga-

[53] ebd., Bl. 171. – An der Spitze des Landesvereins stand ein Vorstand, der – wie es im Statut hieß – »aus einem Vorsitzenden, einem Schriftführer und einem Kassierer (besteht), die in einem Ort oder in nahe beieinander gelegenen Orten wohnen müssen, sowie aus sieben über das Gebiet des Landesvereins verteilt wohnenden Beisitzern« (ebd., Bl. 171 R). In einem Ende August 1900 verfaßten Flugblatt wurde als Zweck des Landesvereins vor allem eine gründliche, umfassende und einheitliche Agitation genannt (Das Flugblatt befindet sich in der oben genannten Akte (Bl. 169/169 R)).

[54] ebd., Bl. 165 R.

[55] ebd., Bl. 181 R.

[56] Nach »Hilfe«, VII. Jg., Nr. 29, 21. Juli 1901, S. 12.

[57] »Hilfe«, VII. Jg., Nr. 49, 8. Dez. 1901, S. 5.

[58] »Hilfe«, VII. Jg., Nr. 39, 29. Sept. 1901, S. 10.

[59] Nach »Hilfe«, VIII. Jg., Nr. 46, 16. Nov. 1902, S. 4.

[60] Nach »Hilfe«, VIII. Jg., Nr. 50, 14. Dez. 1902, S. 5.

[61] Martin Wenck schrieb in der »Zeit«, nachdem feststand, daß keine Möglichkeit mehr für ein Erscheinen der Tageszeitung über den 1. Oktober 1897 hinaus bestand: »Der

nisationen in Nord-, Südwest- und Mitteldeutschland und die Gründung von Landesvereinen innerhalb weniger Jahre ist umso beeindruckender, als der Verein wahrscheinlich zu keinem Zeitpunkt mehr als 3000 Mitglieder besaß[62].

Daß das organisatorische Vorbild für die Nationalsozialen die Organisation der Sozialdemokratie war, wurde bereits mehrfach erwähnt. Während die Sozialdemokratische Partei die politische Interessenvertretung der Arbeiterschaft war, einer Bevölkerungsschicht, die wegen der ihr zuteil werdenden sozialen Diskriminierung und wegen ihrer politischen Rechtlosigkeit am Ausbau einer machtvollen Organisation interessiert sein mußte – da ihre Existenz am ehesten den nötigen Rückhalt für den sozialen und politischen Interessenkampf geben konnte –, gehörte die überwiegende Majorität der Mitglieder des Nationalsozialen Vereins Bevölkerungskreisen an, die in der Regel ihre Zugehörigkeit zu einer politischen Partei durch ein politisch-ideelles Bekenntnis unter Beweis stellten, an eine aktive Mitarbeit in einer Parteiorganisation aber nur selten dachten.

Untergang der ›Zeit‹ muß uns dazu führen, die Organisation, die wir in dem national-sozialen Verein besitzen, nun um so emsiger auszubauen und zu erweitern. Eine politische Bewegung kann wohl den Zusammenbruch ihres bisherigen publizistischen Organs ertragen ... Aber eine politische Bewegung muß rettungslos untergehen, wenn ihr eine sorgsam ausgestattete, einheitlich geleitete Organisation fehlt ... Der zukünftige Erfolg des nationalen Sozialismus wird darum nicht zum mindesten davon abhängig sein, ob wir imstande sind, nicht nur die vorhandene Organisation zu erhalten, sondern dieselbe auch noch weit mehr auszudehnen, zu stärken und noch mobiler zu machen, als es bisher der Fall war ...« (»Die Zeit«, II. Jg., Nr. 217, 16. Sept. 97, S. 1 (Wenck: »Unsere Organisation«)).

[62] Der Verein hatte Mitte März 1897 ca. 350, am 1. 4. 1897 534, am 1. 5. 1897 706, am 1. 1. 1898 1145, am 1. 7. 1898 1615, am 1. 3. 1899 2038, im Sommer 1901 2923, am 1. 10. 1902 2704 Mitglieder (DZA Potsdam, Nachl. Naumann, Aktz. 53, Bl. 145 R).

11. Die wählersoziologische Isolierung des Vereins auf Kreise des Bürgertums

Ein Bild von der Wählerstruktur einer politischen Partei läßt sich nur auf indirekte Weise gewinnen, indem man Mitgliederlisten von Parteitagen oder Wahlvereinen auswertet. Diese Feststellung gilt auch für politische Parteien im Kaiserreich. Erhält man dadurch auch nicht ein völlig authentisches Bild von der Wählerstruktur der Partei, so läßt sich aber doch deutlich ihre Tendenz erkennen.

Einen Einblick in die soziale Zusammensetzung des Nationalsozialen Vereins erlauben die den Protokollen der Vertretertage beigefügten Präsenzlisten der stimmberechtigten Delegierten. Da die Listen neben den Namen der Delegierten auch deren Berufsstand enthalten, ist eine soziale Aufschlüsselung möglich.

Die numerische Stärke der an der Erfurter Gründungsversammlung 1896 beteiligten sozialen Gruppen läßt sich danach wie folgt angeben[1]: Die zahlenmäßig stärkste Gruppe unter den 116 Delegierten war jene, deren Mitglieder eine akademische Ausbildung erfahren hatten; ihr gehörten 66 Delegierte an. Auffallend ist, daß sie nicht den Pluralismus akademischer Berufe widerspiegelte. Sie enthielt fast nur Pfarrer und Professoren. Dabei war die Dominanz der Pfarrer – sie waren mit 42 Delegierten vertreten – ein zweites wesentliches Merkmal dieser Gruppe.

Dem Vertretertag gehörten außerdem eine Reihe von Delegierten an, deren Berufsstand es erlaubt – bei deutlicher Abgrenzung zur erstgenannten Gruppe des Bildungsbürgertums –, sie der sozialen Schicht des Kleinbürgertums zuzurechnen. Diese in sich stark differenzierte zweitstärkste Gruppe des Vertretertages – sie umfaßte Handwerker, Kaufleute, Angestellte und subordinierte Beamte – hatte einen zahlenmäßigen Anteil von 24 Delegierten. Außerdem wies die Versammlung 5 Lehrer als Delegierte auf. Den Volksschullehrern, die sich aufgrund ihrer Ausbildung weder dem Bildungsbürgertum noch dem Kleinbürgertum zuordnen lassen, sollte, wie noch gezeigt wird, in der sozialen Struktur des Vereins eine besondere Bedeutung zukommen.

Andere soziale Schichten, die Fabrikanten und die Landwirte, die mit je 3 Delegierten vertreten waren, und vor allem die Arbeiter, die 8 Delegierte stellten, waren – geht man von ihrem prozentualen Anteil an der Gesamtbevölkerung aus – unterrepräsentiert.

Die soziale Zusammensetzung der Erfurter Delegiertenversammlung wies eine eindeutige Tendenz zum Dimorphismus auf; ihr gehörten vor allem Vertreter des Bildungs- und Kleinbürgertums an.

Auch die folgenden Delegiertentage hatten eine ähnliche soziale Zusammensetzung. Allerdings zeichnete sich in der Gruppe der geistigen Berufe eine Verschiebung zuungunsten der Pfarrer ab, und der Anteil der Lehrer nahm erheblich zu, so daß die Delegierten dieses Berufsstandes nahezu die numerische Stärke der die mannigfachen Berufe des Kleinbürgertums repräsentierenden Delegierten erreichten. Schon auf dem zweiten Delegiertentag verwies die Zunahme der Vertreter aus dem Kreis der Lehrerschaft auf den wachsenden Einfluß der Angehörigen dieses Berufsstandes: Der Versammlung gehörten 38 Vertreter des Bildungs-

[1] Die Teilnehmerliste ist abgedruckt in: Protokoll, Vertreterversammlung Erfurt, 1896, S. 81/82.

bürgertums, 26 Angehörige des Kleinbürgertums, 25 Lehrer, 2 Fabrikanten, 3 Landwirte, 5 Arbeiter und 3 Studenten an[2].

Nicht zuletzt die soziale Zusammensetzung der Erfurter Versammlung von 1897 erhellt, warum der Verein nach der vorangegangenen Kontroverse zwischen Göhre und Sohm sich durch Annahme der Resolutionen Ruprechts und Tischendörfers von dem ursprünglichen Ziel, eine neue parteipolitische Variante der Arbeiterbewegung zu sein, distanzierte. Die Zahl der aus den Arbeiterschichten stammenden Vereinsmitglieder war so gering, daß sich der proletarische Standpunkt, der von Göhre, Naumann und von vielen anderen Nationalsozialen im ersten Vereinsjahr mit Konsequenz vertreten wurde, unter dem Eindruck der antisozialistisch-nationalistischen Propaganda Sohms doch nicht zu einer *allgemeinen* »proletarischen Stimmung« zu verdichten vermochte.

Die Preisgabe der direkten Interessenverbundenheit mit der Arbeiterschaft und die forcierte Propaganda für den nationalen Machtgedanken mußten die Arbeiter davon abhalten, im Nationalsozialen Verein ihre politische Interessenvertretung zu sehen.

Naumann stellte nach den Wahlen von 1898 fest, daß die »Hauptbestandteile« der nationalsozialen Wähler »bisherige Freisinnige, Nationalliberale und Konservative« gewesen waren[3]. Er täuschte sich, wenn er meinte, daß mehr Arbeiter nationalsozial gewählt hätten, »wenn die Flottenfrage die Probe für die Wahl gewesen wäre«[4]. Eine überspitzte Propagierung nationalistischen Gedankengutes mußte den aus der Sicht der Arbeiter durch seine soziale Struktur ohnehin als bürgerlich diskreditierten Verein als politische Interessenvertretung nur noch weniger akzeptabel machen.

Der hypertrophe Nationalismus, der immer mehr zu einem Grundzug nationalsozialer Politik wurde, trug nicht nur dazu bei, eine Bindung der Arbeiterschaft an den Verein zu verhindern – die Zahl der Arbeiterdelegierten auf den Vertretertagen blieb konstant niedrig – er war auch die Ursache dafür, daß sich ein großer Teil der Pfarrer von der Vereinstätigkeit zurückzog. Setzte sich bis zum Jahre 1899 die Gruppe der akademischen Berufe auf den Vertretertagen ungefähr zur Hälfte aus Pfarrern zusammen, so sank nach der Zustimmungsadresse Naumanns zur Bremerhavener Kaiserrede im Jahre 1900 der Anteil der Theologen in der Gruppe der akademischen Berufe auf rund 30% herab. Auf dem letzten Delegiertentag waren es gerade noch 12%[5].

[2] Aufschlüsselung aufgrund der Teilnehmerliste im Protokoll, Vertreterversammlung Erfurt, 1897, S. V–VIII.

[3] Protokoll, Vertretertag Darmstadt, 1898, S. 45.

[4] ebd., S. 45.

[5] Die zahlenmäßige Stärke der Vertreter der einzelnen sozialen Gruppen auf den Delegiertentagen von 1898–1903 läßt sich – aufgeschlüsselt nach den Präsenzlisten – folgendermaßen beziffern: *1898* (Protokoll, Darmstadt, S. 14–17): Akademiker: 38, davon 21 Pfarrer; Lehrer: 19; Vertreter des Kleinbürgertums: 27; Fabrikanten: 2; Landwirte: 3; Arbeiter: 2; Studenten: 2. *1899* (Protokoll, Göttingen, S. 8–11): Akademiker: 47, davon 21 Pfarrer; Lehrer: 20; Vertr. d. Kleinbürgertums: 36; Fabrikanten: 3; Landwirte: –; Arbeiter: 2; Studenten: 5. *1900* (Protokoll, Leipzig, S. 8–11): Akademiker 32, davon 10 Pfarrer; Lehrer: 18; Vertr. d. Kleinbürgertums: 40; Fabrikanten: 3; Landwirte: –; Arbeiter: 5; Studenten: 2. *1901* (Protokoll, Frankfurt, S. 8–11): Akademiker 47, davon 14 Pfarrer; Lehrer: 22; Vertr. d. Kleinbürgertums: 39; Fabrikanten: 3; Landwirte: 1; Arbeiter: 5; Studenten: 4. *1902* (Protokoll, Hannover, S. 7–11);

Ein für das soziale Spektrum des Vereins ergänzendes Bild liefern die Mitgliederlisten des »Nationalsozialen Wahlvereins für Frankfurt und Umgegend«, des Nationalsozialen Vereins in Göttingen und des »Nationalsozialen Vereins für Dortmund und Umgegend«. Die in der Frankfurter Polizeiakte enthaltene Liste weist das Datum vom 7. November 1898 aus[6]. Sie enthält die Namen und Berufe der zu diesem Zeitpunkt dem Verein angehörenden 148 Mitglieder. Danach gehörten dem Verein 90 Mitglieder mit Berufen an, die sich dem Kleinbürgertum zurechnen lassen; 24 Mitglieder waren Akademiker, 21 Arbeiter, 12 Lehrer, und ein Mitglied war Student.

Die soziale Zusammensetzung des Frankfurter Vereins wich insofern von derjenigen der Vertretertage ab, als die Angehörigen des Kleinbürgertums besonders stark vertreten waren, wohingegen die Zahl von Mitgliedern mit akademischem Bildungsgrad bedeutend geringer war. Der Anteil der Arbeiter an der Gesamtzahl der Mitglieder war höher als die Zahl der Arbeiterdelegierten auf den Vertretertagen; er blieb aber auch hier unter 20%, so daß sich selbst in dem städtischen Wahlkreis Frankfurt die Relation von »proletarischen« und bürgerlichen Vereinsmitgliedern zuungunsten der Arbeiter gestaltete.

Im nationalsozialen Verein in Göttingen überwogen eindeutig Mitglieder, die dem Bildungsbürgertum angehörten, was sicherlich auch durch die soziale Struktur der Stadt beeinflußt war. Eine Mitgliederliste des Vereins, die am 14. 11. 1903 angefertigt wurde[7], enthält Namen und Berufe der insgesamt 26 Mitglieder. Davon sind 16 dem Bildungsbürgertum und 4 dem Kleinbürgertum zuzurechnen; 4 Mitglieder sind Studenten, ein Mitglied ist Lehrer, und ein Vereinsangehöriger führt die Berufsbezeichnung »Direktor«.

Die Mitgliederliste des Dortmunder Vereins[8], die überwiegend Personen enthält, die im Jahre 1903 dem Verein beigetreten sind, hat insofern einen besonderen Wert, als der schon bei der sozialen Zusammensetzung der Delegiertentage beobachtete große Anteil von Vertretern des Lehrerstandes in seinem Mitgliederbestand eine besondere Ausprägung fand. Von den 58 Mitgliedern des Vereins waren 42 Lehrer. Der Rest verteilte sich auf Handwerker, staatlich Bedienstete – so z. B. mehrere »Postassistenten« – und Pfarrer. Arbeiter gehörten dem Dortmunder Verein nicht an[9].

Akademiker: 57, davon 17 Pfarrer; Lehrer: 46; Vertr. d. Kleinbürgertums: 45; Fabrikanten: –; Landwirte: 1; Arbeiter: 3; Studenten: 3. *1903* (Protokoll über die Verhandlungen des Nationalsozialen Vereins (8. Vertretertag) zu Göttingen am 29. u. 30. August 1903, Berlin (1903) S. 6–11): Akademiker: 74, davon 9 Pfarrer; Lehrer: 38; Vertr. d. Kleinbürgertums: 54; Fabrikanten: 3; Landwirte: 1; Arbeiter: 7; Studenten: 9.

[6] Staatsarchiv Wiesbaden, Abt. 407, Nr. 159², Acte, Bl. 57 ff.

[7] Stadtarchiv Göttingen, Polit. Pol. XXVII, Fach 161, Nr. 9, Act. betr. Nat.-Soz. Ver., Mitgliederliste vom 14. Nov. 1903.

[8] Stadtarchiv Dortmund, Do. n 235, Spezialakte, Mitgliederliste (keine Blattnumerierung).

[9] Daß eine ähnliche Tendenz in der Mitgliederstruktur anderer nationalsozialer Ortsvereine bestand, geht u. a. aus einer Äußerung des Vorsitzenden des Hamburger Vereins, Pusch, vom 17. 2. 1900 hervor. Er stellte fest, daß der Hamburger Verein »leider ... immer noch meist aus Schulmeistern« bestehe; man hoffe aber, daß man bald auch Arbeiter gewinnen werde (Staatsarchiv Hamburg, Polit. Polizei, Vers 700, Bd. 1, Acte, Bl. 417 R).

Der Grund für die Bereitschaft vieler Lehrer, sich dem Nationalsozialen Verein anzuschließen, läßt sich unschwer erkennen; nicht nur die Publizistik des Vereins hatte sich mit besonderer Extensität der sozialen Interessen der Lehrerschaft angenommen und – davon zeugt eine große Zahl von Aufsätzen in der »Hilfe« – eine Aufwertung des Lehrerberufes als notwendiges gesellschaftspolitisches Ziel erklärt. Der Verein hatte sogar auf seinem Erfurter Vertretertag im Jahre 1897 ein Schulprogramm verabschiedet, in welchem er u. a. eine Aufwertung des Volksschullehrerberufes verlangt[10]. Wenn Max Weber den Nationalsozialen Verein in seiner Rede auf der Erfurter Gründungsversammlung als »die Partei der Mühseligen und Beladenen, derjenigen, die irgendwo der Schuh drückt, aller derer, die keinen Besitz haben und welchen haben möchten«, charakterisierte[11], so hatte er mit dieser polemischen Äußerung *ein* Motiv genannt, das für einen nicht unerheblichen Teil von Mitgliedern und Wählern des Vereins bei dem Entschluß ausschlaggebend gewesen ist, sich dem Verein anzuschließen oder seinen Kandidaten bei den Wahlen die Stimme zu geben.

Lehrer, Angehörige des Kleinbürgertums und vereinzelt Vertreter der »Arbeiteraristokratie«, deren Bestreben es war, innerhalb der bestehenden Staats- und Gesellschaftsordnung ihren sozialen Status zu verbessern, sahen im Nationalsozialen Verein die ihren Wünschen entsprechende politische Interessenvertretung. Da sie sich weitgehend mit dem bestehenden Staat und seinem Gesellschaftssystem ausgesöhnt hatten, waren sie auch bereit – im Gegensatz zur breiten, von der Sozialdemokratie beeinflußten Masse der Arbeiter –, sich die nationalistischen und imperialistischen Vorstellungen der den Staat politisch tragenden Schichten zu eigen zu machen.

Ein soziales Sonderinteressendenken und politisch-ideelle Motive waren für manchen Angehörigen dieser sozialen Gruppen gleichermaßen Antrieb zur politi-

[10] Das nationalsoziale Schulprogramm, das von dem Jenaer Pädagogen Wilhelm Rein konzipiert worden war, enthielt eine Reihe von in die Zukunft weisenden schulpolitischen Forderungen. So verlangte man für alle Schularten »einen gemeinsamen Unterbau«, »die allgemeine Volksschule«, und eine »allgemeine obligatorische Fortbildungsschule vom 14. bis 18. Lebensjahre, die nicht nur intellektuell fördernd, sondern auch erzieherisch wirken soll«. Außerdem forderte man »Unentgeltlichkeit des Unterrichts und der Lehrmittel, ferner ausreichende finanzielle Ausrüstung aus öffentlichen Mitteln zum Besuch höherer Schulen für begabte Kinder unbemittelter Eltern«. (Protokoll Vertretertag Erfurt, 1897, S. 141). Es handelte sich um Forderungen, die zum Teil nach dem Zusammenbruch der Monarchie, zum Teil erst in der Gegenwart verwirklicht wurden oder noch der Verwirklichung harren.
Der 2. Teil des Schulprogramms enthält ausschließlich Forderungen, die den »Lehrerstand« betreffen. Da auch diese sehr zukunftsorientiert sind, soll dieser Programmpassus ganz zitiert werden: »Wir fordern für den Stand der Volksschullehrer und Volksschullehrerinnen: 1. Für ihr Streben eine bessere Ausbildung, das heißt Vorbildung auf einer höheren Schule, Ausbildung in einer Fachschule, Gelegenheit zur Fortbildung auf der Universität (Errichtung pädagogischer Universitätsseminare mit Übungsschulen). 2. Für ihr Wirken: a) fachkundige Führung, d. h. vor allem Beseitigung jeder technischen Aufsicht durch Glieder irgend eines anderen Standes, b) Fachaufsicht von den unteren bis zu den oberen Instanzen. c) Sitz und Stimme im Schulvorstande auf Grund freier Wahl. 3. Für ihr Leben ausreichendes Einkommen und rechte soziale Stellung, d. h. finanzielle und soziale Gleichstellung mit den mittleren Staatsbeamten« (ebd., S. 141 f.).

[11] Protokoll, Vertreterversammlung Erfurt, 1896, S. 48.

schen Betätigung; sie waren oft zu einer unreflektierten Einheit zusammengewachsen. Dagegen standen für *jene* Mitglieder und Wähler des Vereins, die dem Bildungsbürgertum angehörten, gesinnungspolitische Motive bzw. von eigenem Gruppenegoismus freie gesellschaftspolitische Einsichten im Vordergrund, da eine soziale Besserstellung durch die Zugehörigkeit zum Nationalsozialen Verein nicht zu erwarten war[12]. Daß sie sich aber aufgrund ihrer gesellschaftlichen Herkunft, trotz der Aufgeschlossenheit, mit der sie der »sozialen Frage« gegenüberstanden, in der Regel den bürgerlichen Parteien mehr verbunden fühlten als der Sozialdemokratie, ist in gewisser Weise verständlich.

[12] Daß nicht alle dem intellektuellen Bürgertum zugehörigen Nationalsozialen in einer Zeit, in der ein soziales Sonderinteressendenken in der Regel Stimulanz für die politische Verhaltensweise war, längere Zeit bereit waren, ihr eigenes Standesinteresse zurückzustellen, beweist der Brief des Jenaer Geschichtsprofessors Gelzer an Naumann, mit dem er seinen Austritt aus dem Verein motiviert: »... Die Agrarier, die Industriellen, die Arbeiter sind vernünftige Leute; denn sie kämpfen für ihre Interessen. Lehrer, Geistliche, Professoren, die sich für die Arbeiter statt für ihre Interessen ins Zeug legen, sind die Dummen. Das alles hat mir mehr und mehr es verleidet, weiter mitzumachen ...« (DZA Potsdam, Nachl. Naumann, Aktz. 134, Gelzer an Naumann vom 11. 10. 1900, Bl. 37).

12. *Die Schwenkung des Vereins in das Lager des politischen Liberalismus*

a) Naumanns kritische Analyse des historischen Liberalismus

Die bisherige Untersuchung muß im Hinblick auf die Frage, inwieweit der unter der Ägide Naumanns stehende Nationalsoziale Verein eine neue Partei des politischen Liberalismus war, zu dem Ergebnis kommen, daß von einer liberalen Ausrichtung des Vereins in der ersten Zeit seines Bestehens – zumindest in den beiden ersten Jahren – nicht die Rede sein kann. Der unter dem Vorzeichen eines nationalen Sozialismus gegründete Verein war zwar bereits seit der Erfurter Zusammenkunft von 1897 keine neue parteipolitische Spielart der Arbeiterbewegung mehr – was auf die besondere Agilität der Parteirechten und auf die durch bürgerliche Schichten geprägte soziale Struktur des Vereins zurückzuführen war –, gleichwohl dominierte aber im politischen Selbstverständnis der Nationalsozialen die für den Verein konstitutive Idee einer Synthese von nationaler Machtpolitik und einem sozialpolitischen Reformismus, so daß die traditionellen Werte des politischen Liberalismus auf die Politik des Vereins in der ersten Zeit ohne nennenswerten Einfluß blieben. Selbst die Option der Nationalsozialen in der Stichwahl des Jahres 1898 für die Kandidaten des Nationalliberalismus gegen jene der Sozialdemokratie kam nicht einem Votum für den politischen Liberalismus gleich, sondern war eine Entscheidung von Angehörigen des Bürgertums zugunsten bürgerlicher Kandidaten gegen die der Arbeiterpartei.

Dennoch mußte in einer Epoche, in der sich das politische Parteiensystem an einer durch tiefe Grundsätze sozialer Klassen geprägten Gesellschaft konstituierte, eine Spannung zwischen der offiziell nicht klassengebundenen Politik des Vereins und der sich in soziologischer Hinsicht als vorherrschend bürgerlich ausweisenden Bewegung entstehen.

War schon nach Ablauf des ersten Vereinsjahres die Idee von der neuen nationalen Arbeiterpartei mit der Wirklichkeit eines durch das Bürgertum beherrschten Vereins konfrontiert worden, so haftete dem Erfurter Kompromiß von 1897 von vornherein der Charakter des Übergangs an, da er den Verein – dessen bürgerliche Zusammensetzung leugnend – wählersoziologisch beinahe in ein Vakuum zwischen Arbeiterschaft und Bürgertum setzte.

Die dem Verein angehörenden Vertreter des Bürgertums stammten nahezu ohne Ausnahme aus jenen bürgerlichen Schichten, die das Wählerreservoir der linksliberalen Parteien – mit Ausnahme der Freisinnigen Vereinigung – bildeten.

Der große Anteil der dem Klein- und Bildungsbürgertum zugehörigen Mitglieder des Vereins mußte erwarten lassen, daß eine Annäherung der Politik des Vereins an liberale politische Grundwerte bei seinen Mitgliedern nicht auf großen Widerstand stoßen würde.

Die geistige Initiative zu der sich allmählich abzeichnenden Anlehnung des Vereins an den politischen Liberalismus ging ohne Einschränkung von Friedrich Naumann aus, der – was allerdings für seine geistige Öffnung gegenüber den Ideen des politischen Liberalismus nicht unwesentlich ist – Verbindung zu namhaften Vertretern eines liberalen Sozialreformismus wie Lujo Brentano und von Schulze-Gävernitz suchte[1].

[1] Siehe hierzu S. 115 f. dieser Arbeit.

Die erste Beschäftigung Naumanns mit dem deutschen Liberalismus ist auf den Anfang des Jahres 1898 zu datieren[2]. Sie ist ihrem Charakter nach eine durch und durch kritische Reflexion über die Historie des Liberalismus in Deutschland. Der äußere Anlaß für Naumanns historisch-kritische Analyse der liberalen Bewegung ist die fünfzigste Wiederkehr des Jahres, in welchem es dem Liberalismus nicht gelang, politische Freiheit und nationale Einheit zu realisieren. In einer Rede am 26. 1. 1898 in Frankfurt, in jener Stadt, in der die Nationalversammlung nach der 48er Revolution vor der erstarkenden Reaktion kapitulieren mußte, beschäftigte sich Naumann zum ersten Male ausführlich mit der Vergangenheit des deutschen Liberalismus[3].

Ausgehend von einer Erhellung der gegenwärtigen Situation des Liberalismus, dessen Merkmale die mangelnde Einheitlichkeit und die Einbuße wirklicher Resonanz in der Bevölkerung seien, erkennt Naumann, daß die Misere des Liberalismus von seinen historischen Fehlentscheidungen her abzuleiten ist.

Vermöge seines sicheren historischen Blicks nennt er zwei historische Fehlentwicklungen des Liberalismus, die ursächlich in Beziehung zu seiner geschwächten Verfassung in der Gegenwart stehen.

Einmal brachte die »Einheitsfrage«, vor der der Liberalismus im Jahre 1866 stand, eine Spaltung »in eine liberale Partei der Regierung« und »eine liberale Partei der Opposition« mit sich, so daß »an der nationalen Frage ... der Liberalismus in zwei Hälften auseinandergebrochen (ist)«[4]. »Die beste Aussicht, den Liberalismus wieder zu einer einheitlichen Macht zusammenzuschmieden«, habe »1884 in Verbindung mit den Hoffnungen, die um die Thronbesteigung Kaiser Friedrichs III. geknüpft wurden«, bestanden. Im Zusammenschluß von einem Teil der Nationalliberalen mit der Fortschrittspartei sieht Naumann ein ermunterndes Zeichen für die Willensbereitschaft liberaler Kräfte, den Versuch der Wiederbelebung einer einheitlichen liberalen Partei zu wagen. Letzthin sei er aber daran gescheitert, »daß der Liberalismus nicht Staatsgefühl genug besaß, um in staatlichen Macht- und Hauptfragen einen Einfluß (aus)üben zu können«. Die Zeit sei für ihn vorüber gewesen, Machtfragen zu entscheiden[5].

Den zweiten historischen Fehler des Liberalismus erblickt Naumann darin, »daß er die soziale Entwicklung nicht mitmachte und damit die großen Arbeiter-

[2] Der These Thomas Nipperdeys, Naumann habe mit dem Vortrag »Der Niedergang des Liberalismus« auf dem 6. Vertretertag des Nationalsozialen Vereins – also im Jahre 1901 – damit begonnen, sich mit Fragen des Liberalismus zu beschäftigen (Fr. Naumann, Werke, Bd. IV, S. XVIII), vermag ich mich nicht anzuschließen. Das Jahr 1901 stellt vielmehr eine zeitliche Limitierung dar für die erste Phase Naumannscher Beschäftigung mit dem Liberalismus. Das Jahr markiert einen ersten Einschnitt in Naumanns geistiger Auseinandersetzung mit dem Liberalismus insofern, als er zu einer Klärung in seinem Verhältnis zum Liberalismus gelangt; einer Klärung, der zwar nur vorübergehende Bedeutung für Naumanns politischen Entwicklungsgang zukommt, die aber im Zusammenhang unserer Darstellung von einiger Wichtigkeit ist, da sie ihren Niederschlag in der Programmatik des Nationalsozialen Vereins fand.

[3] Zeitungsbericht über den Frankfurter Vortrag Naumanns enthalten in Polizeiakte des »königl. Polizei-Präsidii in Frankfurt a. M. betreffend Nationalsozialer Wahlverein für Frankfurt u. Umgegend« (Staatsarchiv Wiesbaden, Abt. 407, Nr. 159[2]), Bl. 8.

[4] ebd., Bl. 8.

[5] ebd., Bl. 8.

massen abstieß«[6]. Die Prognose, die Naumann dem parteipolitischen Liberalismus stellt, ist denkbar ungünstig: »Die voraussichtliche Weiterentwicklung des Liberalismus vorherzusagen, dürfte nicht schwer sein. Er hat und wird stets alle für ihn günstigen Vorteile weiter aus der Hand verlieren«. Den »einzigen Ausweg aus der prekären politischen Lage Deutschlands« sieht Naumann deshalb in einem »Anschluß an den National-Sozialismus«[7].

Zu einem ähnlich negativen Urteil über den Liberalismus kommt Naumann einige Tage nach der Frankfurter Rede in einem Vortrag am 7. 2. 1898 in Hamburg[8]. Ihren besonderen Akzent erhält diese Rede dadurch, daß Naumann in ihr das mangelnde Verständnis des Liberalismus für die Arbeiterbewegung besonders unterstreicht.

An dem Prozeß des ungeheuerlichen wirtschaftlichen Aufschwungs, der seine Impulse dem Liberalismus verdanke, habe die Arbeiterschaft einen ebenso großen Anteil wie diejenigen, welche den Produktionsprozeß leiten. Diese Tatsache habe der Liberalismus aber nicht anzuerkennen vermocht und deshalb jeglichen Zusammenhang mit der Arbeiterschaft verloren[9].

Daß Naumann dem Liberalismus als politische Strömung höchstens einen Vergangenheitswert zuerkennen will, wird erhellt, wenn er davon spricht, es sei »wünschenswert«, wenn man »in Deutschland eine Epoche des einheitlichen wirkungsvollen Liberalismus« hinter sich hätte, »denn vom politischen Standpunkt aus erscheint das Durchleben einer solchen Epoche unerläßlich für die Erreichung einer höheren Kulturstufe«[10].

Im März 1898 beschäftigt sich Naumann auch in der »Hilfe« in kritischen Beiträgen mit den parteipolitischen Formationen des Liberalismus. Aus Anlaß der Flottenvorlage der Regierung charakterisiert er Eugen Richter und seine Anhänger mit den Worten, in ihnen verkörpere sich »das Leben der Geschichtslosen, der bloßen Prinzipienmenschen«, während sich die Nationalliberalen von ihm des »Opportunismus« zeihen lassen müssen[11].

In einem Aufsatz in der »Hilfe« vom 27. März 1898 mit dem Titel »Warum haben wir keinen kräftigen Liberalismus« reflektiert Naumann analog zu seinen beiden Vorträgen in Frankfurt und Hamburg über die historischen Versäumnisse des Liberalismus[12]. Trotz der massiven Kritik an seinen historischen Fehlleistun-

[6] ebd., Bl. 8.
[7] ebd., Bl. 8.
[8] Der Titel des Vortrages lautet: Macht, Freiheit und Arbeit. Zeitungsausschnitt und Polizeibericht enthalten in »Acte in Sachen Nationalsozialer Verein« (Staatsarchiv Hamburg, Polit. Polizei, Vers 666, Bl. 233 ff u. Bl. 256).
[9] ebd., Bl. 234/234 R u. Bl. 256.
[10] ebd., Bl. 233 R.
[11] »Hilfe«, IV. Jg., Nr. 10, 6. März 1898, S. 2.
[12] »Hilfe«, IV. Jg., Nr. 13, 27. März 1898, S. 1. – Besonders das Versagen des Liberalismus in der sozialen Frage wird von Naumann jetzt erneut mit aller Schärfe gegeißelt: »Es war politisch das Törichteste, was der Liberalismus tun konnte, daß er die beginnende Arbeiterbewegung in einer Zeit von sich wies, wo er nur mit ihr zusammen die konservative Gegenreformation hätte überwinden können. Indem sowohl die Nationalliberalen als auch die Fortschrittler sich durch Abweisung Lassalles als bürgerliche Bewegung von der sozialistischen abtrennten, verloren sie die Masse und die Führung der großen Städte« (ebd., S. 1). Mit einem kräftigen Bild beschrieb er den

gen und seinen mangelhaften parteipolitischen Erscheinungsformen in der Gegenwart will er dem Liberalismus nun – in deutlicher Abgrenzung zu seinen Ausführungen im Januar und Februar – nicht mehr nur eine Vergangenheitsdimension zuerkennen, indem er ihn als historische Übergangsphase und geschichtliche Voraussetzung »für die Erreichung einer höheren Kulturstufe« begreift, sondern nach Überwindung seiner in der Vergangenheit gemachten Fehler und nach einer Bereicherung durch neue politische Gehalte ist er nunmehr bereit, ihn als notwendige politische Kraft der Zukunft zu verstehen. »Wie soll der neue Anfang aussehen?« fragt Naumann. Vorsichtig antwortet er: »Er darf nicht bürgerlich-liberal sein, auch nicht anti-national; er muß die großen Fehler der Vergangenheit meiden. Unsere Freunde wissen, daß wir an eine Überwindung der Konservativen nur dann glauben, wenn die freiheitlichen Kräfte der Nation sozial und staatserhaltend werden«[13].

Naumann hatte mit dieser Bemerkung zu erkennen gegeben, daß er den Liberalismus nicht mehr als zukunftslos betrachtete, sondern dessen freiheitliche Traditionen in enger Synthese mit sozialen und nationalen Gehalten auch für die Zukunft als richtungweisend ansah. Dieser »regenerierte« Liberalismus sollte aber – wie Naumann ausdrücklich betonte – nicht »bürgerlich-liberal« sein. Da aber der Liberalismus als Emanzipationsideologie untrennbar mit der sozialen Schicht des Bürgertums verbunden war, blieb Naumann die Antwort auf die Frage nach der sozialen Bindung eines neuen Liberalismus zunächst schuldig.

Den Liberalismus-Aufsätzen in den März-Ausgaben der »Hilfe« folgten in nächster Zeit keine weiteren Äußerungen zum gleichen Thema.

Erst in einem Aufsatz Naumanns in einer Juli-Ausgabe der »Hilfe«, der nach den gerade erfolgten Wahlen zum Reichstag geschrieben war und die Reichstagsparteien in ihrer neuen Position aus nationalsozialer Sicht Revue passieren läßt, findet sich eine Anmerkung, die darauf hindeutet, in welche Richtung sich Naumanns Liberalismus-Verständnis entwickelt. »Die geistige Zusammensetzung der Liberalen«, so gesteht er ein, ist »nicht übel«; »aber, was hilft Geist ohne Einheit und Masse?« gibt er zu bedenken[14]. Nahezu unvermittelt schließt sich daran die Feststellung Naumanns an, daß »die parteipolitische Hauptfrage« *die* bleibe, ob aus der Sozialdemokratie »eine dritte Hauptpartei« entstehen könne, »die mit Sammelpolitik und Zentrum in ernste Konkurrenz« trete[15]. Hinter Naumanns liberaler Perspektive stand schon hier – ohne daß es offen ausgesprochen wurde – unverkennbar der Gedanke, daß der aus eigenem Verschulden von den Wählermassen getrennte Liberalismus und die durch die Massen gestützte Sozialdemokratie zueinander in eine politische Beziehung gesetzt werden müssen, um den Parteien der »Sammlung«, den Nationalliberalen und Konservativen, einerseits und dem geschickt taktierenden und ständig an Einfluß auf die Regierung gewinnenden Zentrum andererseits ein notwendiges politisches Äquivalent entgegenzustellen.

gegenwärtig durch seine »Sünden« in der Vergangenheit darniederliegenden parteipolitischen Liberalismus: »Zerschellt am nationalen und am sozialen Felsen liegt heute das liberale Schiff als trauriges Wrack in den Wellen« (ebd., S. 1).

[13] ebd., S. 1 f.

[14] »Hilfe«, IV. Jg., Nr. 28, 10. Juli 1898, S. 1.

[15] ebd., S. 1.

In den nächsten Monaten enthält sich Naumann einer Stellungnahme zu der von ihm aufgeworfenen »liberalen Frage«. Erst im Sommer des Jahres 1899 wird evident, daß die sich in einem Prozeß vollziehende geistige Auseinandersetzung Naumanns mit dem Liberalismus eine neue Stufe erreicht hat.

In einem Brief an von Schulze-Gävernitz vom 14. 7. 1899, der sich mit der Frage eines neuen Zeitungsprojektes befaßt, schreibt Naumann: ». . . Mir scheint, . . . daß das Publikum wieder anfängt, für den Gedanken des *Gesamtliberalismus*[16] ein Ohr zu bekommen, sobald er als national und sozial bereichert auftritt«[17]. Soweit sich feststellen läßt, verwendet Naumann in diesem Brief zum ersten Male den Terminus »Gesamtliberalismus«. Schon in der »Hilfe« vom 16. 7. 1899 gibt er zu verstehen, welche Bedeutung er dieser neuen Begriffsbildung zuerkannt wissen möchte. In einem Aufsatz, der die innenpolitische Situation Belgiens analysiert, heißt es: ». . . Der Liberalismus, einst die herrschende Partei des parlamentarischen Musterlandes, mußte sich bequemen, mit den Sozialdemokraten gemeinsame Sache zu machen. Aus dem in drei Gruppen zerfallenen Gesamtliberalismus (Doktrinäre, Progressisten und *Sozialisten*[18]) bildete sich eine Kampfgemeinschaft . . .«[19]. Naumann hatte damit an der belgischen Parteienkonstellation exemplifiziert, daß er die parteipolitische Spannweite des »Gesamtliberalismus« so weit gedehnt wissen wollte, daß er die gesamte politische Linke, einschließlich der Sozialisten, umfaßte.

b) Naumanns Intention einer Regeneration des parteipolitischen Liberalismus mit Hilfe seiner Theorie des industriell orientierten proletarisch-bürgerlichen Gesamtliberalismus

Die Idee eines »Gesamtliberalismus« war für Naumann zwei Jahre später zur endgültigen Klarheit herangereift, so daß er sie den Delegierten des 6. Vertretertages des Nationalsozialen Vereins in einem breit angelegten Referat darlegen konnte. In seinem Referat – betitelt: »Niedergang des Liberalismus«[20] – bezeichnete Naumann »das Eintreten der Klassenbewegung in die moderne Politik« als die Ursache für den Verlust des politischen Gewichtes der liberalen Parteien[21].

Nicht nur die politische Rechte habe sich zu einer agrarkonservativen Interessenvertretung entwickelt, auch die liberale politische Linke sei im Verlauf ihrer Geschichte unter den Einfluß der Interessenvertretung geraten. Durch diese Interesseninfiltration habe eine Scheidung in einen »bürgerlichen« und einen »proletarischen Liberalismus« stattgefunden. Naumann versuchte mit einer solchen Scheidungstheorie dem Liberalismus das Odium zu nehmen, ausschließlich politische Ideologie des Bürgertums zu sein. »Die sozialdemokratische Bewegung gehört«, so meinte Naumann, »insofern sie demokratisch ist, zum politischen liberalen Gedanken«[22]. Durch die historische Scheidung sei eine sozialdemokrati-

[16] Die Hervorhebung des Wortes wurde von mir vorgenommen.
[17] DZA Potsdam, Nachl. Naumann, Aktz. 130, Bl. 29 (Briefabschrift).
[18] Die Hervorhebung des Wortes wurde von mir vorgenommen.
[19] »Hilfe«, V. Jg., Nr. 29, 16. Juli 1899, S. 3.
[20] In: Protokoll, Vertretertag Frankfurt, 1901, S. 93 ff.
[21] ebd., S. 95 f.
[22] ebd., S. 95.

sche »proletarische Massenschicht« entstanden, »die nicht nur antiagrarisch, sondern auch antibürgerlich wurde«[23]. Ihr stehe »eine gewisse Schicht bürgerlichen Liberalismus« gegenüber, die »kein Massengefühl« mehr in sich habe und so der Zerbröckelung immer mehr anheim gefallen sei[24].

Bedeutete schon »der große Abmarsch nach links«[25] die Zurückstellung des liberalen Gedankens zugunsten einer klassengebundenen Interessenpolitik, so verlor andererseits der bürgerliche Restliberalismus durch das Eindringen agrarischer und schutzzöllnerischer Interessenrichtungen in die Politik bäuerliche und großindustrielle Schichten an die Konservative Partei. Dadurch sei der rudimentäre bürgerliche Liberalismus »im großen und ganzen eine Art Mittelstandserscheinung geworden«[26].

Aus der Einsicht in die historischen Fehler des Liberalismus gelte es die notwendige Konsequenz zu ziehen und eine industrialistische politische Organisation der gesamten Linken zu bilden. Zur »Neuwerdung des Liberalismus« sollten alle bestehenden bürgerlichen liberalen Parteien und die Sozialdemokratie zu gemeinsamem politischen Handeln zusammengefaßt werden, wobei Naumann bereit war, der Sozialdemokratie die »parteipolitische Hauptführung« zu konzedieren, um die herum »die bürgerlich-liberalen Elemente sich politisch werden gruppieren müssen, wenn eine Linke überhaupt entstehen soll«[27].

Um dieses Ziel zu erreichen, seien aber Hindernisse aus dem Wege zu räumen, die einmal bei der Sozialdemokratie, zum anderen bei den liberalen Parteien lägen. Die »Kernfrage der Bildung eines neudeutschen Liberalismus« besteht für Naumann darin, ob es gelingt, »die Sozialdemokratie zu einer nationalen, praktisch-politischen Partei« umzugestalten[28]. Nur wenn sich die Sozialdemokratie von jenem »radikalen, internationalen, revolutionären, völkerbefreienden Marxismus« löse und sich auf den »militärisch-nationalpolitischen Standpunkt« stelle, könne ihr die Führungsrolle zukommen[29].

Ein zweites Haupthindernis für die Bildung einer sozialdemokratisch-(bürgerlich-)liberalen Linken sieht Naumann »in der Unfähigkeit« des bürgerlichen Liberalismus, »die soziale und politische Bedeutung der Arbeiterklasse anzuerkennen«[30]. Nur wenn »von den bürgerlich-liberalen Elementen die politische Bewegung der Lohnarbeiter als zukünftige Grundlage der liberalen politischen Organisation anerkannt« werde, könne es zu einer Neubildung des Liberalismus in Deutschland kommen[31].

[23] ebd., S. 95.
[24] ebd., S. 95.
[25] ebd., S. 95.
[26] ebd., S. 98.
[27] ebd., S. 100. – Auch in dem im Oktober erschienenen Aufsatz »Liberalismus und Sozialdemokratie« (Fr. NAUMANN, Werke, Bd. IV, S. 237 ff.) meint Naumann, es sei »unmöglich, daß in Deutschland ein bürgerlicher Liberalismus ohne Sozialdemokraten politisch zur Macht gelangt« (ebd., S. 238).
[28] »Der Niedergang des Liberalismus«, S. 100 f.
[29] ebd., S. 101.
[30] Formulierung in den »Nationalsozialen Leitsätzen über die Stellung zum Liberalismus«, in: Protokoll, Vertretertag Frankfurt, 1901, S. 108.
[31] ebd., S. 108.

Naumanns Referat auf dem Vertretertag des Jahres 1901 fand nach einer eingehenden Debatte des Delegiertentages seinen Niederschlag in den »Nationalsozialen Leitsätzen über die Stellung zum Liberalismus«, die inhaltlich vollständig Naumanns neuer liberaler Konzeption entsprachen. Bei der Erörterung des Naumannschen Referates war es besonders auffallend, daß kein Delegierter – weder im Grundsätzlichen noch im Detail – Kritik an der von Naumann entwickelten Idee eines »Gesamtliberalismus« übte. Man debattierte lediglich darüber, in welchem Grade sich die neue industrialistisch ausgerichtete Linke vom Agrariertum absetzen sollte. Naumann konnte deshalb mit Recht am Ende der Diskussion feststellen, daß der Verein »in der gesamten Grundrichtung der Beurteilung der Lage des Liberalismus einheitlich« sei[32].

Mit der Annahme der »Nationalsozialen Leitsätze über die Stellung zum Liberalismus« war der Nationalsoziale Verein zum Protagonisten »der liberalen Gesamtbewegung« geworden. Der Verein war seit dem Herbst 1901 programmatisch tatsächlich liberal ausgerichtet. Er betrachtete sich von jetzt ab als *eine* Gruppierung des politischen Liberalismus; allerdings nicht eines ausschließlich bürgerlichen Liberalismus, sondern eines die Arbeiterschaft und das Bürgertum politisch-ideell umspannenden Liberalismus. Naumanns gesamtliberale Ideologie diente dem Zweck, den sozial und ideell völlig desintegrierten Liberalismus zu einer Einheit zu verschmelzen. An der Bewältigung dieser Aufgabe sollten, wie es in den nationalsozialen Leitsätzen ausdrücklich heißt, neben den Nationalsozialen »innerhalb der Sozialdemokratie die Bernsteinianer«, außerdem »die führenden Kräfte der Freisinnigen Vereinigung und gewisse Unterströmungen in den beiden Volksparteien« mitwirken[33]. Für die Nationalsozialen bedeutete Naumanns gesamtliberales Konzept so viel, daß man die interessenpolitische Zwitterstellung des Vereins zwischen Arbeiterschaft und Bürgertum mit Hilfe einer die sozialen Sonderinteressen der Arbeiterschaft und des Bürgertums überformenden politischen Ideologie zu überwinden hoffte. Ob eine solche gesamtliberale Ideologie die sozialen Antagonismen tatsächlich zu nivellieren vermochte oder ob sie sich letztlich als bloße Fiktion erweisen würde, die an den sozialen Realitäten zerschellte, mußte sich bei den Reichstagswahlen des Jahres 1903 erweisen.

c) Die Handelsvertragspolitik als Ferment für das Entstehen einer liberalen Grundstimmung im Verein

Die Entscheidung des Nationalsozialen Vereins zugunsten einer industriell-antiprotektionistischen Politik anstelle einer agrarisch-schutzzöllnerischen war auf dem Darmstädter Delegiertentag des Jahres 1898 gefallen. Von diesem Zeitpunkt

[32] Protokoll, Vertretertag Frankfurt, 1901, S. 116.

[33] ebd., S. 108. – Mit den »beiden Volksparteien« waren die Freisinnige Volkspartei Eugen Richters und die (Süd-)Deutsche Volkspartei gemeint. Diese Partei hatte sich im September 1868 durch einen Zusammenschluß süddeutscher Demokraten in Stuttgart gebildet und war im Kern eine württembergische Gruppierung. Nicht nur wegen der Betonung des republikanischen Gedankens, sondern auch wegen ihrer großdeutsch-föderalistischen Gesinnung standen die Anhänger der Deutschen Volkspartei im Gegensatz zu den politischen Kräften, die das kleindeutsche Reich geschaffen hatten und trugen.

an sah die weit überwiegende Mehrheit der Nationalsozialen die deutsche Innenpolitik durch den Dualismus Agrariertum-Industrialismus geprägt.

In der Zeit vor dem Darmstädter Delegiertentag hatte der Verein sich nicht zu einer klaren Antwort auf die Frage durchzuringen vermocht, ob ein staatlicher Protektionismus für die Landwirtschaft oder eine freihändlerische bzw. freihändlerisch orientierte Politik in Form von Handelsverträgen zu bejahen sei. Naumann betonte noch 1895 in einer in der »Hilfe« veröffentlichten Kritik des sozialdemokratischen Landprogramms die Notwendigkeit von Schutzzöllen für die Landwirtschaft[34].

Der Verein tendierte besonders im ersten Jahr seines Bestehens zu einer Stützung des *Klein*bauerntums, was nicht zuletzt dadurch gefördert wurde, daß er in Hessen und Württemberg unter kleinbäuerlichen Kreisen Anhänger gefunden hatte[35]. Diese Tendenz schlug sich nieder in der Behandlung der agrarischen Frage auf dem Vertretertag in Erfurt im Jahre 1897, wo ein hessischer Landwirt, Möser, ein Referat über »die Erhaltung des Kleinbauern« hielt[36]. Das als Grundlage für ein Agrarprogramm gedachte Referat gab Anlaß zu einer ausführlichen landwirtschaftspolitischen Diskussion, wobei das Bekenntnis des Referenten zum Protektionismus – »Genügender Zollschutz vor der ausländischen Konkurrenz«[37] – nicht uneingeschränkt auf Zustimmung stieß, auch wenn Möser meinte, daß Getreidezölle nicht unbedingt die Brotpreise erhöhen brauchten. Naumann war es jetzt vor allem, der die Frage aufwarf, »ob durch Erhöhung der Getreidepreise nicht doch« die »industrielle Bevölkerung geschädigt« werde[38].

Die Unsicherheit des Vereins auf diesem wirtschaftspolitischen Gebiet wich schließlich im darauffolgenden Jahr einer eindeutigen Entscheidung. Das wegweisende Referat auf dem Darmstädter Delegiertentag hielt von Schulze-Gävernitz[39]. Er ging in seinem Vortrag von dem historischen Grunddatum aus, daß Deutschland sich von einem Agrarstaat zu einem Industriestaat gewandelt habe, dessen leitendes Interesse letzten Endes der Export sein müsse. Aus diesem Grunde sei eine handelspolitische Isolierung Deutschlands gegenüber dem Ausland zu verwerfen. Es gelte vielmehr in Form von Handelsverträgen eine Politik der handelspolitischen Öffnung zu betreiben, um so am Weltmarkt zu partizipieren. Der nationalsoziale Delegiertentag machte sich die Gedankengänge von Schulze-Gävernitz' in Form von grundsätzlichen Thesen programmatisch zu eigen.

Hatten die Nationalsozialen erkannt, daß sich die wachsende Industrialisierung Deutschlands nicht mit einer Zollpolitik vertrug, so forderten sie aber nicht kategorisch eine Freihandelspolitik, sondern sie schlossen sich der von Caprivi inaugurierten Handelsvertragspolitik an, die den Schutzzoll lediglich noch als Kampfzoll zuließ. Nur »innerhalb der Handelsvertragspolitik« sah man nunmehr »eine

[34] Siehe hierzu den dreiteiligen Aufsatz Naumanns »Zum sozialdemokratischen Landprogramm«, in »Hilfe«, I. Jg., Nr. 34, 25. Aug. 1895 (S. 1–3); 1. Sept. 1895, Nr. 35 (S. 1–3); 8. Sept. 1895, Nr. 36 (S. 1–3).

[35] Nach M. Wenck: Geschichte, S. 88.

[36] Protokoll, Erfurter Vertretertag, 1897, S. 97 ff.

[37] ebd., S. 104.

[38] ebd., S. 115.

[39] Protokoll, Vertretertag Darmstadt, 1898, S. 88 f.

Förderung der Interessen der Landwirtschaft« als »möglich« an[40]. Nach Klärung dieser grundsätzlichen wirtschaftspolitischen Frage gelang es dem Verein auf der Delegiertenversammlung im Jahre 1900, ein Agrarprogramm zu verabschieden[41].

Gegen die von Caprivi in den Jahren 1891-1893 abgeschlossenen Handelsverträge mit Österreich-Ungarn, Italien, Belgien, der Schweiz und Rumänien, die eine Senkung der Getreidezölle von 5 auf 3,50 Mark je Doppelzentner mit sich brachten, war von dem 1893 gegründeten Bund der Landwirte, der »ein ausgesprochener Massenverein mit Verbandsbürokratie und autoritär-zentraler Führung«[42] war und in dem die ostelbischen Großgrundbesitzer die führende Rolle spielten, eine massive Agitationskampagne entfesselt worden. Der Bund der Landwirte stellte die Forderung auf, nach Ablauf der bisherigen vertraglichen Bindungen die Getreidezölle von 3,50 Mark je Doppelzentner auf 7,50 Mark zu erhöhen.

Gegen die erdrückende Propaganda des BdL, der nicht nur die Konservative Partei weitgehend in seine Botmäßigkeit zu bringen vermochte, sondern auch die Nationalliberale Partei maßgeblich beeinflußte, ja terrorisierte, setzte sich der Nationalsoziale Verein mit allen ihm als politische Partei zu Gebote stehenden Mitteln zur Wehr. In keiner innenpolitischen Streitfrage hat sich der Nationalsoziale Verein mit einer solchen Vehemenz und mit einem solchen dem jeweiligen Stand der Auseinandersetzung entsprechenden rhetorischen und publizistischen Einsatz engagiert wie im Kampf um die Handelsverträge. Dieser innenpolitische Kampf trug dazu bei, daß sich der Verein immer mehr sozialliberalen Professoren und Politikern näherte.

Der schon im Jahre 1899 von Naumann zu Lujo Brentano hergestellte Kontakt, dessen erstes sichtbares Resultat das Referat Brentanos über die Zuchthausvorlage auf dem Göttinger Vertretertag von 1899 gewesen war, wurde durch die übereinstimmende Haltung Brentanos und der Nationalsozialen zur Handelsvertragspolitik neu belebt. Zwei Schriften Brentanos, »Das Freihandelsargument«[43] und »Die Schrecken des überwiegenden Industriestaates«[44], machten in besonderer Weise die Kongruenz seiner handelspolitischen Vorstellungen mit denen der Nationalsozialen offenkundig. Naumann stand mit Brentano in den Jahren

[40] Formulierung aus den vom Vertretertag angenommenen Thesen von Schulze-Gävernitz' (Protokoll, Vertretertag Darmstadt, 1898, S. 112).

[41] Siehe hierzu S. 172 f. dieser Arbeit.

[42] Peter Molt: Der Reichstag vor der improvisierten Revolution. Politische Forschungen, Bd. 4, hrsg. von Dolf Sternberger, Köln-Opladen 1963, S. 261. – Der BdL hatte im Jahre 1894 178 939 Mitglieder; 1900 betrug die Mitgliederzahl 206 000 (ebd., S. 283, Anm. 5). Zum Bund der Landwirte siehe vor allem die Arbeit von Hans-Jürgen Puhle: Agrarische Interessenpolitik und preußischer Konservatismus im wilhelminischen Reich (1893–1914). Ein Beitrag zur Analyse des Nationalismus in Deutschland am Beispiel des Bundes der Landwirte und der Deutsch-Konservativen Partei, Hannover 1966. Ders.: Der Bund der Landwirte im Wilhelminischen Reich – Struktur, Ideologie und politische Wirksamkeit eines Interessenverbandes in der konstitutionellen Monarchie (1893–1914), in: Walter Rüegg/Otto Neuloh: Zur soziologischen Theorie und Analyse des 19. Jahrhunderts, S. 145 ff.

[43] Lujo Brentano: Das Freihandelsargument, Berlin 1901.

[44] Lujo Brentano: Die Schrecken des überwiegenden Industriestaats, Berlin 1901.

1900 und 1901 in einem äußerst regen Briefwechsel[45]. 1901 öffnete auch die »Hilfe« ihre Spalten für mehrere Aufsätze Brentanos, denen der Charakter von Plädoyers zugunsten der Handelsvertragspolitik zukam[46]. Die übereinstimmende Beurteilung der Handelsvertragspolitik förderte nicht nur die Zusammenarbeit zwischen Brentano und den Nationalsozialen, sie trug auch zur Schaffung eines engen Kontaktes zwischen Naumann und Theodor Barth bei, dem zweifellos begabtesten Politiker der Freisinnigen Vereinigung. Theodor Barth, der sich bereits in einer von Bismarck einberufenen Zolltarifkommission als ein exponierter Verteidiger des Freihandels erwiesen hatte, mußte auf Intervention des ersten Reichskanzlers sein Amt als Syndikus der Bremer Handelskammer niederlegen. Nach Berlin übergesiedelt, gab er ab Oktober 1883 die Wochenschrift »Die Nation« heraus. Gleichzeitig wurde er Berater der Deutschen Bank in amerikanischen Angelegenheiten.

Seit dem Jahre 1898 war Brentano Mitarbeiter der »Nation«, nachdem Barth ihn brieflich gebeten hatte, »etwas über die Agrarfrage zu schreiben«[47]. Brentano stellte daraufhin einen Aufsatz über »die Agrarreform in Preußen« zur Verfügung, den Barth als »außerordentlich instruktiv« bezeichnete; er wurde in Fortsetzungen in den Ausgaben der »Nation« vom 13., 20. und 27. März sowie vom 3. April 1897 (14. Jg.) gedruckt. Barth vermittelte auch die Herausgabe von Schriften Brentanos; so erschienen die Brentanoschen »Nation«-Artikel über die preußische Agrarreform und andere Aufsätze des Münchner Kathedersozialisten im Verlag für »Volkswirtschaftlichen Zeitfragen«. Der verantwortliche Redakteur des Verlages war der Reichstagsabgeordnete der Freisinnigen Vereinigung Brömel[48].

Die politischen Vorstellungen des Vorsitzenden der Nationalsozialen und die des führenden Linksliberalen Theodor Barth berührten sich in der ablehnenden Haltung zu der innenpolitischen Hegemonie der Großgrundbesitzer. Wenn Naumann den Großgrundbesitz als den »Hemmschuh des gesamten deutschen Volkes« bezeichnete[49], weil »der allgemeine geistige Druck«, der auf dem deutschen Volk liege, von der konservativen Regierung herrühre, die »das ganze Land nach den Grundsätzen ostelbischer Gutsbezirksverwaltung« regiere[50], so deckte sich eine solche Auffassung mit derjenigen Barths. Im August 1898 schrieb Barth an Brentano, jeden Tag komme er mehr zu der Überzeugung, welch ein Fluch das preußische Junkertum für die »ganze nationale Entwicklung« be-

[45] Auch dieser Briefwechsel wurde von dem aktuellen Thema beherrscht. In einem dieser Briefe wendet sich Naumann gegen eine Verstaatlichung der wirtschaftlichen Großunternehmen wie Krupp und Stumm mit dem Argument, daß diese »im Effekt eine Stärkung der *Agrar*aristokratie« sei, »die dann am Kopf der großen gewinnbringenden Verwaltung sitzen würde ...« (DZA Potsdam, Nachl. Naumann, Aktz. 108, Bl. 8).

[46] Siehe »Hilfe«, VII. Jg., 1901, Nr. 1, 2, 4, 11, 12, 23–28. Am 22. 6. 1901 sprach Naumann Brentano für die »überaus wertvollen Aufsätze« in der »Hilfe« seinen »besonderen Dank« aus. Sie seien für die nationalsoziale Wochenzeitung »ein dauernder Schatz« (BA, Nachl. Brentano, Nr. 45, Naumann an Brentano vom 22. 6. 1901).

[47] BA, Nachl. Brentano, Nr. 4 (Barth an Brentano vom 5. 6. 96).

[48] Daß Barth die Vermittlung übernommen hatte, geht aus Briefen Barths an Brentano vom 20. 5. und 26. 5. 97 hervor (BA, Nachl. Brentano, Nr. 4).

[49] »Die Zeit«, II. Jg., Nr. 169, 22. Juli 1897, S. 1 (Naumann: »Der Großgrundbesitz«).

[50] »Die Zeit«, II. Jg., Nr. 199, 26. Aug. 1897, S. 1 (Naumann: »Ostelbien«).

deute[51]. Barth hob vor allem die negativen außenpolitischen Folgen einer konservativen, von den Interessen der Großagrarier bestimmten Politik hervor. Er wies auf die »Expansionsfähigkeit der Vereinigten Staaten« hin, über die Europa »staunen« werde. In der Weltwirtschaft würden sich »riesige Umwandlungen« vorbereiten, namentlich der Einfluß Amerikas werde sich »in der ganzen Südsee, speziell . . . in Ostasien«, geltend machen. Solchen Evolutionen gegenüber könne Deutschland keine Politik führen, welche durch die Interessen der preußischen Junker bestimmt werde. »Wenn unsere großen Industriellen und Kaufleute nur mehr politische Initiative hätten, so wäre jetzt der Moment gekommen, um einmal einen Frontangriff gegen unsere verrückte agrarische Politik zu machen . . .«[52]. Schon ein Jahr vorher plädierte Barth für eine »Zusammenfassung aller liberalen Elemente zu einem Hauptstoß gegen das agrarische Junkertum«, zweifelte jedoch an ihrer Realisierung wegen der ablehnenden Haltung Eugen Richters[53].

Theodor Barth und seine politischen Freunde in der linksliberalen Freisinnigen Vereinigung, die eng mit Bank- und Handelskreisen, so vor allem mit der Deutschen Bank, verbunden waren, hatten ein besonderes Interesse an einem internationalen freien Geldverkehr, wofür aber eine freie, nicht an Schutzzölle gebundene Handelspolitik Voraussetzung war. Es lag deshalb nahe, daß sich Barth aus interessenpolitischen Gründen für eine Verlängerung der Caprivischen Handelsverträge einsetzte. Am 21. September 1900 informierte Barth seinen Mitarbeiter Brentano darüber, daß er mit Beginn des neuen Jahrgangs der »Nation«[54] eine handelspolitische Campagne eröffne, die auch das Mittel von Flugblättern zur Anwendung bringe. Außerdem werde »natürlich in der ›Nation‹ selbst der Kampf für den handelspolitischen common sense aufgenommen«[55].

Barths Flugblattaktion zugunsten der Caprivischen Handelsverträge war Anlaß für einen ersten Kontakt zwischen dem Herausgeber der »Nation« und der »Hilfe«-Redaktion; vermittelt wurde er durch Brentano während eines Aufenthaltes des Münchener Nationalökonomen Anfang November in Berlin[56]. Am 5. November konnte Barth an Brentano schreiben, daß aufgrund der freundlichen Mitteilung, die Brentano noch vor seiner Abreise aus Berlin ihm habe zukommen lassen, er »der Redaktion der ›Hilfe‹ die Gratislieferung der Flugblätter angeboten« habe. Man sei »in Abwesenheit von Naumann einstweilen dahin übereingekommen, daß zunächst das Flugblatt 5 der nächsten ›Hilfe‹ beigelegt« werde. »Betreffs der weiteren Flugblätter« werde »sich dann auch schon Rat finden lassen«. Das Beilegen der Flugblätter zu Zeitungen sei »entschieden die beste Form der Massenverbreitung«[57].

Der durch Brentano vermittelte Kontakt war von v. Schulze-Gävernitz angeregt worden. Mitte Oktober 1900 schrieb er an Brentano: ». . . Ich möchte Sie

[51] BA, Nachl. Brentano, Nr. 4 (Barth an Brentano vom 30. 8. 98).
[52] ebd.
[53] BA, Nachl. Brentano, Nr. 4 (Barth an Brentano vom 25. 8. 97).
[54] Der »neue«, 18. Jahrgang der »Nation« begann am 1. Oktober 1900.
[55] BA, Nachl. Brentano, Nr. 4 (Barth an Brentano vom 21. 9. 1900).
[56] Brentano hielt einen Vortrag am 4. November im Berliner »Sozialwissenschaftlichen Studentenverein« (Nach einem Brief Barths an Brentano vom 25. Sept. 1900, BA, Nachl. Brentano, Nr. 4).
[57] BA, Nachl. Brentano, Nr. 4 (Barth an Brentano vom 5. 11. 1900).

nochmals bitten: wenn Sie nach Berlin kommen, suchen Sie doch Barth u. Naumann zu verheiraten. Letzterer will, obgleich er mehr zu geben hat; es liegt also am ersteren, u. ich hielt es nicht im Interesse der Ehestiftung, die Bereitwilligkeit der anderen Seite der zaudernden Partei zu enthüllen, da ein offenes Angebot leicht den Wert des Offerenten herabsetzt. Form der Vereinigung brauchte natürlich nicht offizielle Verschmelzung zu sein – wenigstens zunächst nicht ...«[58].

An einer im Rahmen der Kampagne für die Handelsvertragspolitik von den Nationalsozialen in Berlin einberufenen Versammlung, in der Naumann einen Vortrag mit dem bezeichnenden Titel »Handelsverträge oder Brotwucher«?[59] hielt, nahm auch Theodor Barth teil. In der sich an den Vortrag anschließenden Diskussion redete Barth einer politischen Aktionsgemeinschaft aller nichtagrarischen politischen Gruppen gegen das Großagrariertum das Wort. »Wenn wir in diesem Kampfe«, so meinte Barth, »wo wir es mit Gegnern zu tun haben, welche von alters her zu herrschen gewohnt sind, siegreich sein wollen, so ist es erforderlich, daß alle Parteien, die gegen das Agrariertum mobil zu machen sind, sich gleichmäßig regen und einen großen Erziehungsfeldzug vorbereiten, der sich über ganz Deutschland zu erstrecken hat«[60].

Barth assistierte Naumann ausdrücklich, wenn dieser meinte, daß sich das Bürgertum in der Handelsvertragspolitik mit der Arbeiterschaft solidarisieren müsse. »Die Macht der Tatsachen« werde »dazu zwingen«, so stellte Barth fest, »daß alle sonstigen Gegensätze, die zwischen dem Bürgertum und den sozialdemokratischen Arbeitern bestehen, wenigstens für die Dauer dieses Kampfes ausgeschaltet werden«[61].

In einer Notiz der »Hilfe« vom 25. November 1900 wird das Auftreten Barths in der nationalsozialen Versammlung als »politisch bedeutsam« gewürdigt[62]. Der Gedanke einer Aktionsgemeinschaft von Sozialdemokratie und linkem Liberalismus in der Handelsvertragspolitik beherrschte Barth und Naumann auch noch im Jahre 1901[63].

[58] BA, Nachl. Brentano, Nr. 56 (v. Schulze-Gävernitz an Brentano vom 17. 10. 1900).

[59] Friedrich NAUMANN: Handelsverträge oder Brotwucher? Berlin 1900 (Vortrag: Berlin, 14. Nov. 1900).

[60] ebd., S. 18.

[61] ebd., S. 21.

[62] »Hilfe«, VI. Jg., Nr. 47, 25. Nov. 1900, S. 2.

[63] Am 6. April teilte Barth Naumann brieflich mit, daß er »neulich mit Auer über den Plan einer gemeinschaftlichen großen Protestversammlung hier in Berlin geredet« habe. »Zur Zeit glaubt er noch nicht«, fährt Barth fort, »daß die Sozialdemokratie dafür zu haben ist. Wenn die Entwicklung weiter vorgeschritten ist und die Geister sich noch etwas mehr erhitzt haben, hielt er den Plan aber nicht für undurchführbar. Die Sache ohne die Sozialdemokratie hier in Berlin zu machen, würde ich nicht für zweckmäßig halten. ... Das von Ihnen vorgeschlagene Trifolium Bebel, Siemens, Brentano wäre an sich vortrefflich. Können wir die drei zusammenbringen, so würde man vielleicht auch Richter bekommen, dazu Sie als fünften. Das würde Eindruck machen. Aber solange die Sozialdemokratie noch nicht mitgeht, würde man sein Pulver ohne große Wirkung verschießen« (DZA Potsdam, Nachl. Naumann, Aktz. 143, Bl. 35/35 R). Auch wenn sich der Plan Naumanns und Barths nicht realisieren ließ, so verdient es doch beachtet zu werden, welche Rolle der Gedanke an eine Aktionsgemeinschaft mit der Sozialdemokratie schon in den Jahren 1900/1901 bei Naumann und Barth spielte.

Die politische Tätigkeit Theodor Barths wurde fortan von den Nationalsozialen mit regem Interesse verfolgt. Nach einem Vortrag Barths vor dem Sozialpolitischen Verein in Wien bescheinigte ihm die »Hilfe« vom 10. November 1901, daß er »den Übergang vom Manchestermann zum Sozialpolitiker der Handelsfreiheit vollzogen« habe[64].

Zu einer gewissen Annäherung zwischen Liberalen und Nationalsozialen trug auch der am 11. November 1900 in Berlin vornehmlich von großbürgerlichen Kreisen gegründete Handelsvertragsverein bei. Der Verein, dessen Vorsitzender das führende Mitglied der Freisinnigen Vereinigung und der Vorsitzende der Deutschen Bank Georg von Siemens war, hatte den Zweck, unter Wahrung parteipolitischer Neutralität für eine Fortsetzung der Caprivischen Handelspolitik zu werben. Die »Hilfe« hatte die Gründung des Vereins begrüßt und daran die Hoffnung geknüpft, daß der Verein eine Art »Nationalverein auf wirtschaftlichem Gebiet« werden möge[65]. In den Dienst des neuen Vereins, den Paul Göhre polemisch als eine »Schöpfung der freisinnig vereinigten Kommerzienräte« charakterisierte[66], traten neben Politikern der beiden freisinnigen Gruppen, der (Süd-)deutschen Volkspartei und der Nationalliberalen Partei, auch zwei Nationalsoziale[67] .

Von Schulze-Gävernitz ließ Naumann zuerst wissen, daß Siemens »zweier tüchtiger, jüngerer Kräfte zwecks Handelsvertragsagitation (bedarf)«[68]. Im April 1901 berichtete Naumann dem Vorstand über Verhandlungen mit dem Vorsitzenden des neuen Interessenvereins. Naumann stellte sich auf den Standpunkt, daß nur Verhandlungen von Verein zu Verein erfolgen dürften, nicht aber zwischen dem Handelsvertragsverein und einzelnen Nationalsozialen[69]. Den gleichen Gedanken äußerte er in einem Brief an Lujo Brentano. Verhandlungen von Verein zu Verein seien »aus Selbsterhaltung nötig«[70]. Naumanns Ziel war es zweifelsohne, durch Verhandlungen auf Vereinsebene größeren Einfluß auf den großbürgerlich orientierten Handelsvertragsverein zu gewinnen[71]. Die zwischen den beiden Vereinen geführten Verhandlungen hatten das Ergebnis, daß Hellmut von Gerlach in den Dienst des Handelsvertragsvereins trat und dessen Presseabteilung leitete. Die Anstellung von Gerlachs war durch Theodor Barth protegiert

64 »Hilfe«, VII. Jg., Nr. 45, 10. Nov. 1901, S. 1.

65 »Hilfe«, VI. Jg., Nr. 46, 18. Nov. 1900, S. 3.

66 P. Göhre: Vom Sozialismus zum Liberalismus, S. 32.

67 Adolf Damaschke hatte eine Mitarbeit im Handelsvertragsverein, »dieser geldmächtigen Interessenverbindung«, abgelehnt (A. Damaschke, Zeitenwende, Bd. 2, S. 388).

68 DZA Potsdam, Nachl. Naumann, Aktz. 130 (v. Schulze-Gävernitz an Naumann vom 11. Febr. 1901), Bl. 2. Die im gleichen Brief enthaltene Mitteilung, von Gerlach und Kötzschke seien bereits von Siemens »engagiert« (ebd., Bl. 2), dürfte in dieser Bestimmtheit nicht dem wahren Sachverhalt entsprechen. Siehe unten, insbesondere S. 164, Anm. 72.

69 DZA Potsdam, Nachl. Naumann, Aktz. 53 (Vorstandssitzung vom 10. April 1901), Bl. 103 R.

70 BA, Nachl. Brentano, Nr. 45, Bl. 216.

71 Zur sozialen Zusammensetzung und zur Organisation des Handelsvertragsvereins siehe L. Elm: Zwischen Fortschritt und Reaktion, S. 88.

worden[72]. Außer Hellmut von Gerlach wurde auch der nationalsoziale Pfarrer Kötzschke vom Handelsvertragsverein für Agitationszwecke angestellt.

Um den Anschein einer Interessenverfilzung zwischen beiden Vereinen zu vermeiden, schränkten von Gerlach und Kötzschke während ihrer befristeten Anstellung beim Handelsvertragsverein[73] ihre Mitarbeit im Nationalsozialen Verein weitgehend ein. Von Gerlach lehnte aus diesem Grunde eine Kandidatur zum Vereinsvorstand auf dem Vertretertag im Jahre 1901 ab[74].

Die im Sommer 1901 von der Regierung eingebrachte Gesetzesvorlage zum Zolltarif entsprach zwar nicht vollauf den extremen Forderungen der Agrarier – sie sah Zolltarife von 5 Mark für Roggen und 5,50 Mark für Weizen je Doppelzentner vor –, ihre Annahme im Reichstag mußte aber dennoch eine merkliche Verschlechterung der wirtschaftlichen Lage breiter Konsumentenschichten nach sich ziehen. Die Regierungsvorlage wurde deshalb jetzt zur Zielscheibe der nationalsozialen Handelsvertragsagitation. Eine in der »Hilfe« veröffentlichte Erklärung des Vorstandes[75] und eine im Herbst 1901 vom Frankfurter Vertretertag angenommene Resolution[76] waren Höhepunkte in der nationalsozialen Kampagne gegen die Vorlage der Regierung. Der leidenschaftliche Kampf der Nationalsozialen gegen eine Erhöhung der Zolltarife endete mit einer Niederlage. Am 14. Dezember 1902 wurde nach heftigen parlamentarischen Auseinandersetzungen die Regierungsvorlage mit den Stimmen der Konservativen, der Nationalliberalen und des Zentrums gegen die der Linksliberalen und der Sozialdemokratie angenommen.

Der »Ertrag« der nationalsozialen Agitation zugunsten einer Fortsetzung der von Caprivi inaugurierten Handelsvertragspolitik war die Evozierung einer liberalen Grundstimmung im Verein[77]. Wesentlich gefördert wurde dieser Prozeß durch die Kontakte zu sozialliberalen Professoren und liberalen Politikern, vor allem zu Theodor Barth.

[72] Am 14. Aug. 1901 schrieb Barth an Naumann, daß er »gestern noch Gelegenheit genommen, mit Siemens zu sprechen« und sich vergewissert habe, »daß auf Grundlage unserer gestrigen Verhandlungen eine Übereinkunft zwischen dem Handelsvertragsverein und Herrn von Gerlach sich bewerkstelligen läßt« (DZA Potsdam, Nachl. Naumann, Aktz. 143, Bl. 36).

[73] Von Gerlachs Tätigkeit war vor Antritt seines Amtes im Handelsvertragsverein am 1. Okt. 1901 bis zum 30. Sept. 1902 terminiert worden.

[74] Protokoll, Vertretertag Frankfurt, 1901, S. 116. – Dennoch kam es im Zusammenhang mit der Tätigkeit der beiden Nationalsozialen im Handelsvertragsverein zu Verdächtigungen. Anläßlich einer Agitationsreise Kötzschkes für den Verein im Rheinland stellte das Zentrumsorgan »Germania« die nicht zutreffende Behauptung auf, es sei »eine bekannte Tatsache, daß die Nationalsozialen für ihre Agitation gegen den neuen Zolltarif vom Handelsvertragsverein subventioniert« würden (Nach »Die Zeit«, 2. Okt. 1902, Nr. 1, S. 1 f.).

[75] »Hilfe«, VII. Jg., Nr. 33, 18. Aug. 1901, S. 1.

[76] Protokoll, Vertretertag Frankfurt, 1901, S. 37 f.

[77] Innerhalb des Vereins machte sich allerdings auch eine Opposition gegen die antiagrarische Politik bemerkbar. Da sie aber nur von einzelnen Personen getragen wurde, hatte sie keinen nennenswerten Einfluß auf die grundsätzliche Haltung des Vereins in dieser wirtschaftspolitischen Frage. Gewisse Widerstände gab es in Hessen, wo einige wenige mit dem Verein sympathisierende Kleinbauern durch die Kampagne des

d) Die Kontakte zur Freisinnigen Vereinigung bis zum Wahlkampf im Jahre 1903

Das durch die übereinstimmende Haltung Naumanns und Barths zur Handelspolitik und das durch die bei Barth mehr und mehr wachsende sozialpolitische Aufgeschlossenheit geförderte enge persönliche Verhältnis beider Politiker hatte zur Folge, daß man auf nationalsozialer Seite bereit war, das Verhältnis zu derjenigen politischen Partei, in der Barth eine führende Rolle spielte, nämlich der Freisinnigen Vereinigung, zu überprüfen. Man war dazu um so eher bereit, als man auch zwischen der militärpolitischen Haltung der Freisinnigen Vereinigung und den eigenen machtpolitischen Vorstellungen Berührungspunkte zu erkennen glaubte.

Die Freisinnige Vereinigung unterstützte als einzige der drei linksliberalen Gruppierungen im Prinzip die Militärpolitik der Regierung. Die Vereinigung, deren Organisation sich »Wahlverein der Liberalen« nannte, verdankte ihre Existenz geradezu der promilitärischen Haltung ihrer Mitglieder. Sie entstand, nachdem es der Deutsch-Freisinnigen Partei – in der sich die der Fortschrittspartei Eugen Richters angehörenden Liberalen und die aus der Nationalliberalen Partei ausgetretenen »Sezessionisten« fusioniert hatten – nicht gelungen war, eine einheitliche Position zu der im Jahre 1893 von der Regierung eingebrachten Heeres-

Vereins gegen die Großagrarier irritiert wurden, da sie dadurch auch ihre eigene wirtschaftliche Interessenlage angefochten sahen. Auf der Gründungsversammlung des nationalsozialen hessischen Landesvereins wurden von einigen aus ländlichen Wahlkreisen stammenden Delegierten Bedenken gegen die antiagrarische Ausrichtung des Vereins geäußert. Sie vermochten aber nicht die Annahme einer gegen das Großagrariertum gerichteten Resolution zu verhindern, die regelrecht der erste politische Willensakt des hessischen Landesvereins war (Staatsarchiv Wiesbaden, Abt. 407, Nr. 159[2], Acta, a.a.O., Bl. 182). – Kritik gegen die antiprotektionistische Politik des Vereins wurde auch von dem nationalsozialen Leipziger Finanzrat Hermann Losch vorgetragen, der in seinem 1891 veröffentlichten Buch »Nationale Produktion und nationale Berufsgliederung« eine Schutzzollpolitik befürwortet hatte. In einem Brief vom 18. 8. 01 an Naumann wandte sich Losch vor allem gegen die Stellungnahme des Vorstandes zur Regierungsvorlage. Um sie abzugeben, brauche man keine nationalsoziale Partei, »das können und konnten die um Barth und die um E. Richter gerade so gut« (DZA Potsdam, Nachl. Naumann, Aktz. 254, Bl. 13 R). Losch, der seinen Austritt aus dem Verein erwog und mit einer Schrift »Brotwucher oder kühles Blut. Fünf Briefe an Herrn Friedrich Naumann«, den Streit in die Öffentlichkeit trug (Die Schrift ist enthalten im Nachlaß Traub (BA), Nr. 41; sie erschien als »Beiheft zu den Deutschen Stimmen« Nr. 15, 1901), lenkte schließlich ein, nachdem sich Naumann in einem »Hilfe« – Artikel in konzilianter Form, aber in der Sache fest bleibend, mit dem Buche Loschs beschäftigt hatte (»Hilfe«, VII. Jg., Nr. 37, 15. Sept. 1901, S. 3 f.). In einem versöhnlichen Ton schrieb dieser am 9. Okt. an Naumann: »Wenn ich auch momentan nicht gerade angenehm bin mit meinem Outsidertum, Sie müssen eben in diesem Falle ›tollerare posse‹. Die Sintflut verläuft auch wieder« (DZA Potsdam, Nachl. Naumann, Aktz. 254, Bl. 17 R).
Auch der 2. Vorsitzende des Vereins, Adolf Damaschke, stand in Opposition zur antiagrarischen Politik, was vor allem eine Folge seiner bodenreformerischen Gesinnung war. Da er seinen agrarierfreundlichen Standpunkt aber doch relativ verhalten artikulierte und im Konflikt zwischen persönlicher Meinung und der Loyalität gegenüber der von der überwiegenden Mehrheit der Vereinsmitglieder getragenen Politik dieser den Vorrang gab, stellte er den Gedanken an ein Ausscheiden aus dem Vereinsvorstand – der ihn einige Zeit beschäftigte – zurück.

vorlage zu beziehen. Während die »fortschrittliche« Gruppe um Eugen Richter die Vorlage entschieden ablehnte, strebte der »sezessionistische« Flügel, der Einfluß auf die Regierung gewinnen und die Caprivische Handelspolitik nicht gefährden wollte, einen Kompromiß an. Am Ende dieser innerparteilichen Auseinandersetzung erfolgten die Spaltung der Deutsch-Freisinnigen Partei und die Gründungen der Freisinnigen Vereinigung und der Freisinnigen Volkspartei Eugen Richters.

Daß die Billigung einer militärischen Expansionspolitik durch die Freisinnige Vereinigung den ökonomischen Interessen ihrer Mitglieder entsprach, war nicht zu verkennen; die mit der Vereinigung liierten Bank- und Handelskreise waren bestrebt, in großem Maße Geschäfte im Ausland abzuwickeln. Diese Bestrebung, Auslandsgeschäfte zu tätigen, und die imperialistischen Tendenzen von Regierung und Militär ergänzten sich gegenseitig. Die Freisinnige Vereinigung zögerte nicht, auch die Flottenbaupolitik der Regierung zu unterstützen. Auf ihrem Parteitag im Jahre 1899 stimmte sie einer Verstärkung der Flotte grundsätzlich zu[78].

Bestand im Bereich der Handels- und Militärpolitik zwischen Freisinniger Vereinigung und Nationalsozialem Verein eine weitgehende Kongruenz, so waren in der Sozialpolitik die Differenzen augenscheinlich. Die bei Barth vor allem während der Handelsvertragskampagne geweckte Einsicht in die Notwendigkeit sozialreformerischer Maßnahmen wurde – sieht man von dem bei der Reichstagsfraktion der Freisinnigen Vereinigung hospitierenden Richard Rösicke ab – von den anderen Mitgliedern der großbürgerlichen (links-)liberalen Partei kaum geteilt. Allenfalls war man bereit, für die Koalitionsfreiheit der Arbeiter und für eine Arbeiterschutzgesetzgebung einzutreten[79].

[78] »Die Nation«, Jg. 17, Nr. 7, 18. 11. 1899, S. 87. – Über die Motive, die Theodor Barth – und zweifellos auch seine politischen Freunde – bewogen, für die Flottenpolitik einzutreten, gibt ein Brief Barths an Brentano vom 2. Januar 1900 Aufschluß: »... für meine Haltung zu der Frage der Verdoppelung unserer Schlachtflotte«, so stellte Barth fest, »sind die Erfahrungen, die wir mit den Chamberlain und Genossen in den letzten Jahren und speziell anläßlich der Transvaal-Krisis gemacht haben, entscheidend. Dieser brutalen Politik kann man nur mit der brutalen Tatsache einer solchen energischen Vervollständigung unserer Rüstung imponieren« (BA, Nachl. Brentano, Nr. 4, Barth an Brentano vom 2. Jan. 1900).
Barth betrachtete diese Politik als eine »dira necessitas«, die »wenigstens das eine Gute« habe, »daß sie der liberalen Weltanschauung schließlich auch noch entgegenkommt; denn alles, was auf dem Meere vor sich geht«, sei »antiagrarisch und antijunkerlich«. Die preußischen Junker würden »die ganze Flottenvorlage zu allen Teufeln (wünschen)« und »glücklich sein, wenn es der einfältigen Politik der Eugen Richter, Schädler und Genossen gelänge, die Vorlage zu Falle zu bringen« (ebd.). Der Meinung, daß militärische Präsenz und Schlagkraft – auch auf dem Meere – einer an liberalen Prinzipien orientierten Wirtschafts- und Handelspolitik förderlich sei, wird von Barth in diesem Briefe Ausdruck verliehen, auch wenn er die liberalen Handelsinteressen nicht konkret beim Namen nennt, sie vielmehr weltanschaulich überhöht. Daß für Barth die Ablehnung der Flottenpolitik durch Eugen Richter ein besonderes Ärgernis war, klingt in dem Brief an.
Schon 1897 meinte Barth, daß »der Unglücksmensch Eugen Richter mit seiner Idiosynkrasie gegen alles, was Militär und Marine heißt«, eine »Zusammenfassung aller liberalen Elemente zu einem Hauptstoß gegen das agrarische Junkertum« unmöglich mache. (BA, Nachl. Brentano, Nr. 4, Barth an Brentano vom 25. 8. 97).

[79] So konnte Barth im August 1897 Brentano versichern, daß seine politischen Freunde

Zum ersten Male befaßte sich der nationalsoziale Vorstand im Dezember 1899 ausführlich mit der Frage nach der Stellung des Vereins zur Freisinnigen Vereinigung.

Naumann kam zu dem Ergebnis, daß sich »nach rein programmatischem Standpunkt« »gegen eine Annäherung wenig sagen« ließe; als ein Hindernis für engere Beziehungen wollte er nur parteitaktische Rücksichten gelten lassen[80]. Es müsse von freisinniger Seite »viel geboten werden«, wenn man eine »Fusion« anbahnen wolle. Was für die Herstellung enger Kontakte spräche, seien die angeblich reichlichen finanziellen Mittel der Vereinigung und deren ausgebildetes Pressewesen, das für den Nationalsozialen Verein fruchtbar gemacht werden könne, indem man entweder versuchen sollte, nationalsoziale Journalisten in den Redaktionen der freisinnigen Blätter unterzubringen oder eine freisinnige Tageszeitung zu gewinnen. Ziemlich selbstbewußt faßte Naumann seine Ausführungen zusammen: Nur wenn »in dieser Richtung« etwas geboten werde, könne man »ernsthaft verhandeln, sonst nicht«[81]. Während Damaschke ernste Bedenken gegen eine freisinnig-nationalsoziale Kooperation äußerte, meinte von Gerlach, ebenso selbstsicher wie Naumann, daß ein »Anschluß« an die freisinnige Fraktion »von Wert« sei, »zumal wir sie bald beherrschen würden«[82]. Man einigte sich am Schluß der Besprechung darauf, ruhig abzuwarten, »was von Seiten des Freisinns geschieht«[83].

Da von freisinniger Seite keine Offerte kam, war »das Verhältnis zur freisinnigen Vereinigung« erst wieder im September 1900 Tagesordnungspunkt einer nationalsozialen Vorstandssitzung. Die Aussprache, in der man ungefähr zu den gleichen Ergebnissen wie in derjenigen des Vorjahres kam, wurde durch den Gedanken an konkrete Wahlabsprachen mit der Vereinigung angereichert, wobei man vor allem an eine Interessenabgrenzung in einzelnen Wahlkreisen dachte. Ebenso wie im Dezember 1899 lehnte Damaschke eine Annäherung – in welcher Form auch immer – ab, da die Freisinnige Vereinigung durch ihre »unsoziale Vergangenheit« »ein Hemmschuh bei der Agitation« darstellen würde[84].

Im April 1901 mußte Naumann feststellen, daß »das Verhältnis zur freisinnigen Vereinigung ... auch nach der Mitwirkung Barths bei unserer Brotwucherprotestversammlung im November kein engeres geworden ist, da nur

»inbezug auf die Sicherung der Koalitionsfreiheit« »durchaus korrekt« seien und »inbezug auf die Arbeiterschutzgesetzgebung« »ein beträchtlicher Wandel der Anschauungen eingetreten« sei. »Die Frage, ob und wann man in dieser Beziehung auch programmatische Kundgebungen losläßt«, ist »gegenwärtig« – so betonte Barth – »eigentlich mehr eine Frage der Taktik als der Grundsätze...« (BA, Nachl. Brentano, Nr. 4, Barth an Brentano vom 25. 8. 97). Im November 1897 läßt Barth Brentano wissen, daß er »große Neigung« habe, »die Frage der Aufhebung der Koalitionsbeschränkungen in der Form eines Initiativantrages oder einer Resolution zur öffentlichen Diskussion zu bringen«. Seine politischen Freunde seien »grundsätzlich« mit ihm »einverstanden« (BA, Nachl. Brentano, Nr. 4, Barth an Brentano vom 26. Nov. 97).

[80] DZA Potsdam, Nachl. Naumann, Aktz. 53 (Vorstandssitzung vom 17. Dez. 1899), Bl. 84.

[81] ebd., Bl. 84.

[82] ebd., Bl. 84.

[83] ebd., Bl. 84 R.

[84] ebd. (Sitzung des erweiterten Vorstandes vom 30. Sept. 1900), Bl. 95.

einzelne der freisinnigen Führer, wie Barth und Nathan, uns näher stehen, andere, wie Siemens, kaum etwas von uns wissen oder gar abgeneigt sind«[85].

Die anstehenden Reichstagswahlen waren ein aktueller Anlaß für den Versuch, mit den führenden Politikern der Vereinigung einen Dialog anzubahnen.

Von Gerlach berichtete im Januar 1902 dem Vorstand von angeblichen Bestrebungen der beiden freisinnigen Parteien, ein »Kartell der Linken« zu bilden, an dem auch die Nationalsozialen beteiligt werden sollten[86]. Der nationalsoziale Vorstand beauftragte daraufhin den Vereinssekretär Maurenbrecher, mit Theodor Barth »vertraulich die Frage zu besprechen und prinzipiell« die »Bereitwilligkeit zur Teilnahme zu erklären«[87]. Damit hatten die Nationalsozialen – in Ermangelung eines freisinnigen Angebotes – ihre abwartende Haltung aufgegeben und einen Schritt zur Anbahnung von Gesprächen getan.

Am 7. März unterrichtete Maurenbrecher den Vorstand über die Unterredung mit Barth. Dieser habe die Zusicherung gegeben, »im günstigen Augenblick« die nationalsoziale Bereitwilligkeit zum Eintritt in das Kartell den anderen Verhandelnden mitzuteilen und die Hinzuziehung der Nationalsozialen durchzusetzen. Eugen Richter lehne zur Zeit eine Liierung mit den Nationalsozialen ab. »Er, Barth, aber wünsche eine ›breitere Basis‹, und dazu seien wir nötig. Dazu sei jetzt erforderlich, daß wir noch weiter auf Richtersche Wahlkreise drücken, um ihn mürbe zu machen«[88].

Der Plan eines »Kartells der Linken« scheiterte schließlich an der Weigerung Richters, sich mit den Nationalsozialen auf Absprachen einzulassen. Am 2. Oktober 1902 mußte Naumann dem Vorstand mitteilen, daß mit einem Kartell nicht mehr zu rechnen sei[89].

Selbst die Beziehung zu Theodor Barth schien zeitweise getrübt zu sein. Nachdem dieser die Möglichkeit angedeutet hatte, die Freisinnige Vereinigung in dem Wahlkreis zu organisieren, in dem Naumann zu kandidieren gedachte, nämlich im Wahlkreis Oldenburg I, betrachteten Naumann und Damaschke dieses Vorhaben als »feindseligen Akt«[90]. Der Vorstand beauftragte Naumann, bei Barth gegen dessen Ansinnen zu protestieren. Dieser Schritt schien nicht ohne Erfolg gewesen zu sein, denn schon drei Tage später erkundigte sich Naumann im Vorstand, »ob er Barth privat mitteilen dürfe, daß wir bei der Freisinnigen Verg. hospitieren wollen, wenn diese uns in der Wahl keine Schwierigkeiten mache«[91]. Damaschke erhob gegen dieses Vorhaben Einspruch: »Höchstens könne Naumann das privatim u. unverbindlich erklären«[92]. Die übrigen Vorstandsmitglieder schlossen sich der Meinung Damaschkes an[93].

[85] ebd. (Sitzung des erweiterten Vorstandes vom 10. April 1901), Bl. 103.
[86] ebd. (Vorstandssitzung vom 27. Jan. 1902), Bl. 115 R.
[87] ebd., Bl. 115 R.
[88] ebd. (Vorstandssitzung vom 7. März 1902), Bl. 118.
[89] ebd., Bl. 124.
[90] ebd., Bl. 124.
[91] ebd. (Sitzung des erweiterten Vorstandes vom 5. Okt. 1902), Bl. 125 R.
[92] ebd., Bl. 125 R.
[93] Adolf Damaschke hatte sich von Anfang an am energischsten gegen etwaige Wahlabsprachen mit den Freisinnigen gewandt. Im April 1902 schrieb er an den Vereinssekretär, daß er sich »von der Wahlverabredung mit den liberalen Parteien im ganzen sehr wenig (verspreche)«. »Wir lähmen unsere Angriffskraft da«, so hieß es

Die Kontakte der Nationalsozialen zur Freisinnigen Vereinigung bis zu den Wahlen im Jahre 1903 hatten alles andere als einen offiziellen Charakter. Zu Verhandlungen auf Parteiebene über ein gemeinsames Vorgehen bei den Reichstagswahlen ist es nicht gekommen, geschweige denn zu Wahlabsprachen. Die Kontakte beschränkten sich hauptsächlich auf die persönlichen Beziehungen zwischen Naumann und Barth[94]. Aber auch diese wurden nicht zur Herbeiführung konkreter Absprachen genützt, so daß beide Parteien unabhängig voneinander die Reichstagswahlen des Jahres 1903 bestritten.

weiter, »wo sie erfahrungsgemäß am stärksten ist, d. h. im Kampfe gegen die freisinnigen Parteien. Auch reine Geldsachen könnten mich nicht einer solchen Verabredung geneigt machen, die doch unfehlbar uns mit den alten sozialen Sünden jener Parteien belastet« (Stadtarchiv Mannheim, Nachl. Dr. J. M. Wolfhard, Damaschke an Maurenbrecher vom 20. 4. 02 Bl. 17).

[94] Im Juli 1902 unterbreitete der annähernd siebzigjährige freisinnige Politiker Heinrich Rickert Naumann den Vorschlag, im Wahlkreis Waldeck zu kandidieren, da ihm dieser Wahlkreis für Naumann besonders günstig erschien (DZA Potsdam, Nachl. Naumann, Aktz. 143, Rickert an Naumann vom 18. 7. 02, Bl. 60 f.). Naumann ging aber auf diesen Vorschlag nicht ein.

13. *Die Bodenreformbewegung als eine in ihrer radikal-sozialreformerischen Zielsetzung »antiliberale« Strömung innerhalb des Vereins*

Hatte Friedrich Naumann mit geistiger Unterstützung sozialliberaler Professoren den Anstoß gegeben zu einer Öffnung des Vereins gegenüber dem politischen Liberalismus, so wurde dieser Vorgang in einem gewissen Maße retardiert durch die Bodenreformbewegung, eine sozialreformerische Strömung, die innerhalb des Vereins vor allem durch den Vorsitzenden des »Bundes der deutschen Bodenreformer«, Adolf Damaschke, repräsentiert wurde. Die Bodenreformbewegung stellte sich deshalb liberalen Tendenzen entgegen, weil ihr auf einen bestimmten Bereich eingegrenzter rigoroser Sozialreformismus in deutlichem Gegensatz zur liberalen Auffassung eines von Naturgesetzen beherrschten wirtschaftlichen Prozesses stand. Zur Herstellung eines ordre naturel, einer natürlichen Harmonie der wirtschaftlichen Interessen, konnte es aus der Sicht des entschiedenen Liberalismus nur durch die Beseitigung aller die Herrschaft der Naturgesetze im Bereich der Wirtschaft hindernden Einflüsse kommen. Mit dieser wirtschaftspolitischen Theorie hatte der linke Liberalismus in der Vergangenheit seine ablehnende Haltung gegenüber einer schutzzöllnerischen und einer sozialreformerischen Politik motiviert.

Angesichts dieser Position des Linksliberalismus war es verständlich, daß sich Adolf Damaschke dem Gedanken einer Annäherung an die Freisinnige Vereinigung verschloß. Der Übereinstimmung in handels- und militärpolitischen Fragen zwischen Nationalsozialem Verein und Freisinniger Vereinigung, auf welche führende Nationalsoziale verwiesen, maß Damaschke keine Bedeutung bei, da er sich die betont »industrialistische« Wirtschaftspolitik des Vereins nicht ganz zu eigen machte[1] und auch eine übertriebene Machtpolitik verwarf[2]. Er war außerdem nicht davon überzeugt, daß die Parteifreunde Theodor Barths dessen sozialpolitische Aufgeschlossenheit teilten.

Die Bodenreformbewegung unterschied sich von allen anderen sozialreformerischen Richtungen, also auch vom liberalen Sozialreformismus, wie er z. B. von Lujo Brentano vertreten wurde, dadurch, daß sie die produktive Tätigkeit nicht nur durch die Faktoren »Arbeit« und »Kapital«, sondern auch durch den Faktor »Boden« bestimmt sah. Arbeit, Kapital und Boden teilen sich in den Ertrag der menschlichen Tätigkeit. Während die Arbeit den Lohn hervorbringe, das Kapital den Zins, sei der Ertrag des Bodens die Grundrente, worunter man den nach Abzug aller Abgaben allein aus dem Besitz des Bodens erwirtschafteten Gewinn verstand. Eine Lösung der »sozialen Frage« versprachen sich die Bodenreformer nicht durch die Faktoren »Arbeit« und »Kapital«, sondern vom dritten Faktor: Man meinte, daß eine umfassende Sozialreform nur durch eine Veränderung der Bodenbesitzverhältnisse möglich sei[3].

[1] In seiner 1899 herausgegebenen Werbeschrift »Was ist National-Sozial?« hatte er betont, daß »zu einem gesunden Innenmarkt« »in erster Reihe eine gesunde Landwirtschaft« gehöre. »Daß deshalb die Lebensinteressen der Landwirtschaft nicht den Interessen der Export-Industrie geopfert werden dürfen, ist einfach eine Pflicht der Selbsterhaltung« (A. Damaschke: Was ist National-Sozial?, S. 13).

[2] Siehe hierzu S. 75 dieser Arbeit.

[3] Da die Bodenreformbewegung keine Veränderungen im kapitalistischen Wirtschaftssystem intendierte, bezeichnete Werner Sombart sie polemisch als einen

Zweifellos betrachtete man die »soziale Frage« aus einer verengten Perspektive, wenn man sie nur durch eine Reform der Bodenbesitzverhältnisse zu lösen gedachte. Dennoch wäre es verfehlt, die Bodenreformbewegung der gesellschaftspolitischen »Engstirnigkeit« zu zeihen; denn durch diese Begrenzung des sozialreformerischen Anliegens war es möglich, mit um so größerem Nachdruck auf die durch die Bodenbesitzverhältnisse hervorgerufenen Mißstände im kommunalen und agrarischen Bereich hinzuweisen. Der Bodenreformgedanke ging aus von der Prämisse, daß die Grundrente »von den zufälligen Eigentümern des Grundes und Bodens erhoben« wird, obwohl »diese Grundrente nicht das Produkt der Tätigkeit dieser einzelnen Eigentümer« sei, sondern »ein Produkt der Zusammenarbeit aller«[4]. Daraus ergab sich für die Bodenreformer als Konsequenz die Forderung nach einer Sozialisierung der Grundrente. Die Grundrente als soziales Eigentum werde jedem die materielle Voraussetzung geben, seine sittlichen, körperlichen und geistigen Fähigkeiten voll zu entwickeln; Arbeit und Kapital würden sich in einer kaum vorstellbaren Weise entfalten können[5].

Besonders scharf wandte sich die Bodenreformbewegung gegen die Spekulantengruppen, die den in ihrem Besitz befindlichen Boden zur Erpressung möglichst hoher Gewinne ausbeuteten. In der schrankenlos der Privatspekulation überlassenen Grundrente sah man »die Ursache des Bodenwuchers, der künstlich in die Höhe getriebenen Bodenpreise, der übertriebenen Mietsteigerung und damit der Wohnungsnot«[6].

Um der Gesamtheit die Grundrente nutzbar zu machen, wurde von den Bodenreformern eine »Zuwachssteuer« vorgeschlagen, die einen möglichst hohen Anteil der Grundrente – »am liebsten 99⁰/₀« – ausmachen sollte[7]. Außerdem sollten sich die Gemeinden durch ein Vorkaufs-, in gewissen Fällen auch Enteignungsrecht die Inbesitznahme des privaten Grund und Bodens sichern.

Einige wesentliche Forderungen der Bodenreformer fanden in drei Spezialprogramme des Nationalsozialen Vereins Eingang.

Das 1899 vom Vertretertag angenommene Kommunalprogramm war – abgesehen von ganz geringfügigen Änderungen – inhaltlich mit einem Entwurf Adolf Damaschkes identisch, den dieser in einem ausführlichen Referat dem Vertretertag erläutert hatte. Das Programm[8] forderte nicht nur den Ausbau der Gemeindeselbstverwaltung und die Demokratisierung des kommunalpolitischen Bereichs durch Einführung des allgemeinen, direkten, gleichen und geheimen Wahlrechtes, sondern auch die Überführung solcher Betriebe in Kommunaleigentum, »welche

»Sozialismus der Industriellen«, da sich diese mit einem solchen Sozialismus wohl zufrieden geben könnten (Nach »Deutsche Volksstimme«, Organ des Bundes der Deutschen Bodenreformer, X. Jg., Nr. 16, 20. Aug. 1899, S. 481).

[4] Adolf DAMASCHKE: Die Bodenreform. Grundsätzliches und Geschichtliches, Berlin 1902, S. 33 f. – Zur Erläuterung führt Damaschke ein Beispiel an: Wenn eine Quadratmeile Boden der Stadt Berlin gegenwärtig 4 Milliarden Mark an Grundrente betrage, so würde deren Höhe schlagartig sinken, wenn die Einwohner Berlin verlassen, um sich an einem anderen Ort anzusiedeln (ebd., S. 33).

[5] ebd., S. 34 f.

[6] ebd., S. 46.

[7] ebd., S. 55.

[8] Der Programmentwurf ist abgedruckt in: Protokoll, Vertretertag Göttingen, 1899, S. 109 ff.

den dauernden Bedürfnissen der Gemeinden dienen und die durch ihren Monopolcharakter ... einem gesunden Wettbewerb entzogen sind«[9]. Daneben enthielt das Programm die spezifisch bodenreformerischen Postulate nach einem Vorkaufsrecht der Gemeinde »für den innerhalb ihres Weichbildes liegenden Grund und Boden«[10], einer hohen Besteuerung der »Zuwachsrente«, worunter man den vom Bodeneigentümer ohne Arbeit und Verbesserung des Landes erzielten Mehrwert des Bodens verstand, einer Besteuerung des unbebauten Bodens »nach dem Werte, der durch Selbsteinschätzung zu bestimmen ist«, und einer Umsatzsteuer für Liegenschaften[11]. Außerdem habe die Kommune für die »Herstellung möglichst guter und billiger Wohnungen« zu sorgen[12].

Trotz der Annahme des von Damaschke eingebrachten Entwurfs durch die überwältigende Mehrheit des Delegiertentages hatte sich in der Diskussion über den Entwurf eine harte Opposition gegen die Rezeption bodenreformerischer Forderungen durch den Verein bemerkbar gemacht. Deren Wortführer, der Schriftsteller Dr. Jaspers aus Frankfurt, sah in dem Bestreben Damaschkes, die bodenreformerischen Postulate zum Kernpunkt des nationalsozialen Kommunalprogramms zu machen, eine »Kriegserklärung der Bodenreformer an die Nationalsozialen«[13]. Die Nationalsozialen müßten ihrer sozialpolitischen Zielsetzung gemäß gegen gesellschaftspolitische Theorien, aber *für* praktische sozialreformerische Maßnahmen eintreten[14].

Gerade der Entwurf Damaschkes enthielt aber nicht – wie Jaspers meinte – bodenreformerische Theorien, sondern von diesen abgeleitete praktische Reformvorschläge für eine Gesundung der Gemeindefinanzen und eine Verbesserung der Lebensbedingungen der in den Kommunen lebenden Menschen.

Naumann charakterisierte nach dem Göttinger Vertretertag das Verhältnis der Bodenreformbewegung zum Nationalsozialen Verein mit der Bemerkung, daß man »den weiteren Ausbau der bodenreformerischen Theorie« dem Bund der deutschen Bodenreformer überlasse, während der Nationalsoziale Verein »die politische Vertretung aller praktisch erreichbaren Ziele, die in Hinsicht auf städtische Wohnungsreform von dieser Seite aufgestellt werden«, übernehme[15].

Auch in das Agrarprogramm, das der Verein durch Beschluß des Vertretertages im Jahre 1900 erhielt, fanden praktische, von den bodenreformerischen Theorien deduzierte Reformvorschläge Eingang. Allerdings war der allgemeine Rahmen des Spezialprogramms durch die grundsätzliche Entscheidung des Vereins im Jahre 1898 zugunsten einer industriell-antiprotektionistischen Politik abgesteckt[16]. Im Agrarprogramm wurde deshalb auch nachdrücklich die »weitere Ausgestaltung der Handelsvertragspolitik« gefordert[17]. Der bäuerliche Interessenstandpunkt

[9] ebd., S. 110.
[10] ebd., S. 110.
[11] ebd., S. 110.
[12] ebd., S. 111.
[13] ebd., S. 116.
[14] ebd., S. 116.
[15] »Hilfe«, V. Jg., Nr. 42, 15. Okt. 1899, S. 1.
[16] Naumann schrieb im Oktober an Brentano: »Sicher ist, daß ich kein Agrarprogramm mitmache, das den industrialistischen Zug unserer Bewegung tötet ...« (BA, Nachl. Brentano, Nr. 45, Naumann an Brentano vom 30. Okt. 1899, Bl. 230).
[17] Protokoll, Vertretertag Leipzig, 1900, S. 154.

sollte – wie im Programm betont wurde – insofern durch die Politik des Vereins vertreten werden, als die Bauern Interesse daran haben müßten, in einer gut verdienenden und konsumkräftigen »industriellen Bevölkerung« Abnehmer für ihre Produkte zu finden. Das Programm wollte die Kleinbauern und auch Landarbeiter ansprechen, deren wirtschaftliches Interesse nicht mit einer protektionistischen Wirtschaftspolitik zusammenfiel.

Im Agrarprogramm wurde eine »Erleichterung des ländlichen Personalkredits durch Förderung von Kreditgenossenschaften« und eine »Umgestaltung des Hypothekarkredits« gefordert. Diese sollte erfolgen durch eine »allmählich durchzuführende Einschränkung des Beleihungsrechtes auf Gemeinde und Staat« und durch die Gewährung niedrig verzinslicher unkündbarer Amortisationsdarlehen«[18]. Schließlich forderte man ein »Vorkaufsrecht der Gemeinde und des Staates bei Verkäufen außerhalb der Familie zum Zweck der Schaffung bäuerlicher Domänen und Erbpachtungen«[19].

Die bodenreformerischen Vorstellungen haben auch das Kolonialprogramm der Nationalsozialen beeinflußt, das im Herbst 1902 vom Vorstand beschlossen wurde, nachdem sich der Vertretertag im Jahre 1901, auf dem Karl Rathgen und Adolf Damaschke zur Kolonialfrage referiert hatten, über seine Abfassung nicht einigen konnte[20]. Das bereits in den »Grundlinien« des Vereins enthaltene Bekenntnis zur Kolonialpolitik wurde im Programm bekräftigt. Nach bodenreformerischen Gesichtspunkten wollte das Programm die Verwaltung des Koloniallandes geregelt sehen. Das Ziel der Kolonialpolitik dürfe nicht »die Ausbeutung des Koloniallandes im einseitigen Interesse einzelner Kapitalistengruppen« sein, sondern »die Hebung und Erziehung der Kolonialbevölkerung und die möglichste Entwicklung der Hilfsquellen des Koloniallandes« »im Interesse der Gesamtheit der Nation«[21]. Von der Kolonialverwaltung wird deshalb »eine Behandlung des Grund und Bodens« erwartet, »die seine Auslieferung an kapitalistische Sonderinteressen verhindert«[22].

Wenn es Adolf Damaschke und wenigen anderen der Bodenreformbewegung angehörenden Nationalsozialen auch gelang, einigen ihrer wesentlichen Forderungen in die Spezialprogramme Eingang zu verschaffen, so war ihr Einfluß auf die politische Grundhaltung des Vereins gering. Seine liberale Ausrichtung, die durch die Annahme der Naumannschen »Leitsätze über die Stellung zum Liberalismus« auf dem Vertretertag im Jahre 1901 offiziell erfolgte, und seine Kontakte zu Politikern der Freisinnigen Vereinigung, vor allem zu Theodor Barth, vermochten sie nicht zu verhindern.

[18] ebd., S. 155.

[19] ebd., S. 155.

[20] Das Programm ist abgedruckt in der »Hilfe«, VIII. Jg., Nr. 42, 19. Okt. 1902, S. 4; ebenso bei M. Wenck: Geschichte, S. 125 f.

[21] »Hilfe«, VIII. Jg., Nr. 42, 19. Okt. 1902, S. 4.

[22] ebd., S. 4. – Damaschke hatte sein besonderes Augenmerk auf die Verwaltungspraktiken in den deutschen Kolonien gerichtet und dabei unterschiedliche Methoden in der Landverteilung und Landausbeutung festgestellt. Während das Reichskolonialamt das unter seiner Verwaltung stehende Süd-Kamerun einer kapitalkräftigen Gesellschaft zur Ausbeutung vertraglich überantwortet und den abgeschlossenen Vertrag als Präzedenzfall für weitere Vertragsabschlüsse dieser Art bezeichnet hatte, war in Kiautschou, das dem Reichsmarineamt unterstellt war, jeder Bodenspekulation ein

Riegel vorgeschoben worden, indem die Landauktion von der Regierung selbst vorgenommen und die Bodenverwaltung nach bodenreformerischen Gesichtspunkten geregelt wurde. Ausführlich schildert Damaschke diese unterschiedliche Verwaltungspraxis in den deutschen Kolonien in einem Vortrag vor dem Hamburger Nationalsozialen Verein (Staatsarchiv Hamburg, Polit. Polizei, Vers. 700, Bd. 1, Acte, Bl. 444). Siehe hierzu auch die Schrift von A. DAMASCHKE: Kamerun oder Kiautschou? Eine Entscheidung über die Zukunft der deutschen Kolonialpolitik, Berlin 1900. Im (Rest-)Nachlaß Adolf Damaschkes befindet sich ein Dankschreiben v. Tirpitz', in dem dieser seiner Freude über die »freundlichen Worte« Ausdruck gibt, mit denen Damaschke in dem Buch »Geschichte der Nationalökonomie« seiner Bodenpolitik in Tsingtau gedenke (BA, Nachl. Damaschke, Nr. 1, v. Tirpitz an Damaschke vom 24. Juni 1918, Bl. 1). – Auch das Organ der deutschen Bodenreformer befaßt sich ausgiebig mit der »Landfrage« in den deutschen Kolonien. Siehe hierzu z. B. die »Deutsche Volksstimme« vom 5. Mai 1898 (IX. Jg., Nr. 9, S. 277: »Bodenreform in Kiautschou«), vom 5. März 1900 (XI. Jg., Nr. 5, S. 141 ff: »Zur Landfrage in den Kolonien«) und vom 20. Januar 1902 (XIII. Jg., S. 337 ff: »Wer half bei der Landordnung von Kiautschou?«). In der »Deutschen Volksstimme« vom 5. April 1899 (X. Jg., Nr. 7, S. 193 ff.) wandte man sich mit der Petition an den Reichskanzler Hohenlohe, daß »die Grundsätze, die für die Landordnung von Kiautschou bestimmend waren, auch auf die anderen deutschen Kolonien und Schutzgebiete angewandt werden«.

14. Der Verein im Wahlkampf des Jahres 1903

Alle zwischen den Jahren 1898 und 1903 auf den Ausbau der Vereinsorganisation zielenden Bestrebungen und alle Bemühungen um die Ergänzung der nationalsozialen »Grundlinien« durch einen Katalog von Spezialprogrammen und Vertretertagsbeschlüssen, in denen man eine für die politische Selbstdarstellung notwendige Verobjektivierung der im Verein existenten politischen Ideenrichtungen sah, geschahen mit Blickrichtung auf die Reichstagswahlen des Jahres 1903. In ihnen hoffte man nach einer Periode der inneren Konsolidierung die ersten Früchte für die unermüdliche mehrjährige Arbeit in allen Bereichen parteipolitischer Wirksamkeit zu erlangen.

Man war sich schon früh darüber einig – analog zum Wahlkampf des Jahres 1898 –, in mehreren Wahlkreisen Kandidatennominierungen vorzunehmen[1]. Die Wahlkreisergebnisse für den Verein bei den 98er Wahlen betrachtete man als Orientierungsdaten dafür, in welchen Wahlkreisen es sich verlohnen würde, mit einigen Aussichten auf Erfolg Kandidaten aufzustellen.

Während man in den Wahlkreisen Marburg, Jena, Plön-Oldenburg, Dithmarschen und Sangerhausen wiederum Nominierungen für angebracht hielt, schieden Berlin I, Göttingen, Friedberg-Büdingen, Leipzig/Stadt, Leipzig/Land und Frankfurt a. M. aus den Wahlkampfüberlegungen aus. An ihre Stelle traten die Wahlkreise Oldenburg I, Oldenburg II, Lübeck, Bentheim-Lingen, Dresden und Hamburg I/III.

Da der sozialpolitisch aufgeschlossene nationalliberale Kandidat für Jena, Ernst Bassermann, keine geeignete Angriffsfläche bot, entschied sich Naumann bereits im April 1901 für eine Kandidatur im Wahlkreis Oldenburg I[2].

Der Wahlkreis, dessen geographische Lage für eine rationell organisierte Wahlkampagne ein gewichtiges Hemmnis darstellte – er gliederte sich in die Stadt Oldenburg und Teile des Großherzogtums, das Fürstentum Lübeck in Ostholstein[3] und das Fürstentum Birkenfeld zwischen Trier, Kreuznach und Saarbrücken –, war von Naumann wegen dessen – wie er meinte – günstiger Sozialstruktur gewählt worden[4]. Neben den Industriearbeitern bildeten die Bauern einen nicht geringen Prozentsatz der Bevölkerung. Diese waren aber, was für Naumann den Ausschlag gab, nicht an Getreidezöllen interessiert, da sie von der Viehzucht lebten.

[1] Damaschke konnte mit seiner Ansicht, nur in ganz wenigen Wahlkreisen – am besten in einem einzigen – zu kandidieren, um die Wahlchancen bei konzentriertem Einsatz aller finanziellen Mittel und agitatorischen Kräfte auf ein Maximum zu erhöhen, in der Führung des Vereins nicht durchdringen (Nach A. Damaschke, Zeitenwende, Bd. 2, S. 420).

[2] Er gab seinen Entschluß in der erweiterten Vorstandssitzung vom 9. April 1901 bekannt (DZA Potsdam, Nachl. Naumann, Aktz. 53, Bl. 102).

[3] Zu ihm gehörten Eutin (Hauptstadt) und die anliegenden Landstriche zwischen dem Wahlkreis Plön-Oldenburg und der Stadt Lübeck.

[4] Nach A. Damaschke: Zeitenwende, Bd. 2, S. 420 f. – Vereinssekretär Maurenbrecher hatte für Naumann schon knapp ein Jahr vor den Wahlen eine ausführliche handschriftliche »Denkschrift über den Wahlkreis Oldenburg I« angefertigt, in der er den Vereinsvorsitzenden über die »Allgemeine Lage«, »Unsere Aussichten«, »Unsere bisherige Agitation« und »Unsere Ausgaben« informierte (DZA Potsdam, Nachl. Naumann, Aktz. 206, Bl. 42 ff.).

In einer Sitzung des erweiterten Vorstandes am 15. und 16. April 1903, die den Charakter einer Wahlkonferenz besaß, unterzog man die Wahlkreise, in denen man Nominierungen vorgesehen hatte, einer letzten eingehenden Analyse. Obwohl der Verlauf der Sitzung sich keineswegs durch eine euphorische, siegesgewisse Stimmung auszeichnete – soweit überhaupt eine derartige Feststellung aufgrund der nüchternen Protokollniederschrift getroffen werden kann –, gelangten doch mehrere Referenten, darunter auch Friedrich Naumann, zu Fehleinschätzungen bezüglich der Parteienkonstellation in einzelnen Wahlkreisen und der eigenen Erfolgsaussichten.

Naumann bezeichnete es bei einer Schilderung der Situation in seinem Oldenburger Wahlkreis als »sicher«, daß der Kandidat der Freisinnigen Volkspartei, der bei den letzten Wahlen gesiegt hatte, nicht wieder in die Stichwahl komme[5]. Offen sei nur, welcher der drei anderen Kandidaten die Stichwahl erreichen werde, der Sozialdemokrat, der bündlerisch-liberale Kompromiß-Kandidat oder er selbst. Da nach Naumanns Meinung der Sozialdemokrat auf alle Fälle in die Stichwahl gelange, werde sich für ihn die Wahlauseinandersetzung auf eine Konfrontation mit dem vom Bund der Landwirte unterstützten nationalliberalen Kandidaten zuspitzen. Die Wahlagitation müsse darauf ausgerichtet sein, einen Keil zwischen den nationalliberalen Kandidaten und den Bund der Landwirte zu treiben[6].

Auch in der Endphase des Wahlkampfes betrachtete Naumann den Nationalliberalen als den gefährlichsten Gegner[7].

Das Ergebnis der Reichstagswahlen am 16. Juni im Wahlkreis Oldenburg I ließ Naumanns falsche Beurteilung seiner Gegner offenbar werden. Weder er noch der nationalliberale Kandidat, sondern derjenige der Freisinnigen Volkspartei, dem Naumann durch eine nationalistische Propaganda größere Wählerkreise zu entziehen gehofft hatte[8], gelangte mit dem Sozialdemokraten in die Stichwahl. Naumann hatte die Unzugänglichkeit eines großen Teils des linken Bürgertums gegenüber einer nationalen Macht- und einer sozialen Reformpolitik unterschätzt.

[5] DZA Potsdam, Nachl. Naumann, Aktz. 53, Bl. 132 R.

[6] ebd., Bl. 132 R.

[7] In einem Brief vom 4. Juni schrieb Naumann aus Oldenburg an seine Frau Lene, er habe in einer öffentlichen Versammlung ein Wortduell mit dem Nationalliberalen Tille gehabt: »Er war noch unangenehmer als in Idar« (Ort in dem zum Wahlkreis Oldenburg I gehörenden Fürstentum Birkenfeld). »Ich habe so gut geantw[ortet] als ich konnte, aber er bleibt der gefährlichste Gegner. Es kann sehr knapp zugehen am Wahltag. Wir wollen aber ruhig sein u. die Sache Gott empfehlen . . .« (DZA Potsdam, Nachl. Naumann, Aktz. 206, Naumann an seine Frau Lene vom 4. Juni 1903, Bl. 29.).

[8] In einem »Nationalsozialen Flugblatt für den I. Oldenburgischen Wahlkreis«, das sich gegen die Freisinnige Volkspartei wendet, wirft Naumann Eugen Richter und seinen Gefolgsleuten vor allem mangelnde Einsicht in die Notwendigkeit einer deutschen Machtpolitik und sozialpolitische Intransigenz vor. Während der Freisinnigen Volkspartei »ihr eigentlicher Lebenszweck« fehle, habe die Freisinnige Vereinigung dagegen »begonnen, die großen Aufgaben der Neuzeit auf sozialem und nationalem Gebiete zu ergreifen. Mit Männern wie Barth, Gothein und Rösicke werden wir gern zusammen arbeiten können. Was sich aber um Eugen Richter geschart hat, geht der politischen Versteinerung entgegen« (DZA Potsdam, Nachl. Naumann, Aktz. 218, Bl. 12 R).

Die nüchternste Situationsanalyse auf der erweiterten Vorstandssitzung am 15. und 16. April nahm Adolf Damaschke vor. Er, der anstelle von Naumann in Jena kandidierte, sah für sich kaum eine Möglichkeit, gewählt zu werden oder zumindest in die Stichwahl zu kommen.

Die größten Hoffnungen setzte man in der Wahlkonferenz auf die Kandidatur von Gerlachs in Marburg. Von Gerlach rechnete sich die Chance aus, in die Stichwahl zu gelangen, da der voraussichtliche antisemitische Kandidat Böckel, der 1898 in der Stichwahl siegte, die Unterstützung des Bundes der Landwirte verloren hatte[9].

Die Konferenz wurde mit einem Wahlkassenvoranschlag abgeschlossen, wobei man mit insgesamt 30 000 Mark Wahlkosten rechnete[10].

Die Wahlen am 16. Juni 1903 endeten nicht nur mit der Niederlage Friedrich Naumanns; mit Ausnahme von Gerlachs, der mit dem konservativen Kandidaten in die Stichwahl gelangte und in dieser schließlich durch die Unterstützung der Sozialdemokratie und des Zentrums siegte, unterlagen auch alle übrigen nationalsozialen Kandidaten[11].

Das Wahlresultat konnte bei einer realistischen Betrachtungsweise nur als eindeutiges Fiasko der nationalsozialen Politik interpretiert werden. Alle organisa-

[9] DZA Potsdam, Nachl. Naumann, Aktz. 53, Bl. 134 R/135. – In der Wahlkonferenz wurde auch die Haltung des Vereins zum Jesuitengesetz erörtert. Die öffentliche Diskussion über eine mögliche Aufhebung dieses seit der Zeit des Kulturkampfes gültigen Ausnahmegesetzes zwang den Verein, dazu Stellung zu nehmen, zumal er in einigen Wahlkreisen um katholische Wählerstimmen bemüht sein mußte bzw. sich in Marburg möglicherweise in der Stichwahl der Unterstützung des Zentrums zu versichern hatte. Das Ergebnis der durch kontroverse Meinungen angereicherten Diskussion wurde von Naumann zusammengefaßt: Man solle sich davor hüten, sich während des Wahlkampfes »als Anwalt der Jesuiten aufzuspielen«. Andererseits trete man aber für »die Aufhebung des § 2 des Gesetzes« ein (Dieser Paragraph, der im Jahre 1904 aufgehoben wurde, gab den einzelstaatlichen Regierungen die Legitimation, jedes einzelne Mitglied der Gesellschaft Jesu auszuweisen). Für »die Zulassung des Ordens als solchen« wolle man aber im Wahlkampf nicht eintreten (ebd., Bl. 134). – Zu dem entscheidenden § 1 des Jesuitengesetzes, der die Niederlassungen der Societas Jesu auf deutschem Boden untersagte, war man also nicht bereit, eine definitive Erklärung abzugeben. In Ermangelung einer grundsätzlichen Entscheidung beabsichtigten die Nationalsozialen – nach den Worten Damaschkes –, sich »bis hinter die Wahl gut durchzulavieren« (ebd., Bl. 133 R).

[10] ebd., Bl. 140. – Die tatsächlichen Ausgaben betrugen 43 150 Mark. Annähernd die Hälfte des Betrages – 20 000 Mark – hatte man für den Wahlkampf in den beiden Oldenburger Wahlkreisen aufgewendet (ebd., Bl. 145 R; Vorstandssitzung vom 20. Juli 1903).

[11] v. Gerlach erhielt in der Hauptwahl 3605 Stimmen, der konservative Kandidat 4907. In der Stichwahl siegte v. Gerlach mit 7815 Stimmen über den konservativen Kandidaten, der 7037 Stimmen erhielt. In den übrigen Wahlkreisen erreichten die Nationalsozialen folgende Stimmenzahlen: Jena (Damaschke): 5400; Oldenburg I (Naumann): 4154; Dithmarschen (Pohlmann): 3277; Plön-Oldenburg (Pusch) 2863; Sangerhausen (Kötzschke): 2948; Lübeck (Tischendörfer): 2381; Bentheim-Lingen (v. Gerlach): 1492; Dresden, links der Elbe, (Naumann): 1354; Oldenburg II (Klumker): 1295; Hamburg I/III (Naumann): 1111. In Wahlkreisen, in denen keine nationalsozialen Kandidaten aufgestellt waren, wurden vereinzelt Stimmzettel auf den Namen Naumanns abgegeben. So wählten insgesamt ungefähr 30 500 Wähler nationalsozial, etwa 3500 mehr als 1898 (Nach »Hilfe«, IX. Jg., Nr. 26, 28. Juni 1903, S. 1 und »Hilfe«, IX. Jg., Nr. 27, 5. Juli 1903, 1 u. 4 sowie M. Wenck: Geschichte, S. 130 f.).

torischen und programmatischen Fortschritte und der ungeheure Aufwand an publizistischer und agitatorischer Arbeit standen in einem umgekehrten Verhältnis zum Wahlergebnis.

Während die Sozialdemokratie einen ungeahnten Aufschwung nahm – sie konnte ihre Stimmenzahl von 1,7 Millionen auf über 3 Millionen erhöhen –, blieb die Zahl der nationalsozialen Wähler nahezu konstant. Auch der Stichwahlsieg von Gerlachs vermochte das Bild einer geschlagenen Mannschaft, das der Verein nach der Hauptwahl bot, nicht mehr zu retuschieren.

Friedrich Naumann zog schon drei Tage nach der Hauptwahl auf einer Sitzung des erweiterten Vorstandes eine nüchterne Bilanz, die sich allerdings mit bitteren Bemerkungen über Fehlentscheidungen in der Vergangenheit und voreiligen düsteren Prognosen für seine eigene Zukunft vermischte.

Sachlich richtig war zweifellos Naumanns Feststellung, daß der Verein »keine politische Zukunft« mehr habe[12]. Unter dem Eindruck des Stimmengewinns der Sozialdemokratie erklärte er: »Unsere Niederlage ist hervorgerufen durch das Anwachsen der sozialdemokratischen Stimmen. In allen Wahlkreisen haben wir ihnen nichts abzugewinnen vermocht. Damit ist der Gedanke eines nationalen Sozialismus als jetzige Grundlage einer Parteigründung zu Ende, denn diese ist nur denkbar, wenn wir wirklich der Sozialdemokratie Einhalt zu tun vermögen«[13].

Wenn Naumann bedauerte, »im Jahe 1896 dem stimmungsvollen Vordringen der Freunde zu weit nachgegeben« zu haben[14], so ist eine solche Bemerkung nur aus der Situation der Niedergeschlagenheit und tiefen Enttäuschung heraus zu verstehen. Sein eigenes öffentliches Wirken sah er in Zukunft ohne Zusammenhang mit einer politischen Gruppe oder Partei: Zur Sozialdemokratie wolle er nicht gehen »wegen seiner scharfen Herausarbeitung der nationalen Parole«. Er werde »literarisch die Politik von ›Demokratie und Kaisertum‹ konsequent weiterführen, eventuell als isolierter Mensch ... Die Stichwahlentscheidung sei wahrscheinlich der letzte politische Akt, den er in den nächsten 15 Jahren zu vollziehen habe, darum müsse sie prinzipiell sein«[15]. Durch eine Stichwahlparole für den sozialdemokratischen Kandidaten im Wahlkreis Oldenburg I wolle er sich die 1898 gegebene Erklärung für Bassermann »vom Halse schaffen«[16].

Die Äußerung, er sei »um der Arbeiterbewegung willen in die Politik gegangen, nicht um irgendwelchen Bourgeois ihre Politik zu machen«[17], war indirekt das Eingeständnis, daß der Verein seinen ursprünglichen politischen Ansatz aufgegeben hatte. Wie sehr diesen Worten Naumanns aber nur die Bedeutung einer von Emotionen getragenen Erinnerung zukam, bewies der Umstand, daß Naumann die Wahlparole zugunsten des sozialdemokratischen Kandidaten nach einer Intervention oldenburgischer Vereinsfreunde auf der Stelle zurückzog.

[12] DZA Potsdam, Nachl. Naumann, Aktz. 53 (Sitzung des erweiterten Vorstandes vom 19. Juni 1903), Bl. 141.
[13] ebd., Bl. 141 R.
[14] ebd., Bl. 141 R.
[15] ebd., Bl. 141/141 R.
[16] ebd., Bl. 141.
[17] ebd., Bl. 141.

Mit dem schonungslosen Eingeständnis der Niederlage und der Unmöglichkeit, die politische Arbeit im Rahmen des Vereins fortzusetzen, konfrontierte Naumann am 28. Juni 1903 in einem »Hilfe«-Artikel seine politischen Freunde und Anhänger. In dem Aufsatz, der den bezeichnenden Titel »Die Niederlage« trägt, gesteht Naumann ein, daß die Nationalsozialen »als geschlagene Truppe aus dem Kampf« kommen[18]. Naumann gibt offen zu, daß nicht äußere, materielle Faktoren die Niederlage verursacht haben. »Wir sind nicht unterlegen«, so läßt er die Öffentlichkeit wissen, »weil es an Geld oder Mitteln gemangelt hätte. Alles, was wir brauchten, war da«[19]. Auch jetzt nennt er – wie auf der Vorstandssitzung – »die Wucht des sozialdemokratischen Wachstums«, »die Gewalt des einmal vorhandenen großen Körpers« als Gründe für den Mißerfolg[20].

Naumann folgert aus dem Wahlergebnis, daß die Nationalsozialen »nicht imstande (sind), die neue Partei zu gründen. Das ist eine bittere Klarheit, aber es ist Klarheit. Jetzt handelt es sich nicht mehr um den weiteren Versuch, Partei zu sein, sondern es handelt sich nur noch um die Vertretung eines politischen Gedankenganges, der dadurch nicht stirbt, daß er heute noch keine parteibildende Kraft hat«[21].

»... Von der politischen Notwendigkeit unseres Gedankenganges bin ich«, so bekräftigte Naumann, »nach der Wahl so fest und tief überzeugt wie je«[22].

Naumanns politischer Gedanke eines nationalistisch-monarchischen Sozialismus, der die ideelle Substanz für einen industrialistisch ausgerichteten, proletarisch-bürgerlichen Gesamtliberalismus abgeben sollte und als dessen parteipolitischer Protagonist der Nationalsoziale Verein seit dem Jahre 1901 galt, sollte nun gleichsam vom Parteileibe getrennt werden.

War das Eingeständnis des parteipolitischen Versagens aber nicht auch gleichzeitig Grund genug, um sich die Unrichtigkeit des politischen Gedankens einzugestehen? Hatte sich dieser angesichts der Niederlage nicht als bloße Fiktion erwiesen? Oder war er so sehr zukunftsträchtig, daß der Versuch seiner Verwirklichung um die Jahrhundertwende verfrüht war? Die Beantwortung dieser Frage soll dem Schlußabschnitt (III) vorbehalten bleiben.

[18] »Hilfe«, IX. Jg., Nr. 26, 28. Juni 1903, S. 2.

[19] ebd., S. 2. – Die These Joachim Gaugers, das »bittere Ende« des Vereins sei auf den »Mangel an Geld zurückzuführen« (J. GAUGER: Gesch. d. Nationalsozialen Vereins, S. 57), steht im eindeutigen Widerspruch zur Aussage Naumanns.

[20] ebd., S. 2. – Zu dem gleichen Ergebnis kommt Naumann in einem Aufsatz der »Zeit«: »Sie« (die Menge) »wählt nicht das sozialdemokratische Programm, sondern die kommende Macht. Dieser Zug zur Vereinfachung der Machtfragen durch Anschluß an die wachsenden Großkörper ist es, der auch uns in allen Kreisen, wo wir einer entwickelteren Sozialdemokratie gegenüberstanden, entgegentrat« (»Die Zeit«, 2. Juli 1903, Nr. 40, S. 421).

[21] »Hilfe«, a.a.O., S. 2.

[22] ebd., S. 3.

15. *Die Fusion mit der Freisinnigen Vereinigung*

Der »Niederlage«-Artikel Naumanns rief im Verein augenblicklich eine heftige Reaktion hervor. Die Mehrheit derjenigen Vereinsmitglieder, die sich in Stellungnahmen an die »Hilfe«, den Vorstand oder direkt an den Vorsitzenden des Vereins wandten, plädierte für eine Fortsetzung der Vereinsarbeit.

Adolf Damaschke empfand die Meinungsäußerung Naumanns – wie er in seinen Memoiren formulierte – »als eine Art Untreue«. Als zweiter Vorsitzender hätte er verlangen dürfen, daß nicht ohne sein Wissen »die Fahne eingezogen wurde«[1].

Der Erklärung Naumanns kam aber ein solches Gewicht zu, nicht nur weil sie die des Vereinsvorsitzenden war, sondern weil auch den in ihr geforderten Konsequenzen kaum mit einem überzeugenden Argument zu begegnen war. Naumann konnte deshalb auch, unbeschadet der Proteste aus den eigenen Reihen, auf einer Vorstandssitzung am 29. Juni wiederholen, daß die Fortsetzung der Vereinstätigkeit nichts weiter bedeuten würde, als bei den Freunden Illusionen zu nähren[2]. Die »vollständige Auflösung« des Vereins und die Aufgabe der »Hilfe« und der »Zeit« sei deshalb »das Gesündeste«[3]. Weil aber wegen »der Stimmung im Lande« ein solches Vorgehen auf Schwierigkeiten stoßen könnte, räumte er die Möglichkeit eines Kompromisses ein: die Fortsetzung der Vereinsarbeit und das Erscheinen der »Zeit« für *ein Jahr*, unter der Bedingung, daß eine Garantiesumme von 10 000 Mark zusammenkomme[4].

Naumann berichtete dem Vorstand, daß er sich mit Theodor Barth telegraphisch in Verbindung gesetzt habe, um einen Zeitpunkt festzumachen, an dem die Möglichkeit einer Fusion des Vereins mit der Freisinnigen Vereinigung erörtert werden könne. Als Termin für die Unterredung, an der von freisinniger Seite Barth, Rösicke und Schrader und als Unterhändler des Nationalsozialen Vereins Naumann und von Gerlach teilnehmen sollten, war der 11. Juli vorgesehen.

Daß Naumann aber die Aussichten für das Zustandekommen einer freisinnignationalsozialen Fusion zu diesem Zeitpunkt wegen des zu erwartenden Widerstandes aus Kreisen der Freisinnigen Vereinigung für sehr gering einschätzte, ließ nicht nur sein Kompromißvorschlag erkennen, der die befristete Fortsetzung der Vereinsarbeit vorsah, sondern wurde von ihm in der Vorstandssitzung auch offen ausgesprochen. Dem Antrag Naumanns, der Vorstand möge von Gerlach und ihm die Ermächtigung erteilen, im offiziellen Auftrag des Nationalsozialen Vereins mit den freisinnigen Unterhändlern zu konferieren, wurde nach einigem Widerstreben entsprochen.

Vereinssekretär Dr. Maurenbrecher hatte schon für sich persönlich die Entscheidung über den zukünftigen politischen Weg getroffen. Er ließ den Vorstand auf der gleichen Sitzung wissen, daß er nicht erst durch den Wahlausgang, »sondern durch die Erfahrungen der Agitation des letzten Jahres« »von der Un-

[1] A. Damaschke: Zeitenwende, Bd. 2, S. 441.

[2] DZA Potsdam, Nachl. Naumann, Aktz. 53 (Sitzung des erweiterten Vorstandes vom 29. Juni 1903), Bl. 143 R.

[3] ebd., Bl. 143 R.

[4] ebd., Bl. 143 R.

haltbarkeit der nationalsozialen Parteibewegung überzeugt« sei und deshalb »den Entschluß gefaßt (habe)«, »der Verwirklichung des nationalsozialen ›Endziels‹ innerhalb der sozialdemokratischen Partei zu dienen«[5].

Naumanns nüchterner Einschätzung der Zukunft des Nationalsozialen Vereins schloß sich von den führenden Vereinspolitikern – neben Maurenbrecher – der Wahlsieger Hellmut von Gerlach an, ohne jedoch wie der Vereinssekretär den Übertritt in die Sozialdemokratie zu vollziehen. »Was ich jetzt am meisten fürchte«, so schrieb er an Brentano, »ist die zu große Hoffnungsfreudigkeit unserer Parteigenossen. Von allen Seiten drängt man uns, die Arbeit fortzusetzen, und es wird auf dem Delegiertentag sehr schwer halten, Naumanns Ansichten durchzusetzen. Aber ich muß gestehen, daß ich sie vollkommen teile«[6].

Eine genaue Darstellung der einzelnen Stadien der Fusionsbestrebungen und die dabei zutage tretenden Verhaltensweisen der über die Fusion entscheidenden Politiker ist deshalb möglich, weil im Nachlaß Friedrich Naumanns und in anderen Nachlässen für diesen Zeitabschnitt umfangreiche Korrespondenzen enthalten sind. Aus den Tagen zwischen der Sitzung des Vorstandes, in der man ersten Verhandlungen mit den Vertretern der Freisinnigen Vereinigung zugestimmt hatte, und dem 11. Juli, dem vorgesehenen Konferenztag, liegen zwei Briefe Naumanns vor, die das Datum des 3. Juli ausweisen und an Brentano und von Schulze-Gävernitz gerichtet sind. Beide Schreiben, die sich inhaltlich weitgehend decken, geben darüber Aufschluß, mit welcher Ratlosigkeit Naumann der weiteren Entwicklung gegenüberstand.

In beiden Briefen konzediert er, daß der Fusionsgedanke in den eigenen Reihen auf heftigen Widerstand stoße. An von Schulze-Gävernitz schreibt er: »Der Widerspruch aus den Kreisen des nationalsozialen Vereins gegen meinen Artikel ist sehr stark. Es ist anzunehmen, daß, wenn ich die Führung niederlege, der nationalsoziale Verein unter anderer Führung, z. B. Tischendörfers, den Versuch des Weiterlebens machen wird. Das kann natürlich zu keinem guten Resultat führen ... Deshalb neige ich jetzt der Ansicht zu, daß ich die ›Zeit‹ und einen Rest von Organisation noch mindestens ein Jahr auf Probe halten muß ...«[7]. Der Brief an Brentano enthält die Mitteilung, daß er, Naumann, schon erste »Besprechungen« mit den freisinnigen Politikern Barth, Rösicke und Gothein, also *vor* der für den 11. Juli angesetzten Konferenz, geführt habe. Aufgrund dieser Unterredungen sei »soviel ... heute schon sicher, daß die freisinnige Vereinigung unseren Zutritt nicht wünscht, weil die Mehrzahl der Abgeordneten und Wähler eine verstärkte Abneigung gegen die soziale Bewegung aus der Wahl mit herausbringen«[8]. Besonders Gothein habe sich gegen eine Fusion gewandt, »da er sich fürchtet, die geldkräftigen Kreise ... zu verlieren«[9]. Rösicke

[5] ebd., Bl. 143.

[6] BA, Nachl. Brentano, Nr. 20, (v. Gerlach an Brentano vom 9. Juli 1903).

[7] DZA Potsdam, Nachl. Naumann, Aktz. 130 (Naumann an v. Schulze-Grävernitz vom 3. 7. 03, Briefabschrift), Bl. 30.

[8] BA, Nachl. Brentano, Nr. 45 (Naumann an Brentano vom 3. 7. 1903), Bl. 185. – Ähnlich heißt es im Brief an v. Schulze-Gävernitz: »Die freisinnige Vereinigung lehnt voraussichtlich eine Verschmelzung mit uns rundweg ab ...«. Naumann an v. Schulze-Gävernitz a.a.O., Bl. 30.

[9] ebd., Bl. 30.

sei »unter Umständen bereit«, einen neuen Verein zu gründen, der unter Führung Barths, Brentanos, Naumanns und Rösickes stände[10].

»Ich halte es für meine Pflicht«, so betont Naumann gegenüber Brentano, »Ihnen diesen Gedankengang Rösickes mitzuteilen, gestehe aber, daß ich nach den Erfahrungen, die wir eben in der Wahl gemacht haben, nicht sehr an die Ausführbarkeit glaube«[11]. Das Schreiben an Brentano schließt Naumann mit einer Bitte: »Es würde mir lieb sein, wenn Sie in einem Brief an eines der hervorragendsten Mitglieder der freisinnigen Vereinigung sich darüber aussprechen würden, welchen Verlust es für den Liberalismus im ganzen bedeutet, wenn die Nationalsozialen jetzt allmählich zusammenbrechen. Die Herren sollen wenigstens wissen, was sie tun, wenn sie uns jetzt sterben lassen«[12].

[10] ebd., Bl. 30; ebenso im Brief an Brentano, a.a.O., Bl. 185.

[11] Brief an Brentano, a.a.O., Bl. 185.

[12] ebd., Bl. 186. – Die Darstellung, die Lujo Brentano in seinen Lebenserinnerungen über die Umstände gibt, die zum Anschluß Naumanns an die Freisinnige Vereinigung führten, werden dem historischen Vorgang nicht ganz gerecht. In der Schilderung, aus der die Absicht Brentanos herauszulesen ist, sich selbst als treibende Kraft für den Beitritt Naumanns zur Frs. Vereinigung zu präsentieren, versucht Brentano das Bild eines mit dem Gedanken des Übertritts zur Sozialdemokratie kokettierenden Naumann zu zeichnen. In einem Gespräch, zu dem Naumann ihn am Starnberger See aufsuchte, habe er (Brentano) aber Naumann – mit dem Hinweis auf dessen machtpolitische Vorstellungen – erklärt, »jeder andere könne Sozialdemokrat werden, nur er nicht« (L. BRENTANO: Mein Leben, S. 229). Auf die Frage Naumanns, »was ihm denn dann noch für eine Rolle bleibe« (ebd., S. 229), sei von ihm (Brentano) der Vorschlag gemacht worden, er solle der Frs. Vereinigung beitreten. »Nach einigem Widerstreben« und unter der Bedingung, daß er (Brentano) »mit ihm in die Partei eintrete«, habe Naumann den Vorschlag akzeptiert (ebd., S. 229). – Brentanos Behauptung, von Naumann sei zu diesem Zeitpunkt »ernstlich« (ebd., S. 229) der Beitritt zur Sozialdemokratie in Erwägung gezogen worden, ist zweifellos unzutreffend. Naumann hatte schon drei Tage nach der Wahlniederlage in einer Vorstandssitzung für sich persönlich einen Übertritt zur Sozialdemokratie abgelehnt. Auch in dem Schreiben an Brentano vom 3. Juli betonte Naumann, nachdem er erwähnt hatte, daß Maurenbrecher beabsichtige, der Sozialdemokratie beizutreten, und »eine Anzahl hervorragender Mitglieder« von ihm den gleichen Schritt verlange, daß er es »persönlich für ganz unmöglich« halte, »diesen Weg zu gehen, solange die Sozialdemokratie grundsätzlich militärische Forderungen verneint« (Brief an Brentano, a.a.O., Bl. 185). Wie aus zwei Briefen Naumanns an Brentano hervorgeht, fand die von Brentano erwähnte Aussprache zwischen ihm und dem Vorsitzenden des Nationalsozialen Vereins nach Abfassung des Briefes vom 3. Juli statt. Am 9. Aug. 1903 schrieb Naumann an Brentano, daß er gerne am 20. und 21. August nach München kommen möchte (BA, Nachl. Brentano, Nr. 45, S. 183), und am 28. August dankte er Brentano für die Tage bei ihm »u. am See«, die ihm »unvergeßlich« seien (BA, Nachl. Brentano, Nr. 45, S. 177). Die oben zitierten Äußerungen Naumanns zu der Frage eines Eintritts in die Sozialdemokratie lassen sich also nicht so interpretieren, als handle es sich um eine Meinung, zu welcher der Vorsitzende des Nationalsozialen Vereins erst während seines Münchner Aufenthaltes durch die Überzeugungskunst Brentanos gefunden hätte. Wenn es im Brief vom 3. Juli heißt: »Es würde also für mich der von Ihnen befürwortete Weg des Anschlusses an die Freisinnige Vereinigung der nächstliegende sein« (Brief an Brentano, a.a.O., Bl. 185 f.), so darf diese Bemerkung nicht so verstanden werden, als sei dem Schreiben die Unterredung vorausgegangen. Brentano muß Naumann vielmehr den »Anschluß an die Freisinnige Vereinigung« brieflich empfohlen haben. Diese Vermutung wird durch eine andere Stelle in Naumanns Brief vom 3. Juli erhärtet, wo es heißt: »Ihre beiden

Naumann, der gegen die zunächst überwältigende Mehrheit der Vereinsmitglieder das allein realistische Ziel einer Auflösung des Vereins verfolgte und zusammen mit von Gerlach – nur bei zögernder Zustimmung des Vorstandes – den Versuch unternahm, die Nationalsozialen der Freisinnigen Vereinigung zuzuführen, machte sich nach seinen ersten Unterredungen mit freisinnigen Politikern keine Illusionen über die Haltung der Vereinigung zu einer freisinnig-nationalsozialen Fusion. Die ausdrückliche Bereitschaft Barths und Richard Rösickes[13],

freundlichen und teilnahmsvollen Briefe sind mir sehr wert gewesen« (Brief Brentano, a.a.O., Bl. 185). Dies schließt nicht aus, daß auch bei den Gesprächen am Starnberger See die Frage nach der politischen Zukunft Naumanns eine zentrale Rolle spielte.

Daß Brentano Naumann einen Anschluß an die Freisinnige Vereinigung vorgeschlagen hat, steht also außer Zweifel. Ein solcher Vorschlag lag für Brentano nahe, da er zu diesem Zeitpunkt Mitarbeiter an der von Barth herausgegebenen »Nation« war. Auch die Bitte Naumanns an Brentano im Brief vom 3. Juli, dieser möge sich dazu verwenden, in einem Schreiben »an eines der hervorragendsten Mitglieder der freisinnigen Vereinigung« für eine Fusion zu plädieren, verweist auf die engen Kontakte Brentanos zu freisinnigen Politikern. Dennoch entbehrt die Beschreibung Brentanos nicht der Subjektivität, zumal dann, wenn er sich als Initiator der Fusion darzustellen versucht. Der Vorschlag Brentanos konnte nur deshalb bei Naumann Anklang finden, weil dieser von vornherein dafür empfänglich war. Naumanns Bitte an Brentano, sich bei einem führenden Politiker der Freisinnigen Vereinigung für den Gedanken einer nationalsozial-freisinnigen Fusion zu verwenden, wurde im übrigen nicht umsonst ausgesprochen. Unmittelbar nach Eingang des Briefes schrieb Brentano an Barth. Dieser Brief ist zwar nicht erhalten, dafür aber das Antwortschreiben Barths, das vom 10. Juli datiert ist. Der freisinnige Politiker bekennt, daß ihm Brentanos Brief vom 7. Juli »eine wahre Herzerquickung« gewesen sei, und daß er seine Ansichten vollständig teile. Die Frage sei nur, ob eine Möglichkeit bestehe, »die widerstrebenden Elemente mitzureißen«. In dem Briefe Barths heißt es weiter: »Sie dürfen versichert sein, daß, wenn es irgendwie menschenmöglich ist, aus dem toten Gestein noch Funken herauszuholen, die Sache versucht werden soll . . .« (BA, Nachl. Brentano, Nr. 4, Barth an Brentano vom 10. Juli 1903). – Es bleibt noch anzumerken, daß Brentano den in seiner Selbstbiographie enthaltenen Abschnitt über die freisinnig-nationalsoziale Fusion schon 1921, zehn Jahre vor dem Erscheinen seiner Lebenserinnerungen, zu Papier gebracht hat. Die Darstellung der Fusionsbestrebungen in Brentanos Buch entspricht inhaltlich und wörtlich einem Brief Brentanos vom 30. Juni 1921, dessen Empfänger Theodor Heuss war (Der Brief ist enthalten im Nachlaß Heuss). Es handelt sich dabei um ein Antwortschreiben auf die brieflich vorgetragene Bitte Theodor Heuss', ihm für seine geplante Naumann-Biographie noch möglicherweise vorhandene Korrespondenzen mit Naumann zu überlassen. Heuss motivierte seine im Brief vom 28. Juni 1921 enthaltene »kecke Zumutung« mit dem Hinweis, er wisse, wieviel Naumann ihm, Brentano, verdanke (Th. Heuss Archiv, Nachl. Heuss, Heuss an Brentano vom 28. Juni 1921).

[13] Der Brauereibesitzer und Kommerzienrat Richard Rösicke hatte sich zu einer Position gegenüber der »Arbeiterfrage« durchgerungen, die für einen Angehörigen des Besitzbürgertums ungewöhnlich war. Rösicke glaubte – nach seinen eigenen Worten – seinem Vaterland am besten dadurch dienen zu können, daß er »den zwischen Bürgertum und Arbeiterschaft durch die Entwicklung der wirtschaftlichen Verhältnisse einerseits und durch das Wachstum der Sozialdemokratie andererseits hervorgerufenen Zwiespalt« zu mildern versuche, anstatt ihn zu verschärfen. Als »eine der vornehmsten Aufgaben der bürgerlichen Klassen« müsse es erachtet werden, »die Rechte der unbemittelten Schichten der Bevölkerung zu wahren« (Mit diesen Worten umriß Rösicke seine politische Zielsetzung in einer Geburtstagsdepesche vom 29.

eine Fusion herbeizuführen, wurde von den anderen führenden Politikern der Freisinnigen Vereinigung nicht geteilt.

Starke Kräfte in der Freisinnigen Vereinigung, in der – wie schon erwähnt – das Großbürgertum den politischen Ton angab, wehrten sich vielmehr aus interessenpolitischen Gründen gegen einen Zusammenschluß mit dem von sozialpolitisch aufgeschlossenen Vertretern des Bildungs- und Kleinbürgertums geführten Nationalsozialen Verein. Insonderheit der Vorsitzende der Freisinnigen Vereinigung, Karl Schrader, distanzierte sich unmißverständlich von dem Gedanken, sich mit den Nationalsozialen zu fusionieren. In einem Brief an Theodor Barth vom 2. 7. 1903 legte er ausführlich die Gründe dar, die für seine ablehnende Haltung maßgeblich waren[14].

Gegen »eine Verbindung mit den Nationalsozialen« spricht nach Meinung Schraders die Wirkung, die ein derartiger parteipolitischer Schritt in der Öffentlichkeit haben würde. Denn eine Fusion werde man »als eine neue Akzentuierung unserer Gesinnung zur Sozialdemokratie auffassen«[15]. Diese letztere mache aber

April 1903 an seinen Landesherrn, den Herzog von Anhalt; das Glückwunschtelegramm ist enthalten im Nachlaß Rösicke, Nr. 4 (BA). Rösicke war ein entschiedener Gegner der Zuchthausvorlage. Nach dem Göttinger Delegiertentag des Nationalsozialen Vereins im Jahre 1899, auf dem Brentano sein Referat gegen die Vorlage hielt, sprach Rösicke dem Münchener Nationalökonomen seinen Dank für die »trefflichen Worte in Göttingen« aus (BA, Nachl. Brentano, Nr. 51, Rösicke an Brentano vom 8. Okt. 1899). Von Brentano war die Anregung ausgegangen, eine Protestresolution von Unternehmerseite gegen die Zuchthausvorlage abzufassen. Naumann meinte, daß »als Ausgangspunkt dieser Sache« Rösicke »wohl am vorzüglichsten« wäre (BA, Nachl. Brentano, Nr. 45, Naumann an Brentano vom 30. Okt. 1899, Bl. 229). Rösicke wies Brentano aber darauf hin, daß der allgemeine Eindruck *der* sei, daß er, Rösicke, »nicht 10 Unterschriften« unter eine gegen die Zuchthausvorlage gerichtete Petition bekommen werde, wenn er sich »auf gewerbliche und industrielle Arbeitgeber beschränke« (BA, Nachl. Brentano, Nr. 51, Rösicke an Brentano vom 8. Okt. 1899). An einem brieflichen und persönlichen Kontakt zu Eduard Bernstein zeigte sich Rösicke besonders interessiert. Nach der Lektüre der Bernsteinschen Schrift »Zur Literatur der Gewerkschaftsbewegungen in Deutschland« schrieb er an Bernstein, daß dessen Ansichten »über die in Rede stehende Frage« den seinigen »ziemlich nahe« seien. »Ich hoffe«, so betonte Rösicke gegenüber dem revisionistischen Sozialdemokraten, »noch öfter Gelegenheit zu haben, an der Hand Ihrer Schriften oder im persönlichen Verkehr meine Ansichten über soziale Fragen einer Prüfung zu unterziehen, da ich aufrichtig bestrebt bin, mir in diesen Dingen ein objektives Urteil zu erhalten bzw. zu verschaffen ...« (BA, Nachl. Rösicke, Nr. 4, Abschrift des Briefes Rösickes an Bernstein vom 2. Juni 1903). Daß Richard Rösicke neben Barth der einzige führende Politiker der Freisinnigen Vereinigung war, der den Gedanken einer Fusion mit den Nationalsozialen ohne Einschränkung unterstützte, wird durch eine Bemerkung Barths in seinem Brief vom 10. Juli 1903 an Brentano bestätigt: »Der einzige Mann«, so heißt es dort, »der alles mitmachen würde, ist Rösicke, der Kommerzienrat, der unter all den übrigen Kommerzienräten keiner geworden ist« (BA, Nachl. Brentano, Nr. 4, Barth an Brentano vom 10. Juli 1903).

[14] DZA Potsdam, Nachl. Naumann, Aktz. 211, Bl. 1 ff. – Der Adressat des mit »Lieber Freund« betitelten Briefes wird nicht namentlich genannt, läßt sich aber aus dem Inhalt des Briefes erschließen. Schrader schreibt, daß Lübecker Parteifreunde »das lebhafteste Bedauern« darüber geäußert hätten, »daß Sie und ich nicht wieder in den Reichstag gewählt seien« (ebd., Bl. 1). Da von den führenden Politikern der Freisinnigen Vereinigung Karl Schrader und Theodor Barth in ihren Wahlkreisen durchgefallen waren, kann der Brief, der in einem ziemlich vertraulichen Ton abgefaßt ist, nur an Barth gerichtet sein.

»bis jetzt gar keine Anstalten, aus einer ausschließlich rücksichtslosen Arbeiterpartei eine radikale politische Partei zu werden«. Habe man bei dem »vereinigten Vorgehen gegen den Zolltarif« »mit Recht« sagen können, man habe lediglich die eigenen Ziele verfolgt, man sei den eigenen »längst bekannten, von niemanden bezweifelten Grundsätzen« nachgegangen, so liege »ein solcher Grund . . . augenblicklich nicht vor«[16].

Schrader meinte außerdem, daß man bei einer Fusion mit dem Nationalsozialen Verein die »individualistische Richtung gegen eine sozialistische tausche«[17].

»Ich fürchte«, so fährt Schrader fort, »daß wir den Strich zwischen uns und der Gefolgschaft Naumanns nicht deutlich ziehen können und daß uns alles, was der Nationalsozialismus an bösen Dingen hat, aufgepackt werden wird«[18].

Schrader nennt zwei weitere Gründe, die aus seiner Sicht gegen eine Fusion sprechen. Es bestehe »bei einer Anzahl« der Mitglieder der Freisinnigen Vereinigung »eine sehr starke Abneigung gegen die Nationalsozialen«; außerdem erschwere eine Fusion die Beziehungen zur Freisinnigen Volkspartei und zu den »liberal gesinnten Nationalliberalen«[19].

Nach Aufzählung dieser Faktoren komme er nicht umhin, »eine Annäherung an Naumann für unbedingt untunlich zu halten«[20]. Er erkenne zwar an, daß bei Naumann »und bei manchen seiner Leute sich Gesinnungen finden, welche ein Zusammengehen mit ihnen möglich machen kann, aber das kann erst später geschehen, wenn sie sich von ihren anderen Leuten losgelöst haben«[21].

Schrader erscheint es deshalb zweckmäßig, »die nun einmal angesetzte Besprechung in dem engsten Kreise zu halten und von vornherein Naumann zu sagen, daß wir nicht in der Lage seien, einen entscheidenden Schritt zu tun . . .«[22]. Mommsen[23], mit dem er die Angelegenheit durchgesprochen habe, teile seine Bedenken[24].

[15] ebd., Bl. 1 R.
[16] ebd., Bl. 1 R/2.
[17] ebd., Bl. 2 R.
[18] ebd., Bl. 2 R.
[19] ebd., Bl. 2 R f.
[20] ebd., Bl. 3 R.
[21] ebd., Bl. 3 R.
[22] ebd., Bl. 3 R.
[23] Bankdirektor Karl Mommsen, Sohn des Historikers, gehörte der nach den Wahlen auf 9 Mitglieder reduzierten Reichstagsfraktion der Frs. Vereinigung an. Die Dominanz des Großbürgertums in der Frs. Vereinigung beeinflußte auch die Zusammensetzung ihrer Fraktion im Reichstag. Als Repräsentanten des Besitzbürgertums gehörten ihr an: zwei Syndici von Handelskammern, zwei Fabrikbesitzer, ein Bankdirektor und der Vorsitzende des Handelsvertragsvereins; außerdem waren ein Dozent, ein Justizrat und ein Pfarrer Mitglieder der Fraktion.
[24] ebd., Bl. 4. – Der Brief Schraders ist deshalb von einiger Bedeutung, weil er deutlich macht, daß der Personenkreis, von dem die Initiative zur Fusion ausging, bei der Freisinnigen Vereinigung auf Barth und dem sozialpolitisch engagierten Richard Rösicke beschränkt war. Die Feststellung von Theodor Heuss, daß es Schrader gewesen sei, der die Bedenken der freisinnigen Parlamentarier gegen eine Fusion »ausgeräumt« habe (Th. Heuss: Friedrich Naumann, S. 167), trifft nicht zu. – Die 1957 von Gertrud Theodor verfaßte Naumann-Biographie, der die Absicht zugrunde liegt, eine von der Historiographie erdichtete »Naumann-Legende« zu zerstören, weist sich selbst als »Legende« aus. Naumann, der nach Ansicht der Verfasserin sich »in

Nicht nur Karl Schrader versuchte sich einer Fusion mit den Nationalsozialen zu widersetzen, indem er seine Einwände auf brieflichem Wege bei Theodor Barth vortrug; das gleiche gilt auch für den Reichstagsabgeordneten der Vereinigung Georg Gothein. Sein Brief an Barth war datiert vom 3. 7. 1903[25]. Gothein beginnt seinen Brief mit der Nachricht, er habe Naumann, der ihn vor zwei Tagen aufsuchte, »rund heraus erklärt«, daß er es »für unmöglich« halte, »jetzt eine Fusion mit den Nationalsozialen vorzunehmen«[26].

Gothein weist ebenso wie Schrader auf die Abneigung hin, die bei vielen Anhängern der Vereinigung gegenüber einer Fusion bestehe: Durch sie werde man nicht nur »Freunde ... in den Seestädten, sondern auch an vielen anderen Plätzen vor den Kopf stoßen« und dadurch die »besten Geldgeber verlieren«[27].

Das für Gothein entscheidende Hindernis auf dem Wege zu einer Fusion ist das politische Programm der Nationalsozialen. Es enthalte »so unreife, unausgegorene Punkte, wie z. B. die Bodenreformerei« – Naumann sei »von der Torheit

Wirklichkeit ... schon im Jahre 1894 der Politik der Freisinnigen Vereinigung untergeordnet und in ihrem Interesse die ›Hilfe‹ und den Nationalsozialen Verein begründet« habe (G. THEODOR: Friedrich Naumann, S. 45), seitdem von freisinnigen »Hintermännern« und »Auftraggebern« gesteuert worden sei, sei auch während der Fusion, welche in den Augen der Verfasserin »ein sorgfältig vorbereiteter Handstreich« war (ebd., S. 62), nur eine »Handlanger«-Figur gewesen. Jedenfalls liefert ihr nicht die geschichtliche Wirklichkeit die Gründe für die Auflösung des Vereins und die Fusion, wenn sie schreibt: »Die beiden Wahlen, die über das Schicksal des Flottenbaus zu entscheiden hatten, waren vorüber. Die imperialistische Politik hatte sich durchgesetzt, die Vorherrschaft der Monopole war gesichert. Die Freisinnige Vereinigung brauchte diejenigen, die sich innerhalb des Nationalsozialen Vereins für den imperialistischen Weg mit allen seinen Konsequenzen entschieden hatten, nunmehr für sich selber« (ebd., S. 63). Das Verhältnis des Nationalsozialen Vereins zur Freisinnigen Vereinigung bis zum Wahlkampf des Jahres 1903 und der zunächst hartnäckige Widerstand der Vereinigung – einschließlich ihres Vorsitzenden – gegen eine Fusion setzen die Verfasserin ins Unrecht. Von einer Lenkung des Nationalsozialen Vereins durch den Freisinn kann keine Rede sein. Der Vorwurf einer »Legendenbildung« um Naumann wird neuerdings wiederholt von einem Historiker aus der DDR erhoben. Ludwig Elm behauptet, die Legende bestehe im wesentlichen darin, »Naumann als die überragende Gestalt des deutschen Liberalismus der Wilhelminischen Zeit darzustellen, der allein die neuen Erfordernisse – besonders hinsichtlich der Bejahung der imperialistischen Machtpolitik und der Entwicklung geeigneter Methoden zur Spaltung und Unterordnung der Arbeiterklasse und Arbeiterbewegung – als nationales Problem verstanden und zu lösen versucht habe« (L. ELM: Zwischen Fortschritt u. Reaktion, S. 283). Die Legendenbildung spiegle wider »ideologische Bedürfnisse der Monopolbourgeoisie, die nach dem Fiasko mit dem Nationalsozialismus Hitlers einiger Varianten bedurfte und sich auch des Nationalsozialismus Naumanns erinnerte. Dieser enthielt für ihr Anliegen wesentliche Elemente, wie den Antisozialismus, Pseudoliberalismus, soziale Demagogie, Klerikalismus und Konservatismus« (ebd., S. 284).

25 Das Schreiben befindet sich im Nachlaß Theodor Heuss' (Theodor Heuss Archiv). Ebenso wie im Briefe Schraders wird auch in ihm nicht der Adressat genannt. Er läßt sich aber ebenfalls mit Hilfe einer Briefstelle erschließen. Gothein übermittelt dem Adressaten Erholungswünsche für seinen Aufenthalt in Helgoland. Daß sich Theodor Barth zu diesem Zeitpunkt in Helgoland aufhielt, geht aus einem Brief Barths an Brentano vom 10. Juli 1903 hervor (BA, Nachl. Brentano, Nr. 4, Barth an Brentano vom 10. Juli 1903).

26 Theodor Heuss Archiv, Nachl. Heuss, Gothein an Barth vom 3. 7. 1903.

27 ebd.

dieses Programmpunktes durchdrungen« –, so daß man schon deshalb nicht eine Fusion herbeiführen dürfe, ohne sich »schwer zu schädigen«[28]. Gothein sieht nur einen gangbaren Weg, den er auch Naumann geschildert habe: von Gerlach solle Hospitant der Freisinnigen Vereinigung werden, und der Nationalsoziale Verein müsse sich auflösen und seinen Mitgliedern den Beitritt in die lokalen Organisationen des Liberalen Wahlvereins empfehlen. Einen »sofortigen Masseneintritt« von Nationalsozialen in die Freisinnige Vereinigung wünscht Gothein jedoch nicht, da er »diese agitatorisch sehr wertvollen, politisch aber vielfach recht unreifen Elemente nicht als Mehrheit im Wahlverein haben möchte«[29].

Die nationalsozial-freisinnige Konferenz am 11. Juli nahm einen anderen Verlauf, als Naumann erwartet und Schrader und die übrigen führenden Politiker der Freisinnigen Vereinigung – mit Ausnahme von Barth und Rösicke – ursprünglich gewünscht hatten. In einem mit dem Vermerk »streng vertraulich« versehenen Schreiben vom 13. Juli 1903 informierte Karl Schrader die der Freisinnigen Vereinigung zugehörigen Abgeordneten des Reichstages und des Preußischen Abgeordnetenhauses über das Ergebnis der Besprechung, an der von freisinniger Seite Schrader, Barth und Rösicke und als Vertreter der Nationalsozialen Naumann, von Gerlach und Weinhausen teilnahmen. Schrader berichtete, »die Vertreter der nationalsozialen Partei« hätten eine »Vereinigung ihrer Anhänger – oder doch des größten Teiles derselben – mit der Freisinnigen Vereinigung« in der Weise vorgeschlagen, daß »jene in den Wahlverein der Liberalen einträten, nachdem sie vorher ihre Centralorganisation aufgelöst hätten, während die lokalen Organisationen fortbestehen und sich dann als zu dem Wahlverein der Liberalen zugehörig betrachten würden«[30]. Programmatische Erklärungen sollten dabei von beiden Seiten nicht abgegeben werden. »Die Angehörigen der nationalsozialen Partei, welche dem Wahlverein der Liberalen zuträten, würden dies in der Überzeugung tun, daß die von der Freisinnigen Vereinigung befolgte Politik eine solche sei, welcher sie sich anschließen könnten. Die einzige Bedingung, welche gestellt würde, sei die, daß von den Abgeordneten der Freisinnigen Vereinigung, die ausdrückliche Zustimmung zu einer solchen Abmachung gegeben werde«[31].

In dem Bericht Schraders heißt es weiter: »Die Herren Dr. Barth, Rösicke und der Unterzeichnete hielten eine solche Abmachung ihrerseits für zweckmäßig und sagten zu, die Zustimmung der Abgeordneten zu derselben einzuholen«[32].

Die Bereitschaft Karl Schraders, nun doch dem Anschluß der Nationalsozialen zuzustimmen, kann nur so gedeutet werden, daß es Barth und Rösicke gelungen ist, den Vorsitzenden des Wahlvereins der Liberalen zu einer Änderung seiner ursprünglich ablehnenden Haltung zu bewegen. Dabei dürften *die* Argumente den Ausschlag gegeben haben, die Schrader nun seinerseits in dem Bericht an die Abgeordneten der Vereinigung ins Feld führte, um diese für die Zustimmung

[28] ebd.
[29] ebd.
[30] BA, Nachl. Rösicke, Nr. 5, Bericht Schraders an die der Freisinnigen Vereinigung zugehörigen Abgeordneten des Deutschen Reichstages und des Preußischen Abgeordnetenhauses vom 13. Juli 1903.
[31] ebd.
[32] ebd.

zum Anschluß der Nationalsozialen zu gewinnen: Schrader verwies einmal darauf, daß den Nationalsozialen der »Verzicht auf die Selbständigkeit« abverlangt werde. »Eine förmliche Fusion mit Aufstellung eines neuen Parteiprogramms« sei für die Freisinnige Vereinigung »unmöglich« gewesen und deshalb auch »von vornherein abgelehnt« worden[33].

Außerdem spräche für einen Anschluß der Nationalsozialen, »daß die nationalsoziale Partei eine größere Zahl sehr eifriger, überzeugter und tatkräftiger Mitglieder, besonders auch in den akademischen und sonstigen gebildeten Kreisen und in der Jugend« habe und daß sie »eine Anzahl gut organisierter lokaler Vereine« besitze, »welche der Vereinigung eine sehr nützliche Verstärkung ihrer Organisation bringen« würden[34].

Den möglichen Einwand seiner Parteifreunde, der Zutritt der Nationalsozialen könne »Unzuträglichkeiten etwa wegen erheblicher Meinungsverschiedenheiten« mit sich bringen, versuchte Schrader mit dem Hinweis zu entkräften, daß die Nationalsozialen, »besonders ihre Führer«, »durch die praktische Betätigung in der Politik ernüchtert« und zu einer Mitarbeit bei den anstehenden politischen Aufgaben bereit seien.

Wenn Schrader in seinem Brief an Barth vom 3. Juli 1903 noch meinte, daß eine nationalsozial-freisinnige Fusion einen Zusammenschluß der parteipolitisch zersplitterten Liberalen gefährden könne, so wischte er diesen Einwand nun mit der Bemerkung vom Tisch, daß »eine solche Aussicht« (eine Vereinigung von Liberalen unterschiedlicher Parteirichtung) »gar nicht vorhanden« sei[35].

Friedrich Naumann unterrichtete den Vorstand seines Vereins am 20. Juli über die Unterredung mit den freisinnigen Politikern[36], in der diese versichert hätten, daß »alle Parlamentarier« der Vereinigung »ein Schreiben unterzeichnen werden, das den Eintritt« (der Nationalsozialen) »in den ›Wahlverein der Liberalen‹ willkommen heißt«[37]. Außerdem konnte Naumann von einer mündlichen Vereinbarung berichten, wonach er und von Gerlach in der noch im Jahre 1903 abzuhaltenden Generalversammlung des Wahlvereins zu Vorstandsmitgliedern vorgeschlagen werden sollten.

Die Mehrheit des erweiterten nationalsozialen Vorstandes war nach der günstig verlaufenen Verhandlung bereit, Naumann damit zu beauftragen, sich mit einer offiziellen schriftlichen Anfrage zwecks Anschlusses an den Wahlverein der Liberalen an Karl Schrader zu wenden. Diese Anfrage wurde korrekt »im Auftrag der Mehrzahl des Vorstandes des nat.soz. Vereins« an den Vorsitzenden des Wahlvereins der Liberalen gerichtet, da sich zwei Mitglieder des erweiterten Vor-

[33] ebd.

[34] ebd.

[35] ebd.

[36] In einem Brief an Max Weber vom 16. Juli äußerte sich Naumann über die Zukunft des Vereins, ohne jedoch auf die Aussprache mit den freisinnigen Unterhändlern einzugehen. Es heißt nur, er versuche die Überführung zur Freisinnigen Vereinigung; »wenn das nicht gelingt«, so bemerkt Naumann lakonisch, »lasse ich meine Nachfolger machen u. verschwinde, bis sie abgewirtschaftet haben ...« (DZA Potsdam, Nachl. Naumann, Aktz. 106, Bl. 98/98 R).

[37] DZA Potsdam, Nachl. Naumann, Aktz. 53 (Sitzung des erweiterten Vorstandes vom 20. Juli 1903), Bl. 144 R.

standes, nämlich Martin Wenck und Max Maurenbrecher, gegen einen Anschluß aussprachen[38].

In dem an Karl Schrader gerichteten Schreiben wurde einmal betont, daß der Vorstand auf dem bevorstehenden Delegiertentag des Nationalsozialen Vereins den Antrag stellen werde, auf eine eigene Parteitätigkeit zu verzichten, und zum anderen die Frage gestellt, wie sich Schrader und dessen parlamentarisch tätige Parteifreunde zu einem etwaigen Anschluß nationalsozialer Vereinsmitglieder und nationalsozialer Vereine an den Wahlverein der Liberalen stellen würden[39].

In einem Schreiben vom 27. Juli 1903 beantwortete Schrader den Brief Naumanns in positivem Sinne. Der entscheidende Satz, der die Bereitschaft der Freisinnigen Vereinigung zur Aufnahme der Nationalsozialen im Wahlverein dokumentierte, lautete: »Wenn die Mitglieder der nationalsozialen Partei unter Aufgabe ihrer Stellung als selbständige politische Partei sich dem Wahlverein der Liberalen durch Eintritt in denselben anschließen, so sind sie uns als vollberechtigte Mitglieder willkommen«[40]. Dieser Erklärung hätten, so heißt es in dem Schreiben weiter, »1. sämtliche gegenwärtige Mitglieder des Reichstages, 2. sämtliche Mitglieder des preußischen Abgeordnetenhauses der Freisinnigen Vereinigung« mit Ausnahme von zwei Abgeordneten, die sich auf Reisen befänden, zugestimmt[41].

Einem Anschluß der Nationalsozialen an die Freisinnige Vereinigung stand somit von freisinniger Seite offiziell nichts mehr im Wege[42]. Die Entscheidung dar-

[38] ebd., Bl. 145. – Das dritte Vorstandsmitglied, das sich einem Anschluß an die Freisinnige Vereinigung widersetzte, nämlich Adolf Damaschke, war auf der Vorstandssitzung nicht anwesend.

[39] Der genaue Wortlaut des Briefes ließ sich nicht ermitteln. Sein Inhalt ist aber weitgehend aus dem Antwortschreiben Schraders zu erschließen.

[40] Der Brief Schraders wurde abgedruckt in der »Hilfe«, IX. Jg., Nr. 31, 2. August 1903, S. 1 f.

[41] ebd., S. 2. – Der entscheidende Abschnitt des von Karl Schrader unterzeichneten Briefes, die Willkommenserklärung nationalsozialer Mitglieder im Wahlverein der Liberalen, war von Theodor Barth zusammen mit den Parteifreunden Schrader, Rösicke, Brömel, v. Dove und Mommsen schon am 12. Juli, einen Tag nach der nationalsozial-freisinnigen Konferenz, formuliert, »einstimmig« genehmigt und den übrigen Abgeordneten der Vereinigung zur Annahme empfohlen worden. (Nach dem Bericht Schraders an die Abgeordneten der Freisinnigen Vereinigung, a.a.O., S. 2).
Der von Barth niedergeschriebene Entwurf der Willkommenserklärung befindet sich im Nachlaß Naumanns (Aktz. 143, Nichtnumeriertes Blatt zwischen Bl. 71 u. 72). Man wollte, wie aus dem Briefentwurf hervorgeht, den Eintritt der Nationalsozialen in den Wahlverein der Liberalen zunächst von deren »Anerkennung der Grundsätze, die in dem letzten Wahlaufruf der Freisinnigen Vereinigung niedergelegt sind«, abhängig machen. Barth strich diesen Satz aber im Entwurf, sicherlich um den Nationalsozialen den Anschluß nicht unnötig zu erschweren. Der Satz fehlte auch in dem Schreiben Schraders.

[42] Daß es in der Vereinigung auch weiterhin Kräfte gab, die den Übertritt der Nationalsozialen zum Wahlverein der Liberalen zu hintertreiben suchten, lassen Äußerungen Barths in Briefen an Brentano erkennen. Am 3. August schrieb Barth mit ironischem Unterton, daß »natürlich ... alle fortschrittlichen Parteikläpper mobilgemacht« seien, »um diesen Anschluß nach Möglichkeit zu erschweren« (BA, Nachl. Brentano, Nr. 4, Barth an Brentano vom 3. Aug. 1903). In einem acht Tage später geschriebenen Brief hieß es, daß »die politischen Philister und Perückenstöcke ... der Fusion sehr unwirsch gegenüber(stehen)« (BA, Nachl. Brentano, Nr. 4, Barth an Brentano vom 11. Aug. 1903). Vor allem der unerwartete Tod Richard Rösickes am 21. Juli

über, ob der Nationalsoziale Verein aufgelöst und seinen Mitgliedern der Anschluß an die Freisinnige Vereinigung empfohlen werden sollte, lag nun beim nationalsozialen Vertretertag, der für den 29. und 30. August nach Göttingen einberufen wurde.

Die große Unbekannte in dem von Naumann und Barth initiierten Projekt eines freisinnig-nationalsozialen Zusammenschlusses war die Intensität des Widerstandes innerhalb des Nationalsozialen Vereins. Daß dieser in der ersten Zeit nach der Wahlniederlage nicht gering zu veranschlagen war, hatten nicht nur die Meinungsäußerungen vieler Vereinsfreunde gezeigt, die teilweise in der »Hilfe« unter dem Titel »Unsere Zukunft« veröffentlicht wurden, sondern auch die Stellungnahmen von Lokal- und Landesvereinen. An der Spitze jener Gruppe im Verein, die sich entschieden gegen einen Anschluß an die Freisinnige Vereinigung, d. h. an eine Partei des *bürgerlichen* Liberalismus, wandte, standen Martin Wenck, Adolf Damaschke und Max Maurenbrecher.

Dennoch war nicht zu verkennen, daß die anfängliche, meistens emotionale Ablehnung der von Naumann nach der Wahlniederlage geforderten Konsequenzen bei vielen Vereinsmitgliedern der Einsicht in die Unvermeidlichkeit einer Auflösung des Vereins gewichen war; nicht nur, weil Naumann seine weitere Führung ablehnte und keiner der führenden Nationalsozialen bereit war, an seine Stelle zu treten, sondern auch deshalb, weil sich die Erkenntnis mehr und mehr durchsetzte, daß die nahezu siebenjährige aufopferungsvolle Vereinsarbeit keine Früchte getragen hatte.

Angesichts dieser sich deutlich abzeichnenden Tendenz eines Meinungswandels bei einer nicht unerheblichen Zahl von Vereinsmitgliedern kam es zwischen Wenck und Naumann noch vor dem Vertretertag zur Aushandlung eines Kompromißantrags, der den nationalsozialen Delegierten zur Annahme vorgelegt wurde. Sein Text lautete: »Die bisherige Organisation des nationalsozialen Hauptvereins wird aufgehoben und der bisherige Vorstand beauftragt, bis zum 31. Dezember die Erledigung der vorhandenen Geschäfte zu besorgen. Die Fortdauer und der politische Anschluß unserer Orts- und Landesvereine hängt von deren eigener Entschließung ab«[43].

Der Kompromißcharakter des Antrages, der inhaltlich weitgehend der Vereinbarung mit den Unterhändlern der Freisinnigen Vereinigung entsprach, ist deutlich: Die Auflösung des Hauptvereins sollte nicht von einer Auflösung der Lokal- und Landesvereine begleitet sein. Diesen und den Einzelmitgliedern des Hauptvereins, den man aufzulösen empfahl, stand es frei, ihre Anmeldung beim Wahlverein der Liberalen vorzunehmen.

Der Kompromißantrag wurde vom letzten nationalsozialen Delegiertentag einstimmig angenommen[44]. Die Existenz des nationalsozialen Hauptvereins war durch diesen Beschluß ausgelöscht. Nach dieser Entscheidung entschlossen sich

schien den Gegnern der Fusion noch einmal Auftrieb zu geben. Es sei »ein schändliches Unglück«, meinte Barth im Brief an Brentano vom 3. August, »daß Rösicke uns so zur Unzeit entrissen ist«. Die Zurückgebliebenen müßten jetzt mit um so größerem Nachdruck für die verständigen Ideen eintreten (Barth an Brentano vom 3. Aug. 1903, a.a.O.).

[43] Protokoll, Vertretertag Göttingen, 1903, S. 30.

[44] ebd., S. 54.

111 Delegierte des Vertretertages, dem Wahlverein der Liberalen beizutreten. Neben Naumann gehörten dieser Delegiertengruppe von den führenden Nationalsozialen u. a. von Gerlach, Sohm und der Verlagsbuchhändler Ruprecht an. Karl Schrader übersandte den 111 beitrittswilligen Delegierten, nachdem diese ihn von ihrer Entscheidung in Kenntnis gesetzt hatten, ein Begrüßungstelegramm[45].

Eine Gruppe von ungefähr 40 bis 50 Delegierten empfahl in einer Erklärung den nationalsozialen Lokal- und Landesorganisationen, ihre Selbständigkeit zu wahren und »untereinander eine enge Fühlung zu suchen«[46]. Eine kleine Zahl von Delegierten war bereit, sich zusammen mit Max Maurenbrecher der Sozialdemokratie anzuschließen. Martin Wenck und Adolf Damaschke zogen sich von der parteipolitischen Tätigkeit zurück; Wenck widmete sich ausschließlich seiner journalistischen Arbeit, Damaschke wirkte fortan nur noch für die Bodenreformbewegung[47].

Die nahezu einmütige Front der nationalsozialen Orts- und Landesvereine gegen eine Auflösung des Vereins und gegen einen Anschluß an die Freisinnige Vereinigung, die sich unmittelbar nach der Wahlniederlage formiert hatte, verlor sehr schnell an Konsistenz. Bis zum Göttinger Delegiertentag hatten bereits mehrere Vereine ihre Bereitwilligkeit zur Fusion bekundet. So traten die Ortsvereine Berlin, Dortmund und Dresden und der Landesverein Württemberg schon vor dem Vertretertag für eine Verschmelzung mit der Freisinnigen Vereinigung ein.

Nach Annahme der Kompromißresolution in Göttingen stand den Lokal- und Landesvereinen einer Anmeldung beim Wahlverein der Liberalen nichts mehr im Wege. Der Beitritt zum Wahlverein vollzog sich in den meisten Fällen in korporativer Form; nur selten wurde ein Ortsverein aufgelöst und seinen Mitgliedern der Anschluß an die Freisinnige Vereinigung anheimgestellt. Die Vereine behielten nach der Anmeldung beim Wahlverein der Liberalen in der Regel ihren Namen. Erst nach einiger Zeit wurde eine Umbenennung vorgenommen[48].

Die Generalversammlung des Wahlvereins der Liberalen am 10. Oktober 1903 in Berlin bestand nach Schätzung der »Hilfe« bereits zu $^1/_4$ aus nationalsozialen Teilnehmern[49]. Die dort erfolgte Wahl Naumanns und von Gerlachs in den Vor-

[45] In dem Telegramm spricht Schrader davon, daß man in Zukunft »in einmütigem eifrigen Zusammenwirken den Einfluß des Liberalismus stärken, die Schaffung ... sozial fortschrittlicher Gesetze und Maßnahmen fördern und dadurch Deutschlands Größe und inneren Frieden dienen« werde (DZA Potsdam, Nachl. Naumann, Aktz. 143, Bl. 74 R).

[46] »Hilfe«, IX. Jg., Nr. 42, 18. Oktober 1903, S. 5.

[47] Naumann war über das Ergebnis des Göttinger Delegiertentages befriedigt. An Brentano schrieb er am 7. September: »... Über Göttingen denke ich wie Sie: es ist so gut gegangen, als eben möglich war ...« (BA, Nachl. Brentano, Nr. 45, Bl. 175, Naumann an Brentano vom 7. Sept. 1903). – An dem letzten Vertretertag des Nationalsozialen Vereins nahmen als Delegierte auch Theodor Heuss, Rudolf Breitscheid, der nach Auflösung des Vereins in die Sozialdemokratische Partei eintrat, und der spätere liberale Politiker Otto Nuschke teil.

[48] Der Dortmunder Verein behielt z. B. bis zum Jahre 1905 seinen bisherigen Namen; erst dann wurde er in »Sozialliberaler Wahlverein« umbenannt.

[49] »Hilfe«, IX. Jg., Nr. 42, 18. Oktober 1903, S. 5.

stand des Wahlvereins der Liberalen schien ein ermutigendes Zeichen für die reibungslose Integration der Nationalsozialen in die Freisinnige Vereinigung zu sein[50].

Schon am 1. November konnte die »Hilfe« melden, daß »den Anschluß an den Wahlverein der Liberalen ... die allermeisten größeren Vereine numehr vollzogen« haben[51]. Bis auf zwei Ausnahmen hatten sich bis zum Ende des Jahres die nationalsozialen Landesvereine der Freisinnigen Vereinigung angeschlossen. Die zuerst gegründete nationalsoziale Landesorganisation, der Landesverein für die Provinz Hessen-Nassau und das Großherzogtum Hessen, nahm eine Anmeldung beim Wahlverein der Liberalen nicht vor. Vielmehr beschloß eine Versammlung von hessischen Nationalsozialen am 15. November in Frankfurt, eine Neukonstituierung der hessischen Landesorganisation vorzunehmen[52]. Der Landesverein für das Königreich Sachsen beschloß auf einer Generalversammlung am 6. Dezember, als korporatives Mitglied dem Bund Deutscher Bodenreformer beizutreten[53].

Zusammenfassend läßt sich feststellen, daß die Initiatoren und Wegbereiter der freisinnig-nationalsozialen »Fusion« Friedrich Naumann und Theodor Barth gewesen sind. Um den Weg zum Zusammenschluß zu ebnen, fiel ihnen die Aufgabe zu, die erheblichen Widerstände in den Reihen ihrer politischen Anhänger zu überwinden[54].

Während der anfängliche Widerstand der Nationalsozialen gegen eine Auflösung des Vereins vor allem emotional bedingt war, widersetzten sich einflußreiche Politiker der großbürgerlichen Freisinnigen Vereinigung aus interessenpolitischen Gründen einem Zusammenschluß mit dem durch sozialpolitisch engagierte Vertreter des Klein- und Bildungsbürgertums beherrschten Nationalsozialen Verein. War man in handels- und militärpolitischen Fragen weitgehend einer Meinung, so wurde die sozialpolitische Aktivität der Nationalsozialen von den Freisinnigen nicht geteilt. Lediglich Theodor Barth und Richard Rösicke hatten

[50] Barth schrieb bereits am 8. September an Brentano, die nächste Generalversammlung des Wahlvereins der Liberalen müsse durch ihren ganzen Verlauf demonstrieren, daß es sich bei dem Eintritt der Nationalsozialen in die Vereinigung nicht um eine »äußere Angliederung«, sondern um eine »wirkliche Verschmelzung« handle. Man müsse deshalb auch »die Verhandlungen auf dieser Generalversammlung über das landesübliche Gerede bei derartigen Parteitagen hinauszuheben versuchen« (BA, Nachl. Brentano, Nr. 4, Barth an Brentano vom 8. Sept. 1903). Er betrachte »die Transfusion nationalsozialen Blutes« in den »freisinnigen Körper« als einen »Regenerationsprozeß«, dessen »volle Konsequenzen« man »baldmöglichst« ziehen müsse (ebd.).

[51] »Hilfe«, IX. Jg., Nr. 44, 1. November 1903, S. 6.

[52] »Hilfe«, IX. Jg., Nr. 48, 29. November 1903, S. 2.

[53] »Hilfe«, IX. Jg., Nr. 51, 20. Dezember 1903, S. 6.

[54] Joachim Gauger hat das Faktum des Widerstandes vieler Nationalsozialer gegen eine Auflösung des Vereins und des Anschlusses an die Freisinnige Vereinigung dazu benutzt, um eine Art »Dolchstoßlegende« zu konstruieren. Er spricht angesichts der Bemühungen Naumanns um eine Auflösung des Vereins von einem »Dolchstoß« in den Rücken der Nationalsozialen (J. GAUGER: Gesch. d. Nationalsozialen Vereins, S. 59). Wie abwegig diese Behauptung ist, braucht kaum betont zu werden. Daß Naumann – im Gegensatz zur Mehrheit der Nationalsozialen – sofort die einzig richtige Konsequenz aus der eindeutigen Wahlniederlage des Vereins zog, spricht für Naumanns politische Einsicht und gegen die seiner Vereinsfreunde.

sich zu einer sozialpolitischen Position durchgerungen, die sich mit der nationalsozialen deckte. Theodor Barth gewann die Einsicht in die Notwendigkeit einer aktiven Sozialpolitik zur Zeit des Kampfes um die Handelsverträge in den Jahren 1899 bis 1902. Während seine Parteifreunde die zeitliche Prolongierung der Handelsverträge durchweg aus interessenpolitischen Gründen befürworteten, sah Barth darüber hinaus in der freien Entfaltung von Industrie und Handel eine Voraussetzung für die Verbesserung des Lebensstandards breiter Bevölkerungskreise.

Da Naumann und Barth über ein großes Maß an Autorität verfügten, gelang es ihnen, ihr persönliches »Bündnis« zu einer freisinnig-nationalsozialen »Fusion« auszuweiten[55].

Die Bezeichnung »Fusion« ist indes für die Verschmelzung beider politischen Gruppen nur mit Vorbehalt zu verwenden. Der freisinnig-nationalsoziale Zusammenschluß war keine Fusion in des Wortes eigentlicher Bedeutung. Es war keine Vereinigung zweier politischer Gruppen, bei der die beiden sich fusionierenden Einheiten sich aufgrund gegenseitiger Konzessionen – durch Aushandlung eines Kompromißprogramms und eines neuen Parteinamens – zu einem Zusammenschluß bereitfanden; vielmehr war die freisinnig-nationalsoziale »Fusion« nichts weiter als der Anschluß von Mitgliedern sowie von Lokal- und Landesorganisationen einer aufgelösten politischen Partei an eine bestehende. Das einzige konkrete Zugeständnis, das den Nationalsozialen von der Partei des bürgerlichen Liberalismus gemacht wurde, war die Zusicherung, Naumann und von Gerlach in den 15köpfigen Vorstand der Partei zu wählen. Die Tatsache, daß man auch diese Konzession wenige Monate später – nachdem bereits die Wahl Naumanns und von Gerlachs in den Vorstand erfolgt war – teilweise rückgängig machen wollte[56], beweist, daß sich der Assimilierungsprozeß zwischen Nationalsozialen und Freisinnigen bedeutend schwieriger gestaltete, als Barth und Naumann vermutet hatten.

[55] Es wurde zu zeigen versucht, daß Barth – im Bunde mit Rösicke – seine Parteifreunde schrittweise für den Zusammenschluß gewann. Zunächst vermochte er den Vorsitzenden der Vereinigung, Schrader, der an der wichtigen nationalsozial-freisinnigen Unterredung am 11. Juli teilnahm, zu einer Revision seiner ablehnenden Haltung zu bewegen; danach stimmten Brömel, v. Dove und Mommsen der Vereinigung zu; zuletzt gaben die dem Reichstag und dem Preußischen Abgeordnetenhaus angehörenden Abgeordneten der Freisinnigen Vereinigung ihre Zustimmung zum Zusammenschluß.

[56] Schon im Februar 1904 kam es zu einer ernsthaften Parteikrise, da Angehörige der Fraktion der Freisinnigen Vereinigung im Preußischen Abgeordnetenhaus darauf drängten, daß eines der beiden »nationalsozialen« Vorstandsmitglieder zurücktreten solle. Naumann schrieb am 18. Febr. 1904 an Schrader, er stehe auf dem Standpunkt, daß Opfer gebracht werden müßten, »um die Einheit der Partei zu erhalten« (DZA Potsdam, Nachl. Naumann, Aktz. 143, Bl. 41). Naumann fuhr fort: »Die Sache liegt, nationalsozial angesehen, so: Unser Eintritt geschah unter der Voraussetzung, daß ich u. v. Gerlach in den Ausschuß eintraten. Jetzt wird von der anderen Seite dieser Teil des Vertrages als lästig empfunden ... In diese Tatsache werden wir uns fügen, weil wir die Schwächeren sind u. uns nichts anderes übrig bleibt, wenn wir die Einheit der Partei erhalten wollen ... Was die Herren ... bewegen kann, von uns die Ausschaltung einer Person zu verlangen, ist doch, uns öffentlich ihre größere Kraft zu dokumentieren. Nur so wird die Öffentlichkeit den Vorgang auffassen« (ebd., Bl. 41/41 R).

III. Zusammenfassung — Ausblick

Die Gründung des Nationalsozialen Vereins, die in organisatorischer Hinsicht einem festen Zusammenschluß der bisherigen »jüngeren« Christlichsozialen gleichkam, sollte nach den Vorstellungen Paul Göhres und Friedrich Naumanns ein erster konkreter Schritt zur Schaffung einer nichtmarxistischen, nationalen Arbeiterpartei sein.

Hatte man noch durchaus vage Vorstellungen über die Erreichung dieses Zieles – man war sich im unklaren darüber, ob dem Verein primär die Funktion eines Katalysators für den langsam beginnenden Prozeß des Umdenkens in der Sozialdemokratie zukommen oder ob er eine direkte Konkurrenzpartei der Sozialdemokratie werden sollte –, so war die Konformität des politischen Wollens bei Naumann, Göhre, von Gerlach und der Mehrzahl der Nationalsozialen in der Bewußtseinshaltung verbürgt, daß nur durch eine nationale »Partei der Arbeit« die soziale und politische Isolierung des Arbeiterstandes überwunden werden könne.

Die praktische Politik des Vereins, die im ersten Jahr nach seiner Konstituierung von dieser Grundüberzeugung getragen war, rief den Widerspruch und auch den wachsenden Widerstand des erstarkenden »konservativen« Vereinsflügels hervor, der unter der geistigen Ägide Rudolf Sohms stand und durch ihn, allerdings vergeblich, auf die Entscheidungen des Vorstandes Einfluß zu nehmen versuchte.

Doch schon der Erfurter Delegiertentag von 1897 bedeutete eine Wegmarke in der Geschichte des Vereins, da auf ihm unter der Pression der Gruppe um Sohm die »proletarische« Interessenausrichtung des Vereins zugunsten einer interessenpolitisch neutralen Stellung zwischen Arbeiterschaft und Bürgertum aufgeopfert wurde.

Die Preisgabe des proletarischen Interessenstandpunktes stand in ursächlichem Zusammenhang mit der spezifischen Mitgliederstruktur des Vereins; er war ein soziales Kompositum aus Angehörigen des Bildungs- und Kleinbürgertums und nur wenigen Vertretern gehobener Arbeiterschichten. Die interessenpolitische Zwitterstellung des Vereins, seine bürgerliche Mitgliederstruktur und seine hypertrophe nationalistische und weltmachtpolitische Propaganda hatten zur Folge, daß eine Bindung von Wählern aus Arbeiterkreisen an den Verein bei den Reichstagswahlen des Jahres 1898 ausblieb.

Das Fehlen einer eindeutigen interessenpolitischen Ausrichtung des Vereins wurde von Naumann durch die politische Theorie einer die Arbeiterschaft und das Bürgertum umfassenden gesamtliberalen Bewegung zu ersetzen versucht. Mit dieser *ideologischen* Überformung des *gesellschaftlichen* Gegensatzes von Arbeiterschaft und Bürgertum war gleichzeitig auch der Versuch verbunden, eine spezifische soziale *Interessen*lagerung der gesamtliberalen Bewegung nachzuweisen.

Naumann meinte, daß der gesellschaftliche Antagonismus von Arbeiterschaft und Bürgertum durch die fundamentale interessenpolitische Antinomie von Industrialismus und Agrariertum weitgehend an Bedeutung verliere. Da die Arbeiterschaft und das Bürgertum als Konsumentenschichten der fortschreitenden Industrialisierung ein gemeinsames Interesse entgegenbringen mußten, weil nur so – infolge des Abbaus der Schutzzollmauern und der Öffnung zum Weltmarkt – die Lebenshaltungskosten erheblich zu senken seien, sahen die Nationalsozialen in einem industrialistisch ausgerichteten Gesamtliberalismus nicht nur eine ideelle, sondern auch eine interessenpolitische Klammer zwischen Arbeiterschaft und Bürgertum.

Darüber hinaus meinte man, auch die Bauernschaft müsse an einer konsumkräftigen »industriellen Bevölkerung« interessiert sein, da so am ehesten der Absatz landwirtschaftlicher Produkte gewährleistet sei. Nur gegen die politische Hegemonie der zahlenmäßig eng begrenzten Schicht der Großagrarier, die einen erbitterten Widerstand gegen den Abbau der Agrarzölle leistete, richtete sich die Politik eines industrialistisch orientierten Gesamtliberalismus.

Diese Politik lief letztlich auf den Versuch hinaus, die im Kaiserreich existente gesellschaftliche Dreigliederung in Arbeiterschaft, Bürgertum und Junkertum auf den Antagonismus Arbeiterschaft/Bürgertum einerseits und großagrarisches Junkertum andererseits zu reduzieren.

Die Frage nach der Ursache für das Scheitern der nationalsozialen Politik, das mit der Wahlniederlage im Jahre 1903 offenbar wurde, kann nur dann eine befriedigende Antwort finden, wenn man die sozial-ideologische Zielsetzung des Vereins an den gesellschaftlichen Realitäten im Kaiserreich mißt. Alle anderen bisher unternommenen Versuche, die politische Erfolglosigkeit des Vereins zu deuten – so hat man auf die schmale finanzielle Basis des Vereins, seine angeblichen organisatorischen Mängel und auf das Fehlen einer überregionalen Tagespresse verwiesen –, sind entweder unzureichend oder falsch.

Die nationalsoziale Konzeption einer gesamtliberalen proletarisch-bürgerlichen Linken, als deren Protagonist sich der Verein seit dem Delegiertentag des Jahres 1901 betrachtete, war zweifellos eine ernsthafte Alternative nicht nur für den in sich gespaltenen bürgerlichen Liberalismus, dessen nationaler Flügel politischen Einfluß nur im Schlepptau des Junkertums zu gewinnen vermochte und dessen doktrinär-verfassungsrechtlicher Flügel unter Eugen Richter sich in einem Prozeß parteipolitischer Petrifizierung jeder realen politischen Einflußmöglichkeit beraubt hatte, sondern auch für das vom gegenseitigen Mißtrauen geprägte Verhältnis zwischen politischem Liberalismus und Sozialdemokratie. Eine parlamentarische Zusammenarbeit zwischen Liberalen und Sozialdemokraten hätte eine Phase der Parlamentarisierung und Demokratisierung einleiten können.

Dennoch mußte bei aller Überzeugungskraft, die diesem Konzept innewohnte, seine Realisierung in Anbetracht der tatsächlichen gesellschaftlichen Verhältnisse um die Jahrhundertwende zum Scheitern verurteilt sein. Ihm standen nicht nur die ausgeprägte ideelle und soziologische Scheidung des Liberalismus und dessen klare Frontstellung zur Arbeiterschaft entgegen, sondern auch die offizielle Dogmatik der Sozialdemokratie, die gerade in dem Jahr, in welchem der nationalsoziale Versuch scheiterte, einen Sieg über den Bernsteinschen Revisionismus errang.

Schließlich war der entscheidende Grund für die Erfolglosigkeit des Nationalsozialen Vereins und seines gesamtliberalen Konzepts das illusionistische Unterfangen, die Arbeiterschaft und das Bürgertum *gleichermaßen* an *eine* politische Gruppe zu binden[1]. Die gegenseitige Entfremdung beider sozialer Klassen war durch die historische Entwicklung in einem solchen Maße ausgeprägt, daß sie nicht binnen weniger Jahre überwunden werden konnte.

Die Gewinnung bürgerlicher und »proletarischer« Wähler für eine nationalsoziale Politik, wozu Voraussetzung war, daß im Bürgertum das Verständnis für eine aktive Sozialpolitik und in der Arbeiterschaft für eine nationale Machtpolitik geweckt wurde, ließ sich nicht kurzfristig erreichen, auch nicht, nachdem man seit dem Jahre 1901 dieses Ziel mit Hilfe der gesamtliberalen Ideologie verfolgte.

Das ohne Zweifel zukunftsträchtige Ziel einer gesellschaftlichen und politischen Annäherung von drittem und viertem Stand mußte um die Jahrhundertwende sowohl das Mißtrauen der klassenbewußten Arbeiterschaft als auch des Bürgertums erwecken, das sich in seiner weit überwiegenden Mehrheit allen sozialpolitischen Bestrebungen versperrte.

Wenn Friedrich Naumann für die Wahlniederlage von 1903 den Trend der proletarischen Wählerschichten zur sozialdemokratischen Massenorganisation verantwortlich machte, so hatte er bei dieser Interpretation des eigenen Mißerfolges versäumt, der Ursache für die von ihm erkannte Tendenz nachzugehen. Diese war in der tiefverwurzelten Überzeugung der Arbeiterschaft zu suchen, daß nur eine von den proletarischen Massen getragene *Klassen*partei imstande sei, ihre Interessen erfolgreich zu vertreten.

Eine Annäherung zwischen sozialistischer Arbeiterbewegung und bürgerlichem Liberalismus konnte kaum wirksam gefördert werden, indem man – wie es die Nationalsozialen anstrebten – von einer klassenpolitisch neutralen Position aus beiden politischen Lagern in gleicher Weise gerecht zu werden versuchte. Die Ansätze zu einem Brückenschlag mußten vielmehr von diesen selbst ausgehen. Wurde auf sozialdemokratischer Seite der Revisionismus Bernsteins jene poli-

[1] Im Jahre 1904 schrieb Naumann in den »Süddeutschen Monatsheften« einen Aufsatz mit dem Titel »Die Illusion in der Politik«. Es geschah sicher nicht von ungefähr, daß sich der ehemalige Vorsitzende des Nationalsozialen Vereins zu diesem Zeitpunkt mit einem solchen Thema beschäftigte. Angesichts der schwachen Resonanz, die der nationalsoziale Gedanke gefunden hatte, lag es nahe, sich grundsätzlich mit dem Verhältnis von politischer Idee und politischer Wirklichkeit zu beschäftigen. Ohne auf die nationalsoziale Idee konkret Bezug zu nehmen, legte Naumann in dem Aufsatz ein Bekenntnis zur politischen Illusion ab, die sich vom »Idealismus« dadurch unterscheide, daß sie »das Zugeständnis von der Relativität alles Erhofften und Erdachten« in sich berge (Friedrich NAUMANN: Die Illusion in der Politik. Süddeutsche Monatshefte, 1. Jg., Heft 3, S. 188 (1904)). »Wir danken den Illusionen vieles«, so meinte Naumann, »was die nüchterne Wahrheit nie erreicht haben würde, und freuen uns, daß es in der Vergangenheit Utopisten gegeben hat, ja, wir fühlen, daß es immer welche geben muß, wenn man Fortschritt haben will« (ebd., S. 186). Die Sozialdemokratie bezeichnet er als »grenzenlose Illusion«, aber jede große Illusion wolle »ihren natürlichen Gang gehen«, sie wolle »langsam verblassen, indem sie Wirkungen schafft« (ebd., S. 189). Naumann konzediert, daß auch das Wort »Weltpolitik« »nicht ohne Illusion« sei. Es möge »Übertreibungen in sich bergen«, ja es müsse sie in sich enthalten, denn es sei »Pflicht, neue Gedanken größer zu denken, als die Geschichte sie später herausarbeiten« werde (ebd., S. 188).

tisch-ideelle Strömung, die das Bürgertum nicht mehr ausschließlich unter dem Gesichtspunkt des Klassengegners betrachtete und die ihre Bereitschaft zu einer Kooperation mit fortschrittlichen bürgerlichen Kräften bekundete, so war es auf der anderen Seite der »liberale Revisionismus« Theodor Barths, der wahltaktische Absprachen und eine parlamentarische Zusammenarbeit mit der Sozialdemokratie für geboten hielt. Sozialdemokratischer und liberaler Revisionismus arbeiteten somit aufeinander zu, indem sie jeweils in ihrem eigenen parteipolitischen Bereich die Voraussetzungen für eine Annäherung zwischen sozialistischer und liberaler Bewegung schufen.

Es wurde darzustellen versucht, daß die proletarische Interessenausrichtung des Vereins schon nach dem ersten Vereinsjahr zugunsten einer klassenpolitisch neutralen Stellung zwischen Bürgertum und Arbeiterschaft aufgegeben wurde, was jedoch nicht ausschloß, daß der Verein auch in Zukunft eine arbeiterfreundliche soziale Reformpolitik verfolgte. Die Preisgabe des ursprünglichen proletarischen Interessenstandpunktes hatte ihre Ursache in den divergierenden gesellschaftspolitischen Vorstellungen führender Nationalsozialer.

Neben Friedrich Naumann waren es vor allem vier Nationalsoziale, die bestrebt waren, den Verein zum Experimentierfeld ihrer gesellschaftspolitischen Vorstellungen zu machen, nämlich Max Weber, Paul Göhre, Rudolf Sohm und Adolf Damaschke.

Max Weber kommt insofern eine Sonderstellung zu, als er nur auf der Gründungsversammlung des Vereins in Erscheinung trat. Seine Idee von einer sich gegenüber der Arbeiterbewegung deutlich abgrenzenden liberalen bürgerlichen Klassenpartei beruhte auf soziologischen Einsichten und stand in deutlichem Widerspruch zu Naumanns später entwickelter Theorie des proletarisch-bürgerlichen Gesamtliberalismus. Gemeinsam war Webers bourgeoisem Interessenstandpunkt und Naumanns gesamtliberalem Konzept aber die konsequente Frontstellung zum großagrarischen Junkertum. Gleichzeitig verband Naumann und Weber die ablehnende Haltung gegenüber jenem Teil des nationalliberalen Bürgertums, der aus Gründen der Opportunität die gesellschaftliche Verbindung und die politische Liierung mit den adligen Großagrariern gesucht hatte. Einig war man sich auch bei der Zurückweisung des Linksliberalismus Richterscher Provenienz, der sich einem machtpolitischen Denken kategorisch verschloß.

Webers Vorstellung von einer klassenbewußten, sich von allen »sozialistischen Veillitäten« distanzierenden bürgerlichen Partei blieb lediglich ein Denkmodell; die Politik des Nationalsozialen Vereins wurde durch sie nicht beeinflußt.

Paul Göhre, der analog zu Max Weber von dem gesellschaftlichen Gegensatz zwischen Arbeiterschaft und Bürgertum ausging, daraus aber – aufgrund seines »proletarischen Standpunktes« – die Notwendigkeit einer dem Gedanken der sozialen Reform verpflichteten Arbeiterpartei ableitete, hat – zusammen mit Naumann – die Politik des Vereins im ersten Jahr seiner Existenz weitgehend bestimmt. Die Frage, ob der Verein bei Fortsetzung einer ausschließlich den Interessen der Arbeiterschaft dienenden Politik über das Jahr 1897 hinaus eine reelle Chance gehabt hätte, Teile des sozialdemokratischen Wählerreservoirs im nationalsozialen Sinne zu beeinflussen, muß offenbleiben.

Rudolf Sohm, dem eine konservativ-nationale Grundhaltung eigen war, hatte Erfolg bei seinem Bemühen, den Verein von seinem eingeschlagenen Linkskurs abzudrängen; sein Versuch, den Verein konservativ auszurichten, schlug aber fehl.

Adolf Damaschke, der nach dem Austritt Göhres 2. Vorsitzender des Vereins bis zu dessen Auflösung war, gelang es, dem von ihm vertretenen proagrarischen und antiliberalen bodenreformerischen Sozialreformismus in einige Spezialprogramme Eingang zu verschaffen; die industrialistisch-gesamtliberale Ausrichtung des Vereins vermochte er aber nicht zu verhindern.

Die Heterogenität der politischen Standpunkte innerhalb des Vereins, die dessen Fortbestand in den Jahren 1897/98 ernstlich gefährdete, wirft die Frage auf, wie es gelingen konnte, den organisatorischen Zusammenhalt zu sichern und eine gemeinsame programmatische Plattform zu finden. War der Zusammenhalt in der Person des Vereinsvorsitzenden verbürgt, so daß dem Verein etwa der Charakter einer Personalgefolgschaft Naumanns zukam?

Gerade die Mannigfaltigkeit der sich im Verein artikulierenden Meinungen läßt alles andere als eine Deutung des Vereins als Personalgefolgschaft in *dem* Sinne zu, daß Naumann dessen unangefochtener ideologischer Wegbereiter und Führer war. Andererseits sind aber die Umstände, die zur Auflösung des Vereins führten, das beste Indiz dafür, daß ein Nationalsozialer Verein ohne Friedrich Naumann nicht denkbar gewesen wäre. Naumanns Empfehlung, den Verein aufzulösen, wurde u. a. deshalb entsprochen, da niemand das nötige Selbstvertrauen noch das Vertrauen seiner Vereinsfreunde besaß, um an die Stelle Naumanns zu treten.

Der offene Austrag politischer Gegensätze in den Vorstandssitzungen und auf den Delegiertentagen, der von Naumann ausdrücklich gebilligt wurde, beweist, daß der Verein in keiner Weise durch seinen Vorsitzenden bevormundet wurde, was jedoch nicht dem Bemühen Naumanns widersprach, in politisch-ideeller Hinsicht ausgleichend und klärend zu wirken. Naumann war es, der die »Grundlinien« des Vereins entworfen hatte, die im wesentlichen – nach einigen Korrekturen und Ergänzungen – vom Vertretertag akzeptiert wurden.

Ihm war es aber nicht gelungen, die Polarisierung des rechten und linken Vereinsflügels zu verhindern, die zu dem für die weitere Zukunft des Vereins entscheidenden Erfurter Kompromiß von 1897 führte. Naumann wiederum entwickelte – von diesem Kompromiß ausgehend – die Theorie eines proletarisch-bürgerlichen Gesamtliberalismus, die seit 1901 in Form der »Leitlinien über die Stellung zum Liberalismus« für den Verein programmatische Verbindlichkeit erhielt.

Wurde Naumanns Rolle als spiritus rector des Vereins im Bereich der politisch-ideellen Führung durch den Meinungsindividualismus führender Nationalsozialer teilweise eingeschränkt, so überragte er alle anderen Repräsentanten des Vereins durch seine *persönliche* Autorität. War der Nationalsoziale Verein keine Personalgefolgschaft in *dem* Sinne, daß ausschließlich Naumann Programm und Politik des Vereins formulierte, so war er es aber doch in *der* Hinsicht, daß durch Naumanns überragende *Persönlichkeit* der Zusammenhalt des Vereins gewahrt wurde.

Wenn auch in die Politik des Nationalsozialen Vereins Ideengehalte Eingang fanden, denen man einen Zukunftswert absprechen muß – der hypertrophe Nationalismus, die imperialistische Propaganda und das angestrebte »Volkskaisertum« sind in diesem Zusammenhang zu nennen –, so kommt der von Naumann entwickelten Konzeption eines politischen Gesamtliberalismus, hinter welcher der Gedanke einer einheitlichen Politik von sozialdemokratischer Arbeiterschaft und liberalem Bürgertum stand, mehr als nur eine temporäre Bedeutung zu. Die von Naumann gewünschte *enge* politische Symbiose zwischen Sozialdemokratie und politischem Liberalismus ist weder im Kaiserreich noch in der Weimarer Republik Wirklichkeit geworden – auch wenn es im letzten Jahrzehnt des Kaiserreiches zu einer Annäherung zwischen Sozialdemokratie und Linksliberalismus kam und in der Weimarer Republik Sozialdemokraten und Liberale zeitweilig gemeinsam, allerdings zusammen mit dem Zentrum, die Regierungsverantwortung trugen. Erst in der Bundesrepublik – allerdings zwanzig Jahre nach ihrer Gründung – wurde ein enges Zusammenwirken zwischen Sozialdemokraten und Liberalen durch ein Regierungsbündnis möglich. Zwei Bedingungen, die auch Naumann als Voraussetzungen für ein Zusammengehen von Sozialdemokraten und Liberalen genannt hat, waren zu diesem Zeitpunkt für das Zustandekommen eines sozialliberalen Bündnisses erfüllt: Einmal hatte sich in jener Partei, der Naumanns kritisch-wohlwollende Aufmerksamkeit galt, ohne daß er sich in ihre Reihen eingliederte, nämlich der Sozialdemokratie, faktisch der Gedanke einer Synthese von Sozialismus und Liberalismus Bahn gebrochen. Die Entscheidung dieser Partei zugunsten der parlamentarischen Demokratie nach dem Zusammenbruch des Kaiserreiches, die einem Bekenntnis zur Idee des liberalen Verfassungsstaates gleichkam, hat Naumann noch miterlebt. Die politisch-ideelle Metamorphose der Sozialdemokratie nach dem zweiten Weltkrieg setzte sich fort in der Wandlung von einer proletarischen Klassenpartei in eine sozialreformerische Volkspartei.

Zum anderen waren die Liberalen bereit, an wichtigen gesellschaftspolitischen Reformen mitzuarbeiten. Diese Bereitschaft aber setzte eine kritische Überprüfung überkommener liberaler Wertvorstellungen voraus.

Anhang

I. »Grundlinien« des Nationalsozialen Vereins (angenommen von der Erfurter Gründungsversammlung im Jahre 1896)

§ 1 Wir stehen auf nationalem Boden, indem wir die wirtschaftliche und politische Machtentfaltung der deutschen Nation nach außen für die Voraussetzung aller größeren sozialen Reformen im Innern halten, zugleich aber der Überzeugung sind, daß die äußere Macht auf die Dauer ohne Nationalsinn einer politisch interessierten Volksmasse nicht erhalten werden kann. Wir wünschen darum eine Politik der Macht nach außen und der Reform nach innen.

§ 2 Wir wünschen eine feste und stetige auswärtige Politik, die der Ausdehnung deutscher Wirtschaftskraft und deutschen Geistes dient. Um sie zu ermöglichen, treten wir für die ungeschmälerte Durchführung der allgemeinen Wehrpflicht, für eine angemessene Vermehrung der deutschen Kriegsflotte sowie für Erhaltung und Ausbau unserer Kolonien ein. Im Interesse der vaterländischen Macht und Ehre werden wir Mißstände in unseren militärischen und kolonialen Einrichtungen stets offen bekämpfen.

§ 3 Wir stehen fest auf dem Boden der deutschen Reichsverfassung und wünschen ein kräftiges Zusammenwirken der Monarchie und der Volksvertretung. Wir sind für Unantastbarkeit des allgemeinen Wahlrechts zum Reichstage und für Ausdehnung desselben auf Landtage und Kommunalvertretungen. Wir fordern Verwirklichung der politischen und wirtschaftlichen Vereinsfreiheit und ungeschmälerte Erhaltung der staatsbürgerlichen Rechte aller Staatsbürger.

§ 4 Wir wollen eine Vergrößerung des Anteils, den die Arbeit in ihren verschiedenen Arten und Formen in Stadt und Land unter Männern und Frauen an dem Gesamtertrag der deutschen Volkswirtschaft hat, und erwarten dieselbe nicht von den Utopien und Dogmen eines revolutionären marxistischen Kommunismus, sondern von fortgesetzter politischer, gewerkschaftlicher Arbeit aufgrund der vorhandenen Verhältnisse, deren geschichtliche Umgestaltung wir zugunsten der Arbeit beeinflussen wollen.

§ 5 Wir erwarten, daß die Vertreter deutscher Bildung im Dienst des Gemeinwohls den politischen Kampf der deutschen Arbeit gegen die Übermacht vorhandener Besitzrechte unterstützen werden, wie wir andererseits erwarten, daß die Vertreter der deutschen Arbeit sich zur Förderung vaterländischer Erziehung, Bildung und Kunst bereitfinden werden.

§ 6 Wir sind für Regelung der Frauenfrage im Sinne einer größeren Sicherung der persönlichen und wirtschaftlichen Stellung der Frau und ihrer Zulassung zu solchen Berufen und öffentlich-rechtlicher Stellungen, in denen sie die fürsorgende und erziehende Tätigkeit für ihr eigenes Geschlecht wirksam entfalten kann.

§ 7 Im Mittelpunkt des geistigen und sittlichen Lebens unseres Volkes steht uns das Christentum, das nicht zur Parteisache gemacht werden darf, sich aber auch im öffentlichen Leben als Macht des Friedens und der Gemeinschaftlichkeit bewähren soll.

II. »Nationalsoziale Leitsätze über die Stellung zum Liberalismus« (angenommen vom Vertretertag im Jahre 1901)

1. Der sozialpolitische, handelspolitische und staatspolitische Fortschritt des deutschen Volkes wird gegenwärtig durch die starke politische Organisation der Agrarier aufgehalten, die es verstanden hat, außer die Konservativen auch die Mehrzahl der Nationalliberalen und des Zentrums in Abhängigkeit zu bringen. Gegenüber dieser agrarischen Organisation ist eine industrialistische politische Organisation der gesamten Linken notwendig, aber durch den Radikalismus der Sozialdemokratie und den Niedergang des bürgerlichen Liberalismus bis jetzt verhindert worden.

2. Der Niedergang des bürgerlichen Liberalismus zeigt sich darin, daß er Arbeiter, Großindustrielle und Bauern verloren hat; und zwar beruht dies in folgenden Ursachen:
   a) im Mangel eines einheitlich gedachten Wirtschaftsprogramms;
   b) in der Unfähigkeit, die soziale und politische Bedeutung der Arbeiterklasse anzuerkennen;
   c) in der Ungenügendheit liberaler Bauernprogramme;
   d) im Mangel an Verständnis für den Machtkampf der Völker und Staaten.

3. Eine Neubildung des Liberalismus in Deutschland kann nur erfolgen, wenn von den bürgerlich-liberalen Elementen die politische Bewegung der Lohnarbeiter als zukünftige Grundlage der liberalen politischen Organisation anerkannt und die Machtpolitik des Deutschen Reiches als Bestandteil liberaler Gesamtpolitik begriffen wird. Beides ist nur möglich auf Grund einer volkswirtschaftlich-industriellen, antiagrarischen Gesamtauffassung (der letzte Satz dieses Abschnittes wurde nach längerer Diskussion gestrichen).

4. Ein vereint vorgehender proletarischer und bürgerlicher Liberalismus muß bei Stärkung aller Freiheitstendenzen nationale Gesamtpolitik vom Standpunkt der industriellen Entwicklung aus bieten. Von da aus muß er den Zusammenhang des steigenden Wachstums des Nationalwohlstandes mit der Belebung bäuerlicher und handwerksmäßiger Betriebe durch die gesteigerte Konsumkraft der arbeitenden Masse einerseits und Durchführung eines auf Genossenschaft und Entschuldung gerichteten Landprogramms andererseits in den Vorder-

grund stellen, um Vertreter der wirtschaftlichen Gesamtinteressen der Nation werden zu können.

5. Der Herbeiführung dieses Zieles dienen innerhalb der Sozialdemokratie die Bernsteinianer, außerhalb derselben die Nationalsozialen, die führenden Kräfte der Freisinnigen Vereinigung und gewisse Unterströmungen in den beiden Volksparteien.
Diesem Ziele stellt sich am meisten entgegen: der marxistische Radikalismus in der Sozialdemokratie, der bürgerlich-liberale Doktrinarismus Eugen Richters und die übermächtigen agrarischen Einflüsse bei den Nationalliberalen.

6. Wir Nationalsozialen haben nach Maßgabe unserer Kräfte die Aufgabe, innerhalb der liberalen Gesamtbewegung die Idee der einheitlichen Organisation von proletarischen und bürgerlichen Elementen zu stärken und müssen diejenigen Teile des Liberalismus und der Sozialdemokratie bekämpfen, die dieser Idee entgegenstehen.

Quellen- und Literaturverzeichnis

A) Quellen

1. Nachlässe

Deutsches Zentralarchiv (DZA) Potsdam, Nachlaß Friedrich Naumann (darin enthalten ist u. a. eine vollständige Sammlung der Protokolle von den Sitzungen des nationalsozialen Vereinsvorstandes)

Bundesarchiv (BA) Koblenz:
- Nachlaß Lujo Brentano
- Nachlaß (Rest) Adolf Damaschke
- Nachlaß Maximilian Harden
- Nachlaß Richard Rösicke
- Nachlaß Gottfried Traub

Geheimes Staatsarchiv der Stiftung Preußischer Kulturbesitz, Nachlaß Arthur Titius

Hessische Landes- und Hochschulbibliothek Darmstadt, Nachlaß Martin Wenck

Theodor Heuss Archiv, Nachlaß Theodor Heuss

Stadtarchiv Mannheim, Nachlaß Dr. J. M. Wolfhard

2. Akten

Staatsarchiv Hamburg, Polizeibehörde. Politische Polizei, Vers 666, Acte in Sachen Nationalsozialer Verein 1896–1900; Vers 700, Bd. 1, Acte in Sachen Nationalsozialer Wahlverein für Hamburg und Umgegend 1898–1900; Vers 700, Bd. 2, Acte betreffend Nationalsozialer Wahlverein für Hamburg-Altona und Umgegend 1901–1904.

Hessisches Hauptstaatsarchiv Wiesbaden, Acta des königlichen Polizei-Präsidii in Frankfurt am Main betreffend National-Sozialer Wahlverein für Frankfurt a. M. u. Umgegend, Abt. 407, Nr. 159[1] und Nr. 159[2]

Hessisches Staatsarchiv Marburg, Königliche Regierung zu Cassel, Präsidialabteilung. Registratur A. II., Spezial-Akten betreffend National-Soziale Vereinigung, Bestand 165, Nr. 1242

Stadtarchiv Dortmund, Titel VI Sect. 1, Nr. 134, Spezialakte der Polizeiverwaltung zu Dortmund betreffend den Nationalsozialen bzw. Sozialliberalen Verein, D. n 235

Stadtarchiv Göttingen, Politische Polizei XXVII, Fach 161, Nr. 9, Acta betreffend National-Sozialer Verein (1895–1904)

3. Protokolle, Parteiprogramme

Protokoll über die Vertreter-Versammlung aller National-Sozialen in Erfurt vom 23. bis 25. November 1896, Berlin (1897)

Protokoll über die Verhandlungen des Nationalsozialen Vereins (2. Delegiertentag) zu Erfurt vom 26.–29. September 1897, Berlin (1897)

Protokoll über die Verhandlungen des Nationalsozialen Vereins (3. Vertretertag) zu Darmstadt vom 25. bis 28. September 1898, Berlin (1898)

Protokoll über die Verhandlungen des Nationalsozialen Vereins (4. Vertretertag) zu Göttingen vom 1. bis 4. Oktober 1899, Berlin (1899)
Protokoll über die Verhandlungen des Nationalsozialen Vereins (5. Vertretertag) zu Leipzig vom 30. September bis 3. Oktober 1900, Berlin (1900)
Protokoll über die Verhandlungen des Nationalsozialen Vereins (6. Vertretertag) zu Frankfurt a. M. vom 29. September bis 2. Oktober 1901, Berlin (1901)
Protokoll über die Verhandlungen des Nationalsozialen Vereins (7. Vertretertag) zu Hannover vom 2. bis 5. Oktober 1902, Berlin (1902)
Protokoll über die Verhandlungen des Nationalsozialen Vereins (8. Vertretertag) zu Göttingen am 29. und 30. August 1903, Berlin (1903)
Salomon, Felix: Die deutschen Parteiprogramme, Heft II, Leipzig/Berlin 1907

4. *Zeitschriften/Jahrbücher*

»Die Hilfe«. Gotteshilfe, Selbsthilfe, Staatshilfe, Bruderhilfe (Seit Oktober 1901 lautete der Untertitel: Nationalsoziales Wochenblatt), Jahrgänge 1894–1903, hrsg. von Friedrich Naumann
»Die Zeit«. Organ für nationalen Sozialismus auf christlicher Grundlage, 1. Oktober 1896 bis 30. September 1897, Verleger Hermann Bousset
»Die Zeit«. Nationalsoziales Wochenblatt, Jahrgänge 1901–1903, hrsg. von Friedrich Naumann
»Deutsche Volksstimme«, Organ des Bundes Deutscher Bodenreformer, Jahrgänge 1898–1903, hrsg. von Adolf Damaschke
»Die Nation«, Wochenschrift für Politik, Volkswirtschaft und Literatur, Jahrgänge 1896–1902, hrsg. von Theodor Barth
»Patria«, Jahrbuch der »Hilfe«, Bd. 1–4, 1901–1904, hrsg. von Friedrich Naumann
»Die Zukunft«, hrsg. von Maximilian Harden, 11. Bd., 1895

5. *Schriften, Reden und Memoiren von Nationalsozialen*

(Nicht aufgeführt sind Aufsätze aus den oben genannten Periodika und Reden, deren Wortlaut in den angegebenen Akten enthalten ist):

Damaschke, Adolf: Was ist National-Sozial? Berlin 1899
– Kamerun oder Kiautschou? Eine Entscheidung über die Zukunft der deutschen Kolonialpolitik, Berlin 1900
– Die Bodenreform. Grundsätzliches und Geschichtliches, Berlin 1902
– Zeitenwende. Aus meinem Leben, 2 Bde., Leipzig und Zürich 1925
von Gerlach, Hellmut: Erinnerungen eines Junkers, Berlin o. J.
Göhre, Paul: Drei Monate Fabrikarbeiter und Handwerksbursche, Leipzig 1891
– Die evangelisch-soziale Bewegung, ihre Geschichte und ihre Ziele, Leipzig 1896
– Vom Sozialismus zum Liberalismus. Wandlungen der Nationalsozialen, Berlin 1902
Lorenz, Max: Die marxistische Sozialdemokratie, Leipzig 1896
– Der nationale Kampf gegen die Sozialdemokratie, Leipzig 1897
Naumann, Friedrich: Was tun wir gegen die glaubenslose Sozialdemokratie, in: Friedrich Naumann, Werke, hrsg. von Theodor Schieder, Walter Uhsadel und Heinz Ladendorf, Bd. I, Köln-Opladen 1964, S. 162 f.
– Christlich-Sozial, in: Naumann, Werke, Bd. I., S. 341 ff.
– Jesus als Volksmann, in: Göttinger Arbeiterbibliothek, hrsg. von Fr. Naumann, Göttingen 1896
– Nationaler und internationaler Sozialismus, in: Naumann, Werke, Bd. V., S. 270 ff.
– Nationale Sozialpolitik, in: Naumann, Werke, Bd. V., S. 233 ff.
– Bebel und Bernstein, Vortrag vom 6. April 1899, Berlin (1899)

– Flotte und Reaktion, Vortrag vom 15. November 1899, Berlin 1899
– Liberalismus und Sozialdemokratie, in: Naumann, Werke, Bd. IV., S. 237 ff.
– Die Leidensgeschichte des deutschen Liberalismus, in: Naumann, Werke, Bd. IV., S. 291 ff.
– Handelsverträge oder Brotwucher, Vortrag vom 14. November 1900, Berlin 1900
– Die wirtschaftlichen und politischen Folgen der Bevölkerungsvermehrung, Vortrag vom 17. November 1903, München (1903)
– Deutschland und Österreich, Berlin 1900
– Weltpolitik und Sozialreform, Vortrag vom 20. März 1899, Berlin (1899)
– Zar und Weltfrieden, Berlin 1899
– Die Politik Kaiser Wilhelm II., München (1903)
– Die Illusion in der Politik. Süddeutsche Monatshefte, 1. Jg., Heft 3 (1904)
RASSOW, Hermann: Die deutsche Flotte und das deutsche Volk, in: Göttinger Arbeiterbibliothek, hrsg. v. Fr. Naumann, Göttingen 1897
SOHM, Rudolf: Die sozialen Pflichten der Gebildeten, Leipzig 1896
– Die sozialen Aufgaben des modernen Staates, Leipzig 1898
WENCK, Martin: Von der Hauswirtschaft zur Weltwirtschaft, in: Göttinger Arbeiterbibliothek, hrsg. v. Fr. Naumann, Göttingen 1896

Literatur

BERGHAHN, Volker R.: Zu den Zielen des deutschen Flottenbaus unter Wilhelm II., in: HZ, Bd. 210, 1970, S. 34 ff.
– Der Tirpitz-Plan. Genesis und Verfall einer innenpolitischen Krisenstrategie unter Wilhelm II., Düsseldorf 1971
– Flottenrüstung und Machtgefüge, in: Das kaiserliche Deutschland, Politik und Gesellschaft 1870–1918, hrsg. von Michael Stürmer, Düsseldorf 1970, S. 378 ff.
BERNSTEIN, Eduard: Zur Geschichte und Theorie des Sozialismus, Gesammelte Abhandlungen, Berlin/Bern 1901
– Die Voraussetzungen des Sozialismus, Stuttgart 1899
BORN, Karl Erich: Das Reich unter der Führung Bismarcks, in: Bruno Gebhardt, Hdb. der Deutschen Geschichte, III. Bd., Stuttgart 1960, 8. Aufl.
– Von der Reichsgründung bis zum I. Weltkrieg, in: Bruno Gebhardt, Hdb., Stuttgart 1970, 9., neu bearbeitete Aufl.
BRENTANO, Lujo: Reaktion oder Reform? Gegen die Zuchthausvorlage, Berlin 1899
– Der Schutz der Arbeitswilligen, Berlin 1899
– Die Schrecken des überwiegenden Industriestaats, Berlin 1901
BRENTANO, Lujo: Das Freihandelsargument, Berlin 1901
– Mein Leben im Kampf um die soziale Entwicklung Deutschlands, Jena 1931
CHRIST, Jürgen: Staat und Staatsraison bei Friedrich Naumann, Heidelberg 1969 (Diss. Mainz)
CONZE, Werner: Friedrich Naumann. Grundlagen und Ansatz seiner Politik in der nationalsozialen Zeit (1895–1903), in: Schicksalswege deutscher Vergangenheit, Beiträge zur geschichtlichen Deutung der letzten hundertfünfzig Jahre. Festschrift für Siegfried A. Kaehler, Düsseldorf 1950, S. 355 ff.
DANIELS, Gertrud: Individuum und Gemeinschaft bei Theodor Barth und Friedrich Naumann, Diss. Hamburg 1932
ELM, Ludwig: Zwischen Fortschritt und Reaktion. Geschichte der Parteien der liberalen Bourgeoisie in Deutschland 1893–1918, Berlin (Ost) 1968
FEHRENBACH, Elisabeth: Wandlungen des deutschen Kaisergedankens 1871–1918. Studien zur Geschichte des neunzehnten Jahrhunderts. Abhandlung der Forschungsabteilung des Historischen Seminars der Universität Köln, Band I, München-Wien 1969

FISCHER, Louis: Friedrich Naumann als Wirtschaftspolitiker, Diss. (Ms.) Freiburg i. Brsg. 1922

FRANK, Walter: Hofprediger Adolf Stöcker und die christlich-soziale Bewegung, Hamburg 1935, 2. Aufl.

GAGEL, Walter: Die Wahlrechtsfrage in der Geschichte der deutschen liberalen Parteien 1848–1918, hrsg. von der Kommission für Geschichte des Parlamentarismus und der politischen Parteien, Düsseldorf 1958

GAUGER, Joachim: Geschichte des Nationalsozialen Vereins samt einer Darstellung seiner ideellen und tatsächlichen Herkunft – als Teil einer evangelischen Parteigeschichte, Wuppertal-Elberfeld 1935 (Diss. Münster)

GERHARDT, Maria: Friedrich Naumann, ein Beitrag zur Frage nach dem Wesen der Politik, Diss. (Ms.) Hamburg 1951

GILG, Peter: Die Erneuerung des demokratischen Denkens im Wilhelminischen Deutschland. Eine ideengeschichtliche Studie zur Wende vom 19. zum 20. Jahrhundert. Veröffentlichungen des Instituts für europäische Geschichte Mainz, Band 37, Abteilung Universalgeschichte, Wiesbaden 1965

FRICKE, Dieter: Nationalsozialer Verein (NV), 1896–1903, in: Die bürgerlichen Parteien in Deutschland, Handbuch der Geschichte der bürgerlichen Parteien und anderer bürgerlicher Interessenorganisationen vom Vormärz bis zum Jahre 1945, hrsg. von einem Autorenkollektiv unter Leitung von Dieter Fricke, Leipzig 1970, Band II, S. 376 ff.

GRAMM, Oskar: Politik und Wehrpolitik bei Friedrich Naumann, Diss. (Ms.) Heidelberg 1939

HAFERLAND, Hans: Mensch und Gesellschaft im Staatslexikon von Rotteck-Welcker. Ein Beitrag zur Gesellschaftstheorie des Frühliberalismus, Diss. Berlin 1957

HAPP, Wilhelm: Das Staatsdenken Friedrich Naumanns, Bonn 1968 (Diss. Köln)

HARTMANN, Hellmut: Friedrich Naumanns Verhältnis und Stellungnahme zur auswärtigen Politik bis 1914, Diss. Köln 1951

HELD, Adolf: Über den gegenwärtigen Prinzipienstreit in der Nationalökonomie, in: Preußische Jahrbücher, 30. Bd., 1872

HEUSS, Theodor: Hitlers Weg. Eine historisch-politische Studie über den Nationalsozialismus, Stuttgart, Berlin, Leipzig 1932, 3. Aufl.

– Friedrich Naumann. Der Mann, das Werk, die Zeit, Stuttgart und Tübingen 1949, 2. Aufl.

– Friedrich Naumann. Der Mann, das Werk, die Zeit, München und Hamburg 1968, 3. Aufl., durchgesehen und hrsg. von Alfred Milatz

JORDAN, Karl: Friedrich Naumann. Ein Politiker der nachbismarckischen Zeit, in: Volk und Staat, Festschrift Karl Massmann, Kiel 1954

KAEHLER, Siegfried: Stöckers Versuch, eine christlich-soziale Arbeiterpartei in Berlin zu gründen (1878), in: Wentzcke, Deutscher Staat u. Deutsche Parteien. Beiträge zur deutschen Partei- und Ideengeschichte, München u. Berlin 1922

KAELBLE, Hartmut: Industrielle Interessenverbände vor 1914, in: Walter Rüegg/Otto Neuloh: Zur soziologischen Theorie und Analyse des 19. Jahrhunderts. Studien zum Wandel von Gesellschaft und Bildung im Neunzehnten Jahrhundert, Bd. I, Göttingen 1971, S. 180 ff.

KAISERREDEN: Reden und Erlasse, Briefe und Telegramme Kaiser Wilhelms des Zweiten. Ein Charakterbild des deutschen Kaisers, Leipzig 1902

KEHR, Eckart: Schlachtflottenbau und Parteipolitik 1894–1901, Versuch eines Querschnitts durch die innenpolitischen, sozialen und ideologischen Voraussetzungen des deutschen Imperialismus, Berlin 1930

– Soziale und finanzielle Grundlagen der Tirpitzschen Flottenpropaganda, in Eckart Kehr: Der Primat der Innenpolitik, Gesammelte Aufsätze zur preußisch-deutschen Sozialgeschichte im 19. und 20. Jahrhundert, Veröffentlichungen der Historischen Kommission zu Berlin, Bd. 19, hrsg. u. eingeleitet von Hans-Ulrich Wehler, Berlin 1970, 2. durchgesehene Aufl., Berlin 1970, S. 130 ff.

LANDSBERG, Konrad: Friedrich Naumann als Wirtschaftspolitiker, Diss. (Ms.) Jena 1922

LEGIEN, Carl: Der Streik der Hafenarbeiter und Seeleute in Hamburg-Altona, Darstellung der Ursachen und des Verlaufs des Streiks, sowie Arbeits- und Lohnverhältnisse der im Hafen beschäftigten Arbeiter, Hamburg, 1897, 3. Aufl.

LINDENLAUB, Dieter: Richtungskämpfe im Verein für Sozialpolitik. Wissenschaft und Sozialpolitik im Kaiserreich vornehmlich vom Beginn des »Neuen Kurses« bis zum Ausbruch des Ersten Weltkrieges (1890–1914), Teil I und II, Vierteljahreshefte für Sozial- und Wirtschaftsgeschichte, Beihefte Nr. 52 u. 53, Wiesbaden 1967

LOHMANN, Gertrud: Friedrich Naumanns Deutscher Sozialismus, Berlin 1935 (Diss. München)

MILATZ, Alfred: Friedrich-Naumann-Bibliographie, hrsg. von der Kommission für Geschichte des Parlamentarismus und der politischen Parteien, Düsseldorf 1957

MOLT, Peter: Der Reichstag vor der improvisierten Revolution. Politische Forschungen Bd. 4, hrsg. von Dolf Sternberger, Köln-Opladen 1963

MOMMSEN, Wolfgang J.: Max Weber und die deutsche Politik 1890–1920, Tübingen 1959

NIPPERDEY, Thomas: Interessenverbände und Parteien in Deutschland vor dem Ersten Weltkrieg, in: Politische Vierteljahresschrift, Jg. II, 1961, S. 262 ff.

– Die Organisationen der deutschen Parteien vor 1918. Beiträge zur Geschichte des Parlamentarismus und der politischen Parteien, Bd. 18, Düsseldorf 1961

NÜRNBERGER, Richard: Imperialismus, Sozialismus und Christentum bei Friedrich Naumann, in: HZ, Bd. 170, 1950, S. 525 ff.

PUHLE, Hans-Jürgen: Agrarische Interessenpolitik und preußischer Konservatismus im wilhelmischen Reich (1893–1914). Ein Beitrag zur Analyse des Nationalismus in Deutschland am Beispiel des Bundes der Landwirte und der Deutsch-Konservativen Partei, Hannover 1966

– Der Bund der Landwirte im Wilhelminischen Reich – Struktur, Ideologie und politische Wirksamkeit eines Interessenverbandes in der konstitutionellen Monarchie (1893–1914), in: Walter Rüegg/Otto Neuloh: Zur soziologischen Theorie und Analyse des 19. Jahrhunderts. Studien zum Wandel von Gesellschaft und Bildung im Neunzehnten Jahrhundert, Bd. I, Göttingen 1971, S. 145 ff.

– Parlament, Parteien und Interessenverbände 1890–1914, in: Das kaiserliche Deutschland, Politik und Gesellschaft, 1870–1918, hrsg. von Michael Stürmer, Düsseldorf 1970, S. 340 ff.

RICHTER, Eugen: Die Fortschrittspartei und die Sozialdemokratie, Berlin 1878

SCHIEDER, Theodor: Die Krise des bürgerlichen Liberalismus. Ein Beitrag zum Verhältnis von politischer und gesellschaftlicher Verfassung, in: Schieder, Staat und Gesellschaft im Wandel unserer Zeit. Studien zur Geschichte des 19. und 20. Jahrhunderts, München 1958 (2. Aufl. 1970), S. 58 ff.

– Die geschichtlichen Grundlagen und Epochen des deutschen Parteiwesens. in: Schieder, Staat und Gesellschaft, München 1958 (2. Aufl. 1970), S. 133 ff.

– Grundfragen der neueren deutschen Geschichte. Zum Problem der historischen Urteilsbildung, in: HZ, Bd. 192, 1961, S. 1 ff.

– Das Deutsche Kaiserreich von 1871 als Nationalstaat. Wissenschaftliche Abhandlungen der Arbeitsgemeinschaft für Forschung des Landes Nordrhein-Westfalen, Bd. 20, Köln-Opladen 1961

SCHILLING, Konrad: Beiträge zu einer Geschichte des radikalen Nationalismus in der Wilhelminischen Ära 1890–1909. Die Entstehung des radikalen Nationalismus, seine Einflußnahme auf die innere und äußere Politik des Deutschen Reiches und die Stellung von Regierung und Reichstag zu seiner politischen und publizistischen Aktivität, Diss. Köln 1968

SCHNEIDER, Carl: Die Publizistik der national-sozialen Bewegung 1895–1903, Wangen i. A. 1934 (Diss. Berlin)

SCHRAMM, Percy Ernst: Deutschlands Verhältnis zur englischen Kultur nach der Begründung des Neuen Reiches, in: Schicksalswege deutscher Vergangenheit. Beiträge zur geschichtlichen Deutung der letzten hundertfünfzig Jahre. Festschrift für Siegfried A. Kaehler, Düsseldorf 1950, S. 289 ff.

SELL, Friedrich C.: Die Tragödie des deutschen Liberalismus, Stuttgart 1953

SPONSEL, Friedrich: Friedrich Naumann und die deutsche Sozialdemokratie, Diss. (Ms.) Erlangen 1952

THEODOR, Gertrud: Friedrich Naumann oder der Prophet des Profits. Ein biographischer Beitrag zur Geschichte des frühen deutschen Imperialismus, Berlin (Ost) 1957

TÖNNIES, Ferdinand/PAULSEN, Friedrich: Briefwechsel 1876–1908, Veröffentlichungen der Schleswig-Holsteinischen Universitätsgesellschaft, Neue Folge, Nr. 27, Kiel 1961

TREUE, Wilhelm: Wirtschafts- und Sozialgeschichte Deutschlands im 19. Jahrhundert, in: Bruno Gebhardt, Hdb. der Deutschen Geschichte, III. Bd., Stuttgart 1960, 8. Aufl.

TRIEPEL, Heinrich: Die Staatsverfassung und die politischen Parteien, Berlin 1927

VOGT, Hannah: Der Arbeiter. Wesen und Probleme bei Friedrich Naumann, August Winnig, Ernst Jünger, Göttingen 1945

WEBER, Marianne: Max Weber. Ein Lebensbild, Tübingen 1926

WEBER, Max: Gesammelte politische Schriften, München 1921

WENCK, Martin: Die Geschichte der Nationalsozialen von 1895 bis 1903, Berlin 1905

– Handbuch für liberale Politik, Berlin 1911

– Friedrich Naumann. Ein Lebensbild, Berlin 1920

WINKLER, Heinrich August: Preußischer Liberalismus und Deutscher Nationalstaat. Studien zur Geschichte der Deutschen Fortschrittspartei 1861–1866, Tübinger Studien zur Geschichte u. Politik, Nr. 17, Tübingen 1964

– Der rückversicherte Mittelstand: Die Interessenverbände von Handwerk und Kleinhandel im deutschen Kaiserreich, in: Walter Rüegg/Otto Neuloh: Zur soziologischen Theorie und Analyse des 19. Jahrhunderts. Studien zum Wandel von Gesellschaft und Bildung im Neunzehnten Jahrhundert, Bd. I, Göttingen 1971, S. 163 ff.

Personen- und Autorenregister

„Neunzehntes Jahrhundert"

ein Forschungsunternehmen der Fritz Thyssen Stiftung

Studien zur Geschichte des neunzehnten Jahrhunderts. Abhandlungen der Forschungsabteilung des Historischen Seminars der Universität Köln

Band 1 Elisabeth Fehrenbach: **Wandlungen des deutschen Kaisergedankens 1871–1918**

1969. 255 Seiten, Ln. DM 38,50

Band 2 Helmut Berding: **Rationalismus und Mythos**

Geschichtsauffassung und politische Theorie bei Georges Sorel

1969. 157 Seiten, Ln. DM 28,–

Band 3 **Sozialstruktur und Organisation europäischer Nationalbewegungen**

Unter Mitwirkung von Peter Burian herausgegeben von Theodor Schieder

1971. 175 Seiten, 1 Karte als Falttafel, Ln. DM 36,–

Band 4 Peter Alter: **Die irische Nationalbewegung zwischen Parlament und Revolution**

Der konstitutionelle Nationalismus in Irland 1880–1918

1971. 232 Seiten, 1 Karte, Ln. DM 40,–

Band 5 Irmgard Wilharm: **Die Anfänge des griechischen Nationalstaates 1833–1843**

1972. Ca. 300 Seiten, 1 Karte als Falttafel und 1 Tabelle, Ln. ca. DM 55,–

Band 6 Dieter Düding: **Der Nationalsoziale Verein 1896–1903**

Der gescheiterte Versuch einer parteipolitischen Synthese von Nationalismus, Sozialismus und Liberalismus

R. OLDENBOURG VERLAG MÜNCHEN WIEN

p. 56.

Weber believed in political parties as interest groups – each answering national questions according to their own interests. Naumann's attempt – whether he realised it or not – was to come much nearer to Rousseau's doctrine of the general will whereby each should ask himself ~~the other two questions~~ what do my particular interests demand, certainly, but also the second question what does the general interest demand. This for him and he was right, required the integration of the fourth estate into the old German society – or a battle against it. From this which gave the educated a special place in the party – 'Die Gebildeten' were the bearers of the general interest Gesamtinteresse of the nation

1] relationship to religious belief
2] relationship with Machtstaat

p. 73

Heidelberg?

1 Erfurt 96.
2 Erfurt 97
3 Darmstadt 98
Leipzig